プラチナデータ

東野圭吾

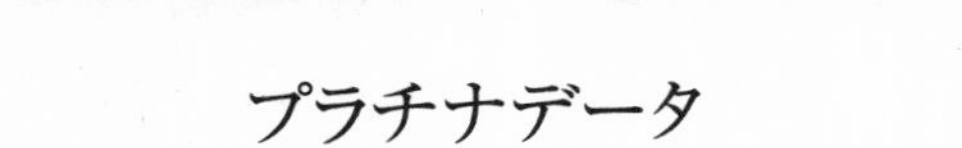

幻冬舎文庫

プラチナデータ

1

死体は鮮やかなブルーのキャミソールを着ていた。豊かな胸はそれによって隠されていたが、下半身は露出していた。下着を着けていないからだ。首には濃紺のチョーカーが巻かれている。その少し上の部分が赤黒くなっていた。素手で絞めた痕《あと》だ、と慣れた捜査員ならすぐにわかる。

浅間《あさま》玲司《れいじ》は一台の小さな電子機器を手にしていた。二本の細いコードが繫《つな》がっていて、先端には金属のクリップが付いている。何度か目にしたことがあるものだ。

「また電トリですか」後輩の戸倉《とくら》が浅間の手元を覗《のぞ》き込んでいった。「最近、多いですね」

「これ、本当に効くのか」

「らしいですよ。俺はやったことないですけどね」そういってから戸倉は浅間の耳元で囁《ささや》いた。「試してみたらどうですか。少しだけなら、身体《からだ》に悪影響はないって話ですし」

「じゃあ、おまえがやってみろよ」

浅間がいうと、後輩刑事は肩をすくめ、苦笑いをして遠ざかった。それを見送った後、浅間は持っていた電子機器を元の場所に戻した。死体が発見された時、それはナイトテーブルの上に置いてあった。

鑑識作業は続いている。彼等の仕事が終わるまでは、浅間たち捜査一課の人間でさえも現場には近づけないというのが建前だが、そんなものを守っていたらまともな初動捜査などできないというのが刑事たちの考えだ。

現場は渋谷のはずれにあるラブホテルの一室だった。清掃をしようと係員が部屋に入り、死体を発見した。殺されていたのは二十代前半と思える女性で、ベッドの上で倒れていた。

性交した形跡はあるが、体内に精液は残っていない。使用済みのコンドームも見つかっていない。女性のバッグの中身と共に犯人が持ち去ったと思われた。バッグからは、必ず持っていたに違いない財布と電話がなくなっていた。身元を確認するものは残っていない。

よくあるくだらない事件だ、と浅間は思った。馬鹿な男と馬鹿な女がどこかで意気投合し、このホテルにしけこんだ。二人とも並のセックスにはあきていたので、どちらかが持っていた『電トリ』で遊ぼうということになった。『電トリ』というのは最近若者たちの間で流行《はや》っている脳刺激装置だ。両耳に電極を取り付けて電源を入れると、微弱なパルス電流が脳に流れ、薬とは違った刺激が味わえるのだそうだ。もちろん国に認可された機械ではない。どこかの国の誰かが作りだし、闇《やみ》マーケットに流した品物だ。最近はそういうおかしな商品が、ほかにもたくさんある。『電トリ』というのは電気トリップの略だが、それさえも正式名称ではない。正式名称など誰も知らない。作った本人でさえ知らないかもしれない。

このホテルにやってきた二人は、『電トリ』で頭を狂わせながらセックスをしたのだ。それによって得られる快楽が並大抵のものではないということを、浅間は最近取り調べた若者から聞いた。特にサドやマゾの性癖を持つ者には、たまらないらしい。

「俺、何度も彼女を殺しそうになったもんな」その若者は楽しそうにいった。

この事件も、そういう馬鹿な遊びの結果だろうと浅間は見当をつけた。男は女を絞め殺した後で、自分のしでかしたことに驚き、怖くなって逃げたのだ。だがたちの悪いことに、後始末をする程度の知恵はあったらしい。女の身元を示すものが残っていないこともそうだし、鑑識班が決定的な指紋を見つけられずにいることもそうだ。

くだらない事件ではあるが、すぐにやっつけられる仕事でもなさそうだ、と浅間は憂鬱《ゆううつ》になった。女をナンパしそうなサド男というだけでは、日本中を聞いて回るだけで百年かかる。

現場の状況を把握した後、浅間は部屋を出た。廊下にも鑑識の姿がある。当分の間、このホテルは商売があがったりだろう。

　エレベータを待っていると、「浅間君」と後ろから呼ばれた。鑑識の責任者である田代《たしろ》が近づいてきた。手に小さなケースを持っている。

「これを警視庁に持っていってほしい」

「俺が？　何ですか、これは」

「毛だよ」田代はにやりと笑った。

「毛？」

「枕から髪の毛が一本。床から二本。こっちは下の毛だ。どっちも被害者のものではない」

「なんで俺が陰毛を運ぶんです」

「ベテラン刑事としては不満だろうが、那須《なす》課長からの指示だ。君に持ってこさせろ、と指名があったんでね」

　那須の神経質そうな細い顔が頭に浮かんだ。また何かおかしなことを思いついたんじゃないだろうな、と浅間は嫌な予感がした。捜査員たちの聞き込み能力にランクを付けようといいだしたのは二年前のことだ。幸い、まだ実現はしていない。

　プラスチック容器を受け取り、浅間はホテルを後にした。タクシーを拾い、警視庁に向かった。容器は密封されているが、誰かの陰毛が入っていると思うと、スーツのポケットに入れておくだけで不愉快だった。

警視庁に着くと、真《ま》っ直《す》ぐに捜査一課長の部屋へ行き、ドアをノックした。どうぞ、と返事があったのでドアを開けた。正面に机があり、その向こうに那須がいた。横に立っているのは浅間の直接の上司である木場《きば》だ。上司ではあるが、尊敬はしていないし、頼りにもしていない。単なる課長の伝令役だと浅間は思っている。だが今日は、その伝令を使わずに那須が直接に指示を出してきた。何か特別な企《たくら》みがあるらしいと浅間は読んだ。

「毛を持ってこいといわれたので、持ってきました」浅間は容器を差し出した。

だが那須は受け取ろうとはせず、木場に目配せした。

木場が一枚のコピーを出してきた。地図が印刷されている。

「それを持って、この場所に行ってもらいたい」

「はあ？」浅間は係長の丸い顔を見返した。「人手不足ですか。だったらバイク便を紹介しますよ」

木場がむっとして睨《にら》んできた。

「これは極秘任務だ」那須が低い声でいった。「残念ながらバイク便には任せられない。駆けだしの警官でもだめだ。木場君と相談して、君が適任だと判断した」

浅間は課長と係長の顔を交互に見つめ、最後に地図に視線を落とした。×印を記したところがある。

「有明《ありあけ》……ですか。この場所に何があるんです？」

「表示は、『警察庁東京倉庫』となっているだけだ」那須が答えた。

「倉庫ねえ。で、本当の中身は？」

「それは行ってみればわかる。いや、行ってもまだわからんかもしれんな。しかしまずはその目で見ておいてもらいたい。だからこそ君を選んだんだ。君のようなタイプは、自分の目で見ないことには、ここでいくら説明しても理解できないだろうからね」

どうやら俺は馬鹿にされているらしいと浅間は感じた。だがここでへそを曲げる前に、このインテリたちが何を企んでいるのかを見極めてやりたいという気持ちもある。

浅間は地図に手を伸ばした。

「持っていけばいいんですか。その後は？」

「持っていくだけでいい。先方に渡したら、帰ってこい。いくら何でも、そうすぐに結果は出ないだろうからな」那須は細かく身体を揺すって笑った。

「結果というと……」浅間は持っている容器を見た。「これで何かわかるんですか」

「だから、今ここで説明しても無駄だといってるんだ。あわてなくても、数日後には答えを知ることになる」

「早く行け」木場がいった。「タクシーを使ってもいいぞ。領収書は経理に回せ」

「自腹をきります」浅間は踵《きびす》を返し、ドアに向かった。


地図に記された場所には、本物の倉庫がいくつも建ち並んでいた。浅間はタクシーを降りた後、徒歩で探したが、目的の建物を見つけだすのにひどく手間取った。『警察庁東京倉庫』と書かれた看板が、想像したよりもずっと小さかったからだ。

その建物は灰色の塀で囲まれていた。開閉式の鉄柵《てっさく》の脇にインターホンがある。浅間はそのボタンを押した。

「何でしょうか」男の声がスピーカーから聞こえてきた。

「警視庁から来た者ですけど」

「お名前は？」

「浅間といいます」

「わかりました。そこでお待ちになっていてください」インターホンが切れた。

浅間が待っていると、すぐそばにあった小さな扉が開いて、警備員らしき男が出てきた。身体が大きく、扉をくぐるのが窮屈そうだった。

「身分証を見せてもらえますか」男がいった。インターホンと同じ声だった。

浅間が警視庁のバッジを提示すると、警備員は納得した顔で頷《うなず》いた。

「どうぞこちらへ」

警備員に促され、扉をくぐった。さらに駐車場の脇を通り、ようやく建物に近づいた。入り口のドアを開けて中に入る。警備員の後について薄暗い通路を歩いていくと、エレベータの前に出た。軽自動車ぐらいなら運べそうな大きさだった。警備員はエレベータのドアを開け、どうぞ、といった。

地下に行くのか、と浅間は察した。建物がさほど高くないことは外から確認している。

エレベータが止まり、ドアが開いた。一人の男が立っていた。白衣を着た、四十歳ぐらいの男だった。顔色は白く、目は細くて吊《つ》り上がっている。真っ黒な髪をオールバックにしていた。

「警視庁の浅間さんです」警備員がいった。

「御苦労様です」男は浅間に頭を下げた後、警備員に目を向けた。「君は持ち場に戻っていなさい」

警備員は頷き、エレベータに乗った。そのドアが閉まるのを見届けてから、男は再び浅間のほうを向いた。

「那須課長から話は聞いています。分析物はお持ちですね」

「分析物というと、これのことですか」浅間は内ポケットからプラスチック容器を出した。男は頷いた。「毛髪だと伺いましたが」

「――と、陰毛です」

「大いに結構。では、こちらへ」男は歩き始めた。

「受け取らないんですか」

男は立ち止まり、ゆっくりと浅間を振り返った。

「私があなたからそれを受け取るわけにはいかないんです。ここにはここのルールがありましてね。あなたから直接手渡していただかねばなりません」

「誰にです？」

男はふっと唇を緩めた。「それはすぐにわかります」

「課長といいあなたといい、やけにもったいぶるんだな。ここにはここのルールがあるといいましたが、ここは一体何なんですか。で、あなたは誰なんです。名前も聞いてない」

すると男は、はっとしたように顎《あご》を上げた。白衣の内側に手を突っ込み、名刺を出してきた。

「失礼。那須課長から聞いておられるものと思っていました。私はこういう者です」

差し出された名刺には、『警察庁特殊解析研究所　所長　志賀孝志』とあった。

「特殊解析研究所……何をやってるところですか」

「読んで字の如《ごと》し。特殊な解析についての研究です」そういって志賀《しが》は歩きだした。

ひんやりとした空気の漂う白い廊下を志賀は進み、ひとつのドアの前で止まった。何の表示も出ていない部屋だ。ドアの横に付いているパネルに志賀は左手を当てた。ドアは静かに横にスライドした。静脈認証システムになっているらしい。

中に足を踏み入れ、浅間は目を見張った。そこには様々な電子機器や装置が並んでいた。特に目を引くのは中央に置かれた巨大な機械で、高さは人間の背丈ほどもある。

「宇宙にでも行く気ですか」

浅間の言葉に志賀は薄笑いを浮かべた。

「宇宙より、もっと神秘的なものを探究する装置です」

浅間は肩をすくめた。

志賀は奥に進んだ。そこにもドアがある。彼はそれを無造作に開いた。

「開けるなっ」突然、向こうの部屋から男の尖《とが》った声が飛んできた。「ノックしろといってるだろ」

「あっ、失礼」志賀が謝っている。「警視庁から捜査員が来たものだから……」

「あと五分待て。そうすれば出ていってやる」

「わかった」志賀は静かにドアを閉じ、ふっと吐息をついた。

「あっちの部屋にいるのは？」浅間は訊《き》いてみた。

志賀は迷うような表情を浮かべた後、苦笑を漏らした。

「あなたに説明するのは難しいな。それにあなたは知らなくてもいいことだし」

「これを渡すんじゃないんですか」浅間は容器を見せた。

「それを受け取るのは彼じゃない。別の人間です」

「ははあ」浅間は頷いた。ほかにも誰かいるらしい。

改めて室内を見回した。ここが何をする部屋なのか、浅間には見当もつかない。持ってきた髪の毛や陰毛を使うのだろうということは想像がつくが、そこから先がわからなかった。

「ここは科警研とは別なんですか」浅間は訊いた。科学警察研究所の略だ。警察庁の管轄で、科学捜査について研究する機関だ。

「元は科警研の傘下にありました。本格的に稼働するにあたり、独立したんです。場所が公になっているのもまずいですしね」

「へえ、余程大きな秘密を抱えているんでしょうね」

浅間が揶揄《やゆ》を込めた言い方をした時、奥のドアががちゃりと開き、三十歳ぐらいの男が現れた。引き締まった顔つきの、髪の長い男だった。

「ええと……」志賀が躊躇《ためら》いがちに口を開く。

「彼なら出ていきました」髪の長い男はそういって浅間を見た。「そちらは？」

「警視庁の浅間警部補だ。殺人事件の犯人のものと思われる分析物を持ってこられた」

男は頷き、ドアをさらに大きく開いた。「あまり片づいてないけど、どうぞ」

ドアの向こうは三十平米ほどの部屋だった。中央に会議机が置かれている。壁際には書棚、キャビネット、パソコンなどが並んでいる。それだけを見れば単なる事務室といった感じだが、部屋の隅に置かれたイーゼルが、雰囲気をがらりと変えていた。イーゼルにはキャンバスが載せられている。そこには人間の両手が描かれていた。かなりの精密画だ。手は何かを包み込むような形をとっている。

「さっき、彼の邪魔をしちゃってね」志賀がいった。「叱《しか》られたよ」

「そのようですね。メモが残っていました」男はにやりと笑った後、浅間に名刺を差し出した。「自分はこういう者です」

「神楽龍平《かぐらりゅうへい》さん……主任解析員ですか」名刺を受け取り、浅間は周囲を見回した。

「何か？」

「いや、『彼』というのは？」

神楽は志賀を見て意味ありげに唇の端を曲げた後、浅間に目を戻した。

「出ていきました。気になさらないで結構です」

「あなたは知らなくてもいいことだといったでしょ」志賀が横からいった。

「別に知りたいわけじゃないんですがね、どうにも不思議なんですよ。だってほらこの部屋、ほかには出入口がないでしょ。その人はどこから出ていったのかと思いましてね」

するとと神楽は銀色の指輪をはめた指で鼻の下を擦《こす》った。

「浅間さんでしたっけ。ここへ来るまでの間に、いろいろと厄介なコースを辿《たど》ったでしょ。この部屋に秘密の抜け穴ぐらいはあったって不思議ではないと思いませんか」

「抜け穴ねえ」

浅間は神楽の端整な顔を殴りたくなった。小馬鹿にされているような気がした。

「雑談はこれぐらいにして、仕事の話に入りませんか」神楽は会議机の椅子を引き、腰を下ろした。「分析物を持ってこられたとか」

「例のものを彼に渡してください」志賀が浅間にいった。

浅間はプラスチック容器を神楽のほうに差し出した。

拝見、といって神楽はそれを手に取った。容器を開けると、中からビニール袋が出てきた。毛髪と二本の陰毛が入っている。

「いいでしょう。たしかにお預かりしました」

神楽はくるりと椅子を回転させ、後方のキャビネットの引き出しを開けた。そこから一枚の書類を取り出し、ペンで何かを書いてから浅間の前に出した。受領証だった。神楽のサインが入っている。

「解析にはどれぐらいかかるかな」志賀が神楽に訊いた。

「一日あれば十分だと思いますが、余裕をみて二日ということにしておきましょうか」

志賀は頷いて浅間のほうを見た。

「二日後、那須課長に連絡をいれます。そのようにお伝えください」

「ちょっと待ってくれますか。子供の使いじゃないんだ。髪の毛と陰毛をどうするのか、教えてもらわないと帰るわけにはいかない。きちんと説明してもらえませんかね」浅間は志賀と神楽の顔を交互に睨んだ。

神楽は志賀に一任するとでもいうように俯《うつむ》いた。

志賀が、ふんと鼻を鳴らした。

「まあいいでしょう。いずれわかることだ。お教えしますよ。我々はこれから、この毛のDNAを調べるんです。調べて解析する。そういうことです」

「DNA？　DNA鑑定ってやつですか」

「その呼び名のほうが受け止めやすいなら、それでも結構です」

浅間はせせら笑った。

「こんな大層な手順を踏むから、一体どんなすごいことをするのかと思っていたら、ただのDNA鑑定ですか。そんなもの、小学生だって知っている。——何がおかしいんだ」下を向いてにやにや笑っている神楽を見て、浅間はいった。

「浅間警部補、あなたはDNAのことが何もわかっていない」志賀がいった。「DNAは情報の宝庫なんです」

「そんなことは知っている」

「いいや、知らない。あなたの知っているDNA鑑定というのは、髪の毛なり血液なりが、ある人物のものであるかどうかを確認するだけのものだ。しかし考えてみてください。今回起きた事件の容疑者の名前が一人でも挙がっているんですか？　まだそんな人物は見つかっていないでしょう？　それでどうやってDNA鑑定をするというんですか。誰のDNAと照合するというんですか」

志賀の言葉に浅間は当惑した。たしかに彼のいう通りだった。現段階ではDNA鑑定を行う対象がいないのだ。

「じゃあ、あんたたちは何をするっていうんだ」

「だから解析だっていってるじゃないか」神楽が面倒臭そうにいう。

「神楽君」志賀は窘《たしな》めるように首を振った後、浅間に笑いかけてきた。「いろいろなことです。我々はこの髪の毛一本から、様々なことを見つけだすことができます」

「たとえば？」

「それは二日後にわかります」

「捜査会議で会いましょう。浅間警部補」神楽が上目遣いに睨んできた。

浅間は何かいい返そうと思ったが、我慢して唇を噛《か》んだ。

「楽しみにしているよ」そういって立ち上がった。

2

渋谷での事件発生から丸二日が経過した。捜査の進捗《しんちよく》状況は思わしくなかった。被害者の身元は判明していたが、手がかりらしきものは何ひとつ摑《つか》めないのだ。被害者は大学生で、渋谷を中心に遊び回っていたということはわかったが、交友関係を洗っても犯人らしき人物は見当たらなかった。怪しげな人間もいないことはないが、いずれにもアリバイがあった。

被害者とホテルに入ったのは行きずりの男——浅間の読みは当たっているようだった。ホテルには防犯カメラがついていたが、作動していなかった。故障したまま放置されていたのだ。

目撃情報を求めて浅間が聞き込みを続けている途中、ポケットの電話が鳴った。係長の木場からだった。警視庁で捜査会議が行われるから戻れ、というのだった。

「警視庁？　渋谷署じゃないんですか」浅間は訊いた。今回の事件の捜査本部は渋谷署に置かれている。

「特例だ。いわれた通りにしろ。遅れるなよ」そういって木場は電話を切った。

浅間は電話をポケットに戻しながら神楽と志賀の顔を思い浮かべた。

警視庁に戻り、指示された部屋に入ってみて浅間は驚いた。那須のほかに理事官や管理官がいたのは予想の範囲内だが、刑事部長の姿まである。ほかにも見たことのない顔が並んでいた。渋谷署の署長や刑事課長らも同席しているが、何となく居心地が悪そうだ。一番手前の席で小さくなっているのは木場だった。

浅間は一礼してから木場の隣に座った。それぞれの席には液晶モニターが一台ずつ用意されていた。

「俺たち以外の現場担当者は？」小声で木場に訊いた。

「今回は我々だけだ。だから、しっかり聞いておけよ」

「聞く？　一体何が始まるんです」

「すぐにわかる」

木場がいった直後、ドアの開く音がした。浅間が振り返ると、志賀と神楽が入ってくるところだった。神楽はノートパソコンを抱えている。一瞬浅間と目が合ったが、彼が表情を変えることはなかった。

二人は空いていた席に並んで腰掛けた。志賀が口を開いた。

「警察庁特殊解析研究所の志賀です。先日のラブホテル女子大生殺害事件に関しまして、現場から採取された毛髪および体毛の解析結果が出ましたので、報告させていただきます」

隣で神楽がパソコンを操作した。次の瞬間、浅間たちの前にある液晶画面に文面が表示された。その内容を一瞥《いちべつ》し、浅間は目を見開いた。他の人間からも、おう、という驚きの声があがった。

神楽が顔を上げた。

「主任解析員の神楽です。解析結果は、現在表示されている資料のようになっております。一応、読み上げます」彼は一呼吸置いてから続けた。「性別、男性。年齢、四十歳プラスマイナス十歳。血液型、O型。Ｒｈプラス。身長は百七十から百八十。太りやすい体質。なで肩。手の大きさ、二十センチ前後。足のサイズ、二十六センチ以上。肌は黒っぽい。顔の特徴としては、眉、体毛は濃い。鼻は幅広で低い。口は大きい。唇は薄め。歯茎は健常だが虫歯になりやすい。顎は張っている。声は低い。喉仏《のどぼとけ》が平均よりも出ている。髪は軟毛でやや茶色。若干の癖毛あり。目の色は薄めで茶色寄り。近視になっている可能性が高い。先天的な病気、なし——ほかにも細かい点で判明していることがあります。次のページに記しました」

浅間は二ページ目の資料を画面に表示させた。『爪《つめ》、小さい。足の中指が親指よりも前に出ている可能性あり。』などとある。

「なんだこれは」浅間は思わず声をあげていた。

「プロファイリングです」神楽が解説した。「DNAプロファイリングと呼ばれるもので、アメリカでは何年も前から実施されています。あちらの国は人種が混在しているから、DNAで人種が特定できるだけでも捜査に非常に役立つんです」

「話には聞いていたが、ここまでわかるとはなあ」刑事部長が感嘆の声を漏らした。「これ、本当に確かなことなのかね」

「もちろんです」志賀が答えた。「人間の身体的特徴はDNAによって決まります。誰もそれには逆らえません」

「近視というのは身体的特徴なのかな」那須が訊いた。

「なりやすい体質というのがあります」神楽がいった。「たとえば眼球の形状です。歪《ゆが》みが大きいと目のレンズの調整が難しくなります。子供の頃は調整できても、いずれ困難になり、やがて遠視や近視になります」

なるほどねえ、と那須は感心したように唸《うな》った。

ほかの人間からも次々に質問が発せられる。志賀と神楽はそれらに対して淀《よど》みなく答える。

そのやりとりを聞いているうちに、浅間はようやく事情が呑《の》み込めてきた。

これは新しい捜査方法の発表会なのだ。警察庁特殊解析研究所にどんなことができるか、それによって捜査がどのように変わるかを、警察上層部の人間たちが見極めようということらしい。

「このプロファイリング結果に基づき、犯人の容貌《ようぼう》を画像化してみました。いわばＤＮＡモンタージュです。その画像がこれです」

神楽がパソコンのキーを叩《たた》くと、それぞれのモニターに四角い顔の男が映った。おう、という声があがった。先程の話にあったように、眉が太く、鼻も口も横に広がっている感じだ。眼鏡をかけ、髪は短く刈られている。

「髪型については、髪質以外に年齢や最近の流行、顔に合っているかどうかなどを考慮して決めました。もちろん、ほかの髪型にすることも可能です」志賀が補足した。

「すごいなあ。まるで写真じゃないか。――なあ」刑事部長が隣の那須に同意を求めた。

そうですね、と那須も頷いている。

浅間は黙っていられなくなった。

「写真の出来はいいけど、そこまでイメージを固定化するのはどうかな」

彼の発言に全員が注目した。木場は肘《ひじ》でつついてきた。

神楽も敵対的な視線を向けてきた。「何か問題でも？」

「人間ってやつは、写真のようなはっきりしたものを見せられると、それ以外の顔には反応しにくくなるんですよ。モンタージュ写真をやめて、似顔絵を重視するようになったのはそのせいです。ある程度は曖昧《あいまい》にしておいたほうが効果がある。そんなことは常識だ」

浅間がいうと、神楽は苦笑した。

「人の記憶に基づいてパーツを組み合わせただけのモンタージュ写真とDNAプロファイリングを一緒にしてもらっちゃ困りますね。ここに映っているのは犯人の顔写真そのものなんです。容疑者の写真が手に入ったら、おたくらだって指名手配に使うでしょ？」

浅間は首を振った。「信じられないな」

「君のいっていることもわからんではない」刑事部長が浅間のほうを向いていった。「だから現時点では、この映像を公開する予定はない。しかし正確なものだとすれば、我々にとって極めて強力な武器になる」

「正確なら……ね」

刑事部長は口を曲げて笑った。

「まずは君たちがさっさと犯人を逮捕してくれればいい。そうすればこの映像が役に立つかどうかも、自《おの》ずと判明するだろう」

「そうおっしゃいますが、この程度の材料だけでホシをあげてこいってのは、土台無理な話ですよ」浅間は液晶モニターを顎でしゃくった。

「あなた、気が短いですね」神楽がいった。「こっちの話はまだ終わってないんですけど」

「ほかにもあるのか？」

「メインの話はここからです」志賀が全員を見回していった。「我々の研究成果を知っていただきましょう。――神楽君、例の情報を」

神楽がキーを叩いた。今度はモニターに文字が表示された。住所と氏名だ。

「東京都江東区在住の山下郁恵《やましたいくえ》――この女性の三親等以内に犯人はいます。尚《なお》、これは参考データですが、犯人の性格は元来小心で臆病《おくびょう》。防衛本能が強く、忍耐力が弱い。つまり逆上しやすいということです。反社会レベルは7段階の4」

神楽の声が響き、しばらくの間、全員が沈黙した。

3

車のパワーウインドウを開け、浅間はライターで煙草に火をつけた。灰色の煙を斜め上に向かって吐き、そのついでに夜空を見上げた。雲はないはずだが、星はひとつも見えない。東京で星を見たのは何年前だろうと思った。

「張り込み中に煙草を吸うのは御法度《ごはっと》ですよ、浅間さん」隣で戸倉がにやにやした。

浅間は煙草を指に挟み、口元を曲げる。

「課長の口癖だったな。今の御時世に煙草なんかを吸ってるのは刑事ぐらいのもの、ヤクザだって健康に気をつけてる、煙を吐いてたら、ここに刑事がいますよって宣伝してるようなものだってな」

「一理ありますよ」

「まあな。だけど、公共の建物内は全面禁煙、路上も禁煙となれば、車の中ぐらいしか吸える場所がない」

「やめりゃあいいじゃないですか。そんなタール0・3ミリなんていう煙草を吸ってるぐらいなら」

「好きでこんなものを吸ってるわけじゃない。喫煙できる場所でも、タール1ミリ以上は不可ってところが増えてきてるんだ」

「それ、煙草の味がするんですか」

「するわけないだろ。ニコチンは0・03ミリだぜ」

戸倉が苦笑した時、浅間の電話が鳴った。同僚の刑事からだった。

「今、店に桑原《くわばら》から電話があった。もうすぐこっちに来るそうだ」

「了解。奴が建物に入ったのを確認して、こっちは出口を固める。店に入ってきたら、すぐに確保してくれ」

電話を切り、浅間は前方の建物を睨みながら煙草の火を消した。建物にはいくつもの飲み屋が入っている。桑原裕太《ゆうた》は、そのうちの一軒を目指しているはずだった。そこにお気に入りの娘がいるからだ。

「やっぱり、桑原が犯人なんですかねえ」戸倉が釈然としない様子でいった。

「そうなんだろ。DNAが一致している」

桑原裕太は住所不定だが、つい最近まで池袋で働くホステスと同棲《どうせい》していた。その女性の部屋に、彼が使っていたヘアブラシが残っていたのだ。そのブラシについていた毛髪を調べたところ、渋谷のラブホテル女子大生殺害事件で採取された毛髪や陰毛と、DNAが一致したのだ。

「だけど、こんなに簡単でいいのかな」戸倉は首を傾《かし》げる。

さあね、と浅間は答えるしかない。

戸倉が疑問に感じるのも当然だった。彼等が桑原裕太という人物に目をつけるに至った過程は、たしかに簡単すぎた。

神楽たちの情報を基に、江東区の山下郁恵という主婦の血縁を調べたところ、三親等以内に、八人の男性がいた。父親、息子、兄、二人の甥《おい》、父親の兄、そして母親の兄と弟だ。

さらに血液型がO型という条件に合うのは、このうちの三人だった。そうなれば、あとは総当たりでDNAを調べればいい。合致したのは、山下郁恵の甥である桑原裕太という人物だった。年齢は三十二歳で自称音楽プロデューサーだが、実際には風俗店や飲み屋に女性を紹介するアルバイトをして日銭を稼いでいるらしい。かなりの遊び人だった、と同棲していたホステスは証言している。

これで決まりだろう、と浅間も思う。だが引っかかっていることがあった。それは戸倉のように、簡単すぎるから物足りない、というような単純なものではない。

捜査が簡単になるのはいいことだ。しかしこの方法に何か誤りはないのか、と疑問に思う気持ちがあった。誤認逮捕のことではない。人間社会にとって問題は何もないといいきれるのだろうか。

「あっ、あいつじゃないですか」戸倉がいった。

黒い革ジャンを着た男が、軽い足取りで歩いてくる。短髪で、顔が四角い。男は立ち止まることなく、建物の中に消えていった。

「見ましたか。あのコンピュータの写真と全く同じだった」戸倉が興奮した声でいった。

「そんなことより、中の連中に知らせてくれ」

浅間は車から降り、周囲で待機している捜査員たちに合図を送った。

建物の出入口を、捜査員たちが固めた。浅間は戸倉と共に正面玄関で待機した。上着の内側に手を入れ、銃の感触を確かめる。桑原が凶器を所持している可能性はある。

腕時計を見た。桑原が中に入ってから五分が経《た》っていた。

浅間が再び上着の内側に手を入れかけた時、「逃げたぞっ」という声が階段の上から聞こえてきた。同僚刑事の声だった。

その直後、形相を変えた桑原が駆け下りてきた。革ジャンは着ていなかった。

捕まえようとした戸倉に、桑原は体当たりしてきた。戸倉は飛ばされたが、桑原の勢いも止まった。改めて駆けだそうとした桑原の腕を、浅間は摑んだ。

「はなせっ」桑原は喚《わめ》いた。

浅間は腕をねじり上げ、桑原の腹に蹴《け》りを入れた。桑原が呻《うめ》き声を漏らし、身体を折ったところで、足払いをかけた。倒れた桑原の背中に跨《また》がり、そのまま手錠をかけた。さらに浅間は桑原の靴を脱がし始めた。

「浅間さん、何をするんです？」戸倉が駆け寄ってきて訊いた。

「いいから、おまえはこいつの腕を押さえといてくれ」

浅間は桑原の靴下も脱がせた。足首を持ち、指を見た。

「驚いたな……」浅間は呟《つぶや》いた。

桑原の足の中指は、親指よりも前に出ていた。

4

「……以上が渋谷署管内で起きた女子大生殺害事件における捜査結果です。すでに桑原裕太は大筋で犯行を認めており、このまま送検しても起訴に持っていけると考えております」木場の、やや緊張を含んだ声が会議室内に響いた。

警視庁内の一室だ。円卓を囲んでいるのは、例によって刑事部長と捜査一課の管理職たちや渋谷署の幹部らだ。現場の担当者は木場と浅間だけだった。警察庁特殊解析研究所の志賀と神楽も同席している。志賀は最初から笑みを浮かべたままだ。自分たちの解析結果が早速事件解決に役立ったということで、満足なのだろう。神楽のほうは、この程度のことは予想通りとでも思っているのか、幾分白けた表情だ。

「すごいことじゃないか、なあ」刑事部長が満面の笑みで隣の那須に同意を求めた。

那須は大きく頷いた。

「全くです。DNAだけでこれだけ容疑者を絞り込めるとなれば、検挙率は格段に上がるでしょう。しかもDNAは毛髪や血液だけでなく、ほんのわずかな唾液《だえき》や汗からでも採取可能だというんですから」

「そのほか、粘膜や皮脂、耳垢《みみあか》などからでも採取できます」志賀が即座に補足した。

那須は満足そうな笑みを浮かべた。

「殺人事件だけでなく、婦女暴行や盗犯にも有効でしょう。ただ、今回の事件に関していえば、捜査過程を表に出すのはまずいでしょうね」

「検察が何かいってきたか？」刑事部長が訊いた。

「プロファイリングと最終的に行われたDNA鑑定については問題ないだろうということです。しかし、最初の絞り込みの過程はまずいだろうと……」

「例の法案がまだ通ってないからな。で、どうするつもりだ」

那須が木場のほうを見た。それを受け、木場は空咳《からせき》をひとつした。

「事件当夜、桑原らしき人物を現場周辺で目撃した、という通報が渋谷署にあったことにします。その情報に基づいて身辺を調査し、最終的にＤＮＡ鑑定を行ったという話ならばいかがでしょうか」

木場の言葉に刑事部長は頷いた。

「それならいいな。証人を仕立てる必要もない。よし、それでいってくれ」

了解しました、と木場は答えた。

「ちょっと待ってください。それ、どういうことですか」浅間は質問した。

何がだ、という顔で刑事部長と那須が同時に浅間を見た。その顔を見返しながら彼はいった。

「どうして、ありのままを公表できないんですか。目撃情報があったなんていう嘘《うそ》をつく必要がどこにあるんです」

那須が眉間《みけん》に皺《しわ》を寄せた。

「特解研の存在はまだ公にはされていない。君だって最初の会議に出たからわかっているだろう。今回の捜査は、いわば試運転なんだ」

「それにしたって――」

「浅間君」刑事部長が口を開いた。「今回の君の働きは評価している。それでいいじゃないか。それ以外のことは、君は考えなくていい」

浅間は返答に窮した。それまでむっつりと黙っていた神楽が、かすかに笑うのが目の端に入った。

会議が終わった後、浅間は前を行く神楽を呼び止めた。志賀は刑事部長たちとどこかに消えていた。

「訊きたいことがあるんだ。ちょっと付き合ってくれないか」

神楽はしげしげと浅間の顔を眺めた。

「余計なことは考えなくていいと刑事部長からいわれたばかりじゃないですか」

「余計なことじゃない。大事なことなんだ。とにかく付き合えよ。十分でいい」

「仕方がない。じゃあ、五分だけ」

エレベータで地下まで下り、駐車場に出た。

「あれはどういうことだ。なぜ捜査過程を捏造《ねつぞう》しなきゃいけないんだ」

神楽は長い髪に指を突っ込み、頭を掻《か》いた。

「悪いけど、おたくに話すわけにはいかないんですよね。警部補クラスの人間には」

「じゃあ、俺の話を聞いてくれ。俺が勝手に想像していることだ」

「それほど暇じゃないんだけど、まあいいでしょ。どうぞ」

神楽の整った顔を睨みながら浅間は深呼吸をひとつした。

「最初の会議の時から気になっていたことがある。DNAによるプロファイリングやモンタージュはいい。相変わらず科学は発展し続けてるんだなと感心した。だけど、あんたが最後に付け加えた情報については、どうしても腑《ふ》に落ちない。あんたはこういった。江東区在住の山下郁恵という女性の三親等以内に犯人はいるってな。俺たちはその情報に基づいて桑原を見つけ、逮捕した」

「知ってますよ。改めて自慢したいわけ？」

「俺は山下郁恵という女性のことを調べてみた。前科はないし、これまでに犯罪の被疑者になったこともない。そんな女性のDNA情報を、どうしてあんたたちは持っているんだ。犯人がその女性の三親等以内にいると、どうしてわかったんだ」

神楽は笑みを浮かべたままだったが、その目には鋭い光が宿っていた。

「それで？　おたくは一体どんなふうに勝手に想像しているわけ？」

「山下郁恵は三か月前に、都内の病院に行っている。婦人科で診察を受けたらしい。それ以外には、ここ数年、大きな病院には行ってないそうだ。もちろん本人は、これまでに一度もDNA検査を受けた覚えはないといっている」

「それで？」

「俺の想像はここからだ。彼女が診察を受けた病院が、本人に無断でＤＮＡのサンプルを、あんたたちの研究所に提出していた、という想像だよ。その病院だけじゃない。いくつかの病院で、そういうことが行われている可能性もある。もしそうだとしたら、あんたたちの研究所には膨大な量のＤＮＡデータが揃《そろ》っていることになる。ただし、いうまでもなくそれは違法行為だ。そんなものに基づいて行われた捜査は、違法捜査以外の何物でもない。だから那須課長はいったんだよ。最初の絞り込みの過程はまずい、とね。どうだい、俺のこの想像は？」

神楽の顔から笑みが消えていた。鼻の下を擦り、吐息をついた。

「面白い話だね。もし事実だとしたら、だけど」

「お偉方は一体何を考えているんだ。こんなやり方を続けて、本当のことがばれたらとんでもないパニックになるぞ」浅間は吐き捨てるようにいった。

しかし神楽は不思議そうに首を傾げた。

「どうして？」

「当然だろう。人のＤＮＡを勝手に調べて捜査に使うなんてことが、許されるはずがない」

「勝手に、じゃない。国のトップ連中の許可は得ている。というより、彼等の指示で我々は動いている」

「本人には無断で、だろ」

「国が本人に無断で個人データを利用するなんてことは、いくらでもあるじゃないですか。それをしないと税金の取り立てだってできない」

「それとこれとは――」

「同じことさ」神楽はさらりといった。「何も違わない。ただし、公式に認められていないから、とりあえずはおおっぴらにしないだけでね。だけど、近いうちに状況が変わる。刑事部長がいってたでしょ。次の国会で法案が通れば、我々は大手を振って、DNA捜査に取り組める」

「法案？」

「個人情報に関する法案だよ。警察の捜査に利用できる情報に、DNA情報が加わる。その法案が通れば、すべての受刑者のDNA情報の管理が可能になる。また警察庁は国民に対して、犯罪防止のためにDNA情報の登録を呼びかけることもできる」

「そんな法案が通るもんか」

　神楽は小さく両腕を広げた。

「通らないわけがない。元々、国民のDNA情報を管理したくて、政府は我々のところに予算を回したんだ。野党とも、すでに話はついている」

「国が個人のDNA情報を管理するなんてこと、国民が許すわけないだろう」

　すると神楽は呆《あき》れたように大きく口を開け、声を出さずに笑った。

「国民が許さない？　ねえ、浅間さん。国民に何かできるわけですか？　デモをしようが、演説をしようが、政治家たちは自分たちの通したい法案を着々と通していく。これまで、ずっとそうだったでしょ。国民の反対なんかは関係ない。それに国民だって、どんなに無茶な法案を通されようが、怒っているのは最初だけで、すぐにその状況に慣れていく。今度も同じことです。最終的には、DNAを管理されるのも悪くないと皆が思うようになる」

　端整な顔で語る神楽を見て、浅間は人種の違いを感じた。どんな生き方をすれば、これほどシニカルな考えを持つようになるのだろうと思った。

「DNA情報の登録は強制じゃないんだろ。誰も協力なんかしないぜ」

「強制ではないけれど、登録者には減税をはじめ、いろいろと特典が与えられる予定です。役に立つものだとわかれば、いずれは誰もが登録するようになるでしょう」

「そんなにうまくいくものか」

「うまくいくんですよ。今度の事件だって、おかげで簡単に解決したでしょ」神楽は腕時計に目を落とした。「五分のつもりだったけど、結局十分近く話しちゃったな。急ぐので、これで失礼します。ああそういえば、今度の犯人に手錠をかけたのは浅間さんだそうですね。お手柄だったじゃないですか。これからも、もっと手柄を立てられますよ。我々と組めばね」

大股《おおまた》で立ち去る神楽の背中を見つめながら、浅間は不快感というより、胸騒ぎを覚えていた。今にも雪崩《なだれ》が起きそうな雪山に、爆弾が仕掛けられるのを見ているような気分だった。

神楽の予言が現実になったのは、それから間もなくだった。国会に、犯罪防止を目的とした個人情報の取扱に関する法案――通称DNA法案が提出されたのだ。本人の同意を得て採取したDNA情報を、国の監視の下、捜査機関が必要に応じて利用できるようにする法律だ。

野党議員は、プライバシー流出や侵害の危険性があるのではないか、と質問した。それに対して国家公安委員会の委員長が答えた。

「情報は厳重に管理され、いかなるネットワークとも接続されません。また、犯罪捜査以外の目的で使用することは絶対にありません。血縁者が犯罪を犯さないかぎり、登録者の情報は一生封印されたままということになります。犯罪捜査に威力を発揮するだけでなく、このシステムを機能させることにより、犯罪者予備軍を思いとどまらせる効果もあると考えております」

テレビや新聞、そしてネット上でも、この法案に関して様々な議論が交わされた。それを見るかぎりでは、国民の半分以上が反対のようだった。自分の遺伝子に関する情報を国に把握されるのは何となく気味が悪い、という生理的な理由が大半だった。

それらの結果は、浅間が予想した通りだったが、国会の流れは神楽が断言した通りになった。

途中までは反発していた野党も、次第に対立姿勢を弱めていき、最後には満場一致に近い形で可決されたのだ。与党が過半数を占めているから、可決自体は意外ではなかったが、この結末には浅間も驚かされた。神楽がいっていた、「野党ともすでに話はついている」というのは、こういうことかと合点した。

5

電話のチャンネルを合わせると、志賀孝志の白い顔が液晶画面に映し出された。相変わらず、真っ黒な髪をオールバックにして固めている。まるでヘルメットのようだ。

画面の右上にテロップが出ている。究極の科学捜査を築く男、とあった。

男性のインタビュアーが質問を始めた。

「先日、大阪で起きた強盗殺人事件で、現場に落ちていた煙草の吸い殻から犯人を割りだしたということですが、具体的にはどういうことなんでしょうか」

志賀が無表情のままで口を開いた。

「現場ではなく、被害に遭った家のそばの路地で発見された吸い殻です。捨てられてから時間が経っておらず、通常、人が留《とど》まるような場所ではないため、犯人が潜んでいた可能性が高いとみて、うちのほうで解析したのです」

「それによって何かわかりましたか」

「ＤＮＡからは多くのことが判明します。顔の造作、骨格、体型、見かけ上のことは大抵わかります。先天的な病気を持っていれば、それもわかります」

「でもそれだけで、誰が捨てたかを特定するのは不可能ですよね」

「並行して、蓄積してあるデータの中から合致するものを検索します。過去に犯罪歴のある人間のデータは、殆《ほとん》どすべて入っていますから、再犯の場合はすぐに特定できます」

「しかし、今回の犯人は初犯でした」

「登録してあるデータの中から、吸い殻を捨てた人間と血縁関係にあると思われるものが見つかったんです。そういう柔軟性が、このＤＮＡ捜査システムの特徴です。その情報を基に捜査が行われた結果、一人の人物が浮かび上がったというわけです。あとは御存じの通りです。その人物の自宅から、被害者の指紋が付いた紙幣が見つかり、スピード逮捕が実現しました」

「それはたしかに大したものだと感心します。特殊解析研究所には、現在どれぐらいのデータが登録されているんですか」

「申し訳ありませんが、その質問にはお答えできません。極秘事項なので」

「一説によると、DNA法案が成立する以前から、試験的に実際の捜査でDNA検索が行われていたということですが」

「プロファイリングは行っていました。検索については、当時の法律の範囲内で実施したこともあります」

「本人に無断で一般人のDNA情報を入手していたという噂《うわさ》もあります」

「それは何かの間違いでしょう」

動揺を一切感じさせない志賀の顔を見て、よくいうよ、と浅間は舌打ちした。

隣の席の戸倉が、液晶画面を覗き込んできた。

「特解研の所長ですね。最近、よくテレビに出てるなあ」

「PRのためだろ。どれぐらい犯罪防止に役立つかを宣伝して、DNA登録者を増やそうって魂胆だ」

テレビの中では、インタビュアーが質問を続けている。

「今後もデータを増やしていこうとお考えですか」

「もちろんそうです。網の目が細かいほうが獲物を逃がしにくい」

「警察が遺伝子を管理することに否定的な意見も多いです。プライバシー等、倫理的な面で、もっと議論すべきことがあるんじゃないでしょうか」

「誤解のないようにいっておきますが、警察が管理しているのではなく、国が管理しているのです。戸籍や納税記録と同じです。警察は許可を得て、それを利用しているに過ぎません。議論は続けられるべきでしょう。しかし忘れてもらいたくないのは、DNA捜査が稼働してから、検挙率は格段に上がっているということです。犯罪の抑止力になっているのも明白です。もしあなたが、あなたの身内から犯罪者を出したくなければ、あなたがDNA登録をすればいいのです。そうすれば、あなたの身内にもしかしたらいるかもしれない犯罪者予備軍たちの悪の芽を摘み取ることができます。DNAはごまかせないし、遺伝子は嘘をつかないのです」

浅間はスイッチを切り、自信満々の志賀の顔を消した。

御苦労様、と呟き、机のパソコンに目を向けた。書きかけの報告書が表示されている。最近はデスクワークが増えた。

志賀の話は法螺《ほら》ではない。実際に、検挙率は上がっている。現場から、毛髪、体液、血液、唾液などが採取できた場合は、確実に容疑者を絞り込んでいける。目撃情報を求めて歩き回ることも少なくなった。

だが浅間には、このシステムが人間を幸せにするものだとはどうしても思えなかった。彼は子供の頃に読んだSF小説を思い出した。国民全員にICチップを埋め込み、どこで誰が何をしているのか、国家が厳重にチェックしているという物語だった。気味の悪い話だと思った。だが個人のDNA情報を国が管理するというのは、それと同じことではないのか。

気乗りせぬままに報告書の作成を再開しようとした時、警報音が鳴り、パソコンの画面が突然切り替わった。地図と事件内容を記した文書が表示された。通信指令センターから送られてきた情報だ。殺人事件らしい。担当として、木場班が指定されていた。

部屋の空気が瞬時にして緊迫したものになった。浅間はパソコンを操作し、内容を自分の電話に転送した。上着を手にし、立ち上がる。

「戸倉、車はあるか？」

「緊急出動用の車両を一台、地下に確保してあります」戸倉もすでに支度を終えている。

「よし、乗せてくれ」

ほかの刑事たちが同乗させてくれといってきたら面倒だった。浅間は戸倉の背中を押すように部屋を飛び出した。

千住《せんじゅ》新橋のそばの堤防で、死体は発見された。すぐ下を荒川が流れている。ビニールシートをかぶせて隠してあったのを、ゴミ掃除をしていたボランティアグループが見つけた。夕方のことだった。

死体は若い女性だった。そばにバッグが捨てられており、中には財布も免許証も入ったままだった。したがって身元はすぐに判明した。池袋にある専門学校に通う生徒で、年齢は二十二歳、埼玉県川口にあるマンションで独り暮らしをしていた。

頭を口径の小さい銃で撃ち抜かれており、即死と思われた。また明らかに暴行された形跡があった。さらに驚いたことには、体内に精液が残っていた。

もちろん、その精液は特殊解析研究所に運ばれることになった。

「これ、八王子の事件と同じじゃないですか」運ばれていく死体を見送りながら戸倉がいった。「殺し方が同じだし、体内に精液が残っている点も同じだ。これほどDNA捜査のことが話題になっている時に、コンドームをつけずに暴行殺人をする奴が、そう何人もいるとは思えません」

浅間は黙って頷いた。彼も同じことを考えていたからだ。

五日前に八王子でも事件が起きていた。殺されたのは女子高生で、今回と同様に頭部を撃たれていた。戸倉がいったように、精液も残っていた。浅間たちとは別の班が動いているが、まだこれといった進展はないらしい。つまり特殊解析研究所からも、有効な解析結果が出てきていないというわけだ。

「なんか、嫌な予感がするな」浅間は呟いた。

翌日の午後、千住署で特殊解析研究所の報告会が開かれた。ただし、顔を揃えているのは、幹部クラスが殆どだった。DNA捜査に関する会議は、必要最低限の人数で行うように、という通達が警察庁より出ている。

「まず最初に申し上げておきます」神楽がいった。「今回、うちに持ち込まれたサンプルは、先日起きた八王子での事件で解析したものと、全く同じものだということです。つまり、被害者となった二人の女性は、同じ男性と性交渉を持ったと断言できます」

「やはり同一犯か」那須が机を叩いた。

「精液が一致していると申し上げただけです。彼女たちと性行為に及んだ人物が犯人かどうかまでは断定していません」

回りくどい言い方をしやがって、と浅間は腹の中で毒づく。

「すると、解析結果はもう出ているわけだね」木場が神楽に訊いた。

「出ています。八王子の捜査本部にはすでに報告済みですが、ここで改めて報告させていただきます。まずはプロファイリング結果です」神楽は傍らに置いてあった書類を配り始めた。

そこには、『血液型　A　Rhプラス、身長　百六十プラスマイナス五センチ、肥満傾向強』といった特徴が並んでいる。

「モンタージュは？」木場が催促するように訊いた。

神楽はパソコンのキーを叩き、皆に見えるようにモニターを回転させた。

そこには丸い顔で、腫《は》れぼったい目をした男の顔が映し出されていた。

「後で、プリントアウトしたものを提出いたします」神楽がいった。

書類を見ながら那須がため息をついた。

「八王子の連中と合同でやるしかないな。何としてでも、この写真の男を見つけだすんだ。状況から見て、どちらの事件も、殺害現場は別だ。犯人はほかの場所で殺し、車で死体を運んで捨てたと考えられる。広域捜査だから、ほかの署にも応援を頼もう」

「あのう、課長」木場が遠慮がちにいった。「解析結果は、これですべてなんでしょうか。データベースとの照合は行われてないんですか」

那須は顔をしかめた。

「そうか。俺は八王子での報告を聞いているが、君たちは知らないんだったな。神楽君、例のことをみんなに話してやってくれ」

はい、と答え、神楽は改めて全員を見回した。

「残念ながら、現段階でのデータベースの中に、今回持ち込まれたサンプルと高い一致率を示したものは見つかりませんでした。特殊解析研究所では、今回のサンプルを『NF13』として登録します」

「NF？」浅間は思わず訊いた。

「『NOT FOUND』の略です。これまで、同様に一致したものが見つからないケースが十二件ありました。今回は十三番目です」

「なんだ、結構、役立たずなんだな」

「先の十二件のうち八件が、データベースを増やすことにより解決済みです。NF13も、正体が判明するのは時間の問題でしょう」

浅間は首を傾げた。「さあ、それはどうかな」

「何か気に入らないことでも？」神楽が訊く。

「この手の犯人は、過去にも同様の性犯罪を犯しているケースが殆どだ。前科のある人間の

ＤＮＡ情報を検索すれば、一致したやつが見つかるはずだ。見つからないっていうのは、どこかに漏れがあるからだと思う」

　神楽は笑いながら頭を振った。

「ＤＮＡ捜査の恐ろしさを一番よく知っているのは前科者たちだ。そんな人間が、わざわざ精液を残していくはずがない。この犯人は初犯です。間違いない」

「システムに欠陥があるとしたら？」

　浅間の言葉に神楽の顔から笑いが消し飛んだ。

「おい、浅間」木場が割って入った。「余計なことをいうな」

「欠陥なんかありませんよ。完璧です」神楽が浅間を睨みつけてきた。

「そうかな。先日、有名な数学者がネット上で発言してたぜ。国民のＤＮＡ情報のすべてをコンピュータに登録して完璧に管理するなんてことは、技術上、不可能だってな。そんなコンピュータは世界中のどこにもないって」

「我々は特殊なプログラムを開発したんです。そんじょそこいらの数学者には思いつかないようなプログラムをね。まあ、おたくにいってもわからないでしょうがね」神楽はパソコンを折り畳み、立ち上がった。全員を見回す。「特殊解析研究所からの報告は以上です。今後もデータベースの拡張に努め、ＮＦ13の解明に全力を注ぎます」

6

新世紀大学病院の敷地内に足を踏み入れたところで、神楽は建物を見上げた。銀色に輝く建物だ。そう見えるのは、殆どガラス張りといっていいほど、各部屋の窓が大きく作られているからだ。太陽光線を規則正しく浴びることが健康維持の秘訣《ひけつ》、という信念を創立者は持っていたらしい。耐震設計は完璧で、ガラスが割れて降ってくることはないという話だが、患者がライフルで狙《ねら》われやすくなる、ということは危惧《きぐ》していないようだ。

いつどこの誰が殺人者になるかわからない時代に不用心なことだ、と神楽はここの建物を見上げるたびに思う。

正面玄関から中に入り、待合室を横切ろうとしたところで足を止めた。隅のほうで白衣を着た男たちが、細長い机を前にして座っている。彼等の背後の壁には張り紙がしてあった。そこには、『ＤＮＡ登録のお願い』と書かれている。

神楽は合点した。彼等は特殊解析研究所の依頼を受け、国民のＤＮＡ情報を集めているのだ。ほかの病院でも、同様の活動がなされている。そのおかげで、神楽たちのところに集まるＤＮＡ情報の数は、多い時では一日に一万件を超える。

神楽は彼等のところに近づいていった。一人の職員が、主婦らしき女性を説得している。

「――ですから、このＤＮＡによる犯罪捜査が進められて以来、検挙率は格段に上がっているわけです。その点をまず御理解いただきたいのです」

「それはまあ、わかるんだけど」主婦は乗り気でないようだ。きょろきょろと周囲を見回している。何か口実を見つけて、席を立とうと思っているのかもしれない。

「どうか、登録していただけないでしょうか」職員は媚《こ》びるような目をしている。

そんなにぺこぺこすることはないだろう、と神楽は傍《はた》で見ていて、苛々《いらいら》してきた。

「だって、もし私の親戚《しんせき》から犯罪者が出たら、その人と私の間に血の繋がりがあるってことが、すぐに周りに知れ渡っちゃうでしょ。それはちょっとねえ。プライバシーの侵害じゃないかしら」

「しかし、それについては国会でも承認されておりまして……」依然として職員の歯切れは悪い。

神楽は大股で近づいていった。

「あなたの身内から犯罪者を出さなければいいんです。それだけのことです」

彼の言葉に、主婦はぎくりとした顔で見上げた。

「あなたは？」職員が訊いてきた。

「DNA捜査を担当している者です」そういって職員に頷きかけた後、神楽は主婦に視線を戻した。「誤解されているようですが、DNA登録の真の目的は、犯罪者を捕まえることにあるわけではありません。これから犯罪に走るおそれのある人間たちに、それを思いとどまらせることが最大の目的なんです」

「でも、衝動的というか、出来心でやっちゃう場合もあるでしょう？」

「そういった犯罪者は見逃せということですか」

「そんなことはいってません。ただ――」

「あなたのいうように、DNA捜査があっても、やはり犯罪は起こります。逮捕されることが確実なのに、そのことに考えが及ばない浅はかな人間が多いからです。その場の衝動だけで動いてしまい、通り魔殺人のようなことが起きる。そこで考えていただきたいのは、そうした犯罪の被害者の気持ちです。あるいは被害者の遺族たちの思いです。彼等は、どんな手を使ってでも、犯人を突き止めたいと思うでしょう。DNA捜査は、彼等にとって大きな支えなのです。登録者が増え、犯人を見つけだせる可能性が高まることを、心の底から望んでいます」

「それはわかりますけど……」

「そうした通り魔がもし自分の身内だったら世間体が悪いので捜査には協力しない――そん

なことが遺族たちの前でいえますか」

　神楽の言葉に、主婦は俯いた。自分だけがなぜ責められねばならないのだ、と不満に思っているに違いなかった。

「大丈夫ですよ」彼は口調を和らげて続けた。「DNA情報は、身内に犯罪者が出ないかぎり、絶対に利用されることはありません。国の手で、徹底的に管理されています。それともあなたは、身内から犯罪者が出るおそれがあると思っておられるのですか」

　彼女は顔を上げ、神楽を睨んできた。

「そんなこと、あるわけないじゃないですか」

　だったら、と神楽は笑いかけた。

「治安を良くするための施策に協力していただけませんか。ここであなたが手本を示してくだされば、ほかの人たちも後に続きます。こうして私があなたにお願いするのは、あなたがこの問題に少しでも関心を示してくださっていると思うからです。あなたがまるで無関心なら、とうの昔に席を立っておられたでしょう。いやそもそも、最初からここには座っておられなかったはずだ」

　主婦の表情に変化が現れた。彼女は周囲の目を意識し始めたようだ。実際、神楽のよく通る声によって、待合室にいる人間たちの視線が集まっていた。

「登録をお願いできますか」

神楽がだめを押すと、彼女は吐息をついた。

「どうすればいいんですか」

それを聞き、神楽は横でやりとりを聞いていた職員に目を向けた。

「こちらの御婦人に手続きの説明を」

男性職員は我に返ったように目を見開いた。

「あ……では、この書類に名前と連絡先を書いていただいて、それから、あの、頬《ほお》の粘膜を採取させていただければ結構です」

「血液型を調べるよりも簡単ですよ」そういって神楽は主婦に微笑《ほほえ》みかけ、その場を離れた。

全国の病院で、同様の活動が行われている。だがDNA情報が順調に集められているとは、あまりいえない状況だ。一日に一万件が集まるといっても、それでも国民全員の情報を集めるには四十年かかる。DNA捜査が完璧な犯罪防止システムとなるのは、まだまだ先の話といわざるをえない。

先程の主婦に代表されるように、国民の多くがDNA情報の提供に難色を示している。得体の知れなさが不気味に思えるのだろうが、無責任な報道をするマスコミの罪は大きいと神楽は感じていた。

ＤＮＡ捜査のおかげで検挙率は上がった。だが同時に、加害者の身内がクローズアップされるようになったのも事実だ。ＤＮＡを基に捜査を進めていくのだから、当然血縁関係にある人間全員に容疑がかかることになる。捜査の途中で、周囲の人間たちにそのことが知られてしまうのは避けられない。それについて、加害者に対してはともかく、その血縁者への差別を誘発するのではないか、という問題提起をするマスコミが後を絶たない。

そのことの何が悪いのか、というのが神楽の正直な気持ちだった。

周囲から妙な目で見られたくなければ、自分の身内から犯罪者を出さねばいいだけのことだ。やむをえず犯罪者になってしまうとか、仕方なく身内から犯罪者を出してしまう、ということは本来あり得ない。どちらも自分たちの意思ひとつで防げるものだ。それをしない怠慢のしっぺ返しとして、世間から差別されるだけのことだ。

一刻も早く登録が義務化されればいいのだが、と彼は考えていた。実際、そういった内容の法案を与党は検討している。しかし当分は俎上《そじょう》に載せられることもないだろうというのが、その筋に詳しい人間からの報告だった。

待合室を横切り、隣の病棟に繋がる廊下を進んだ。脳神経科の病棟だ。新世紀大学病院の脳神経科は、そのレベルの高さにおいて、世界でも屈指だった。

神楽は突き当たりにあるエレベータに乗り込むと、最上階を示すボタンを押した。そのフロアにはＶＩＰ専用の病室が三つある。しかし現在は、すべての部屋が一人の患者によって占拠されていた。正確にいうと、一人の患者と、その兄によってだ。当然、費用は莫大《ばくだい》なものとなるが、何も問題はない。全額を警察庁が支払っているからだ。

エレベータが最上階に着いた。すぐ正面にドアがあり、その横に静脈を認証するパネルが取り付けられている。神楽が右手を載せると、ドアは静かに開いた。

その先にある廊下を神楽は進んだ。重厚な趣《おもむき》を持った、焦げ茶色の扉の前で止まった。扉の横には、関係者以外入室禁止、と書かれたプレートがかけられている。彼は時計を見て、約束の時刻よりも一分ほど早いことを確認したうえで、インターホンのチャイムを鳴らした。この程度早い分には問題はない。ただし遅刻は厳禁だ。以前、二分ほど遅れたせいで、相手にへそを曲げられたことがあった。

はい、と男の声が聞こえた。蓼科耕作《たてしなこうさく》の声だった。

「俺だよ」神楽はいった。

しかし相手はすぐには応じない。一拍置いた後、「どなた？」と改めて尋ねてきた。

神楽は肩をすくめる。斜め上に取り付けられたカメラが、神楽の姿を中のモニターに映しているはずだった。それでも名前をいわないかぎりはドアを開けようとしないのは、蓼科耕作が頑固なせいではなく、妹がそれを許さないからだろう。

「神楽だよ」

少し声を張って答えると、ようやくドアのロックの外れる音がした。

ドアが開き、蓼科が顔を見せた。相変わらず口の周りに無精髭《ぶしょうひげ》を生やしている。

「元気？」神楽は訊いた。

「まあまあってところかな」蓼科は神楽の顔を見ないで、背後に視線を向けた。

「誰もついてきてないよ。カメラで見えてただろ。神経質すぎるぜ」

蓼科はにこりともせず、「どうぞ」といってドアをさらに開いた。

神楽が入ると、奥にある部屋に一人の女性が入っていくところだった。太っていて、後ろから見ると巨大な卵のようだった。彼女がドアを閉める時、その横顔がちらりと見えた。右の頬から首筋にかけて、紫色の痣《あざ》がある。それが理由で子供の頃、世界地図、という渾名《あだな》を付けられたという話を神楽は蓼科から聞いて知っていた。

神楽は周囲を見回した。十数台の端末機が置かれ、そのいずれもが起動中だった。それらの親機であるスーパーコンピュータは別の部屋にある。病院の中ではあるが、ここは病室とは到底いえない空間だった。

椅子はキャスター付きのものが二つあるだけだ。蓼科兄妹《きょうだい》はそこに座ったまま、めまぐるしく移動して端末機を操るのだ。

「妹さんと打ち合わせ中だったのかい」神楽はテーブルの上を見て訊いた。そこにはヨーグルトの容器が載っていた。その横には、青と白のストライプ柄の平たい袋が置いてある。チョコレートかな、と思った。

「単なる息抜きだよ」蓼科はヨーグルトの容器を取り、そばのゴミ箱に放り込んだ。

「それはいい。君たちもたまには息抜きをしなくちゃな。数式とプログラムに囲まれたままじゃ、頭がおかしくなってしまう」

神楽は何気なくいったのだが、蓼科は口を真一文字に結んで睨んできた。それで神楽は、ここが脳神経科の病棟であることを思い出した。顔をしかめ、お手上げのポーズを取った。

「そんな顔するなよ。悪気があっていったわけじゃないってことぐらいはわかるだろ。気を悪くしたのなら謝るよ」

蓼科は首を振り、吐息をついた。

「そんなことはどうでもいい。それより、君に話があるんだ」

「うん。そっちから会いたいといってくるなんて珍しいと思ってたんだ。用は何だい」

蓼科は俯き、両手を擦り合わせた。

「システムのほうはどうかな」

「システム？　どうって？」

「何か問題は起きてないか」

神楽は笑顔になった。

「DNA捜査システムのことをいっているなら、極めて順調と答えておこう。今の警察庁長官はいい時に就任した。うまくいけば、彼の任期中に、検挙率が昭和時代の水準に戻るかもしれない」

すると蓼科は擦り合わせていた手を止め、上目遣いに神楽を見た。

「本当に順調？」

その目の光には、何らかの意図が含まれているようだった。神楽は真顔に戻った。

「じつをいうと、データ不足を感じている。検索システムに引っかからないケースがあってね。ついさっきも、登録を渋っていたおばさんを説得したところだ」

「NF13だろ」

蓼科の言葉に、神楽は思わず相手の顔を見つめた。

「知っているのか」

「僕のところにも志賀所長からレポートが送られてきている。じつは君に話があるというのは、そのことなんだ」

「NF13がどうかしたのか」

神楽が訊くと蓼科は迷うような表情を浮かべ、次に小さく首を振った。

「ゆっくり話したい。少々、複雑な内容なんでね。君は今日これから、水上《みなかみ》教授の診察を受けるんだろ？」

神楽は口元を歪めた。

「診察じゃない。研究だ。俺と教授とで共同研究に取り組んでいる、と考えてもらったほうがいい」

「いずれにせよ、教授と会うわけだろ。その後、時間はとれそうかな」

神楽は頭の中で今日のスケジュールを思い浮かべた後、頷いた。

「大丈夫だ」

「『彼』はどうだろう？　今ここで確かめることは無理かもしれないけど」

「問題ない。『あいつ』はいつも、そんなに多くの時間を使わない。せいぜい四、五時間ってところだ」

「じゃあ、終わった後、もう一度ここに来てくれるかな」

「わかった」

蓼科兄妹の病室を出て、神楽は再びエレベータに乗った。次に彼が降りたのは四階だった。天井から、『精神分析研究室』と記された札が下がっている。

廊下を進み、最初のドアの前で止まった。ノックをする。

どうぞ、と低く乾いた声が返ってきた。神楽はドアをゆっくりと開いた。

手前に、二人が向き合えるようにテーブルと椅子が置かれている。その向こうには大きな机があり、そばに白衣を着た人物が立っていた。その人物は窓の外を眺めていたが、やがて神楽のほうを振り返った。鷲鼻《わしばな》で眼窩《がんか》が深く、頰はこけている。この顔立ちのせいで欧米人の血が混じっているのかと疑われることも多いそうだが、本人によれば純粋の日本人らしい。

「蓼科兄妹と会ってきたのかね」水上洋次郎《ようじろう》は穏やかな口調で尋ねてきた。

「ええ。耕作から呼ばれましてね」

「呼ばれた？　それは珍しいな」

「僕もそう思ったから、ここへ来る前に会いに行ったんです。でも、話が長くなるらしく、水上先生のほうを先に済ませてくれといわれました。先生に、何かお心当たりは？」

「いや、ないな」水上は椅子を引き、腰を下ろした。「彼等の精神状態は、このところずっと落ち着いている。妹とも会ったのかね」

「いえ、僕が行くなり、奥の部屋に消えてしまいました」神楽はため息をついた。「いつものことです。相変わらず、心を開いてくれない」

水上は机に両肘をついて指を組み、その上に顎を乗せた。

「それは君に問題があるんじゃないのかな」

「どういう意味です」

「彼女をどう見ているのか、ということだよ」

「天才的数学者でありプログラマーだと思っていますよ」

「それだけかね」

神楽は肩をすくめた。

「いけませんか。ほかに、どんなふうに見ろというんですか。そういう彼女だから、僕は興味を持ったんです。蓼科早樹《さき》が重度の精神的疾患を持っていたとしても、僕には関係がない。前にもいったと思いますが、僕がこの病院に通うようになってよかったことの二番目が先生にお会いできたことで、一番目は何といってもあの兄妹に出会えたことです。彼等の力なしでは、DNA捜査システムは完成しなかったわけですから」

水上は、やれやれとでもいうように頭を振り、同時に苦笑を浮かべた。

「君の頭の中には、そのことしかないようだ。そういえば先日のテレビを見たよ。おたくの志賀所長が出ていた。自信満々といった感じで、DNA捜査システムの宣伝をしていたな」

「本人は最初出演を渋っていたんですが、僕が出るように勧めたんです。世間の理解を求めるためには、とにかく広報活動が大事ですから」

「登録数が思ったように伸びなくて焦っているわけだ」水上は、にやにやした。

「先生は何だか嬉しそうですね。我々の仕事が停滞すればいいとでも思っているんですか」

「そんな意地の悪いことは考えてないよ。ただ、君の焦った様子を見るのも久しぶりだと思ってね」

「焦ってはいません。でも少し苛立《いらだ》ってはいます。与党がさっさと、義務化する法案を提出すればいいのにってね」

　水上は呆れたような顔で首を振った。

「ごり押しで物事がうまくいくことはない。うまくいったように見えても、必ず破綻《はたん》する。DNA情報を管理するという発想自体、まだまだ反発が大きい」

「そこなんです。反発する理由が僕にはわからない。人々を管理保護したいなら、遺伝子を把握するのが一番手っ取り早いんです。管理されるのは嫌だというのは子供の考えです。自分も管理されるが、他人も管理されている。つまり他人から危害を加えられるおそれが減る。そのメリットになぜ気づかないのか」

「そういう理屈ではなくて、感情の問題なんだ」

「感情では、何も解決しません。社会構造は一種のプログラムです。それを合理的なものにしていくのは、冷静な論理だけです」

水上は笑顔に戻り、立ち上がった。その手には小さな箱が握られている。

「遺伝子は人生を決めるプログラムだ、というのが君の持論だったね」

「人生というプログラムの根幹を成すものだと思っています。人間は生きているうちに様々な情報を与えられ、時にはそれに修正を加えたりしますが、どの情報を人生に生かし、どの情報を殺すかは、結局のところ本人に与えられた初期プログラムにかかっていると考えています」

「それが遺伝子」

「そういうことです」

水上は首を捻《ひね》りながら、神楽の前にある椅子に腰掛けた。さらに、神楽にも座るよう手で示した。失礼します、といって彼も椅子に座った。

「人の心も遺伝子によって決まる、という君の説に私は同意しかねる」

「心のすべてが決まるとはいいません。しかし犯罪に走る心の動きには関係があると思います。犯罪者は皆、精神的に病んでいます。そして精神疾患と遺伝子の関係については、肯定的な論文がいくつも出ています」

「しかし、精神的に病んでいる人間イコール犯罪者ではないだろ？」

「だからそのあたりのメカニズムを解明したいと思っているんです。――先生、あまり時間がないので、早く始めてもらえませんか。さっきもいいましたが、この後、蓼科耕作と会う予定なんです」

水上は窪《くぼ》んだ眼窩の奥から神楽を見つめてきた。

「こうして話し合うことも、治療の一環なんだ」

「治療——。僕は、研究だと思っているんですが」

「遺伝子情報と心の関係を解明する研究、かね」

「そうです」

「君がやろうとしていることは、人間の心の謎を解くということだ。しかも君自身の肉体と心を使ってね。それは君にとっていいことだとは思えない」

「僕は自分の信念に基づいて行動しています。一人の人間の遺伝子から全く別の心が発生するケースがあるとなれば、興味を抱かざるをえない。この研究は、先生にとっても極めてメリットの大きいものだと思うのですが」

水上は、ぐいと顎を引き、上目遣いをした。

「私がこうして君と会っているのは、君を患者だと思うからだ。解決してやらねばならない問題を君が抱えていると思うからだ」

「もちろんそれで結構です。ただ、ふつうの患者と違い、僕の場合は病気が治るか治らないかには興味がない。僕はただ、知りたいだけです」

「すべてを知ることが重要だとは思えないのだがね」

「情報を確保しておくことは大切です。こんな研究は、今度いつできるかわかりませんからね。同様の症例が見つかったとしても、その人物が協力してくれるという保証はどこにもない」

「いっておくが、『彼』――リュウは協力的ではないよ」

神楽は思わず口元を歪めた。リュウ、という呼び名を耳にすると、いつも鳥肌が立ちそうになる。

「そのようですね。でも、絵は描《か》くでしょう？　それを先生が分析する。そのデータをいただければ十分です。まさか、それを出せないとはおっしゃらないでしょう？　自分の精神分析結果を要求するのは、患者の権利です」

「君のその意見について『彼』がどういうか楽しみだよ」

水上は持っていた箱の蓋《ふた》を開けた。そこには煙草に似たものが十本ほど入っている。それを神楽のほうに差し出した。

「ぜひ僕にも聞かせてください。興味がある」

神楽は箱に手を伸ばし、一本の煙草を摘《つま》み出した。空いたほうの手で、ポケットからライターを取り出し、煙草に火をつけた。

「では、後ほど」水上にそういった後、彼は大きく息を吸い込んだ。

煙が肺に入っていくのを感じた。その直後、目の前にいる水上の姿が歪んで見え始めた。周りの景色も混沌《こんとん》としてきた。

脳の奥が痺《しび》れるような感覚があった。やがてその感覚も薄れていくと、次には急速に意識が遠のいていった。

7

風の気配を頬に感じた。風といっても、ほんのわずかな空気の揺れだ。空調だな、と気づく。さらには、音が耳に蘇《よみがえ》ってきた。何の音だろう、と考える。遠くで車が走る音だ。

目覚めたようだ、とリュウは自覚した。

目を開けた。白いテーブルの端が見えた。いつものテーブルだ。水上教授の部屋にあるテーブルだ。その上に灰皿が載っている。そこには煙草の吸い殻がひとつ。といっても、それがふつうの煙草でないことは彼も知っている。その火を消したのが水上教授だということも知っている。『彼』――神楽は、それを吸った直後に気を失うのだ。それで指に挟んだ煙草が床に落ちる前に、教授が回収するというわけだ。

リュウは顔を上げた。水上が彼を凝視していた。観察する目だった。

「気分はどうだい？」水上が訊いてきた。

「まあまあかな」

「神楽君は君に興味津々のようだ」

リュウは声を出さずに笑った。椅子の上で身体が揺れた。

「俺のことなんかほっときゃいいのに。まあでも、無理ないかな。あいつにしてみれば、頭の中に居候が住んでるみたいなものだから」

「腹は減ってないかい？」

「食事は神楽に任せています。小便や大便もね。ついでにセックスも」

「そういう生理的欲求は殆どないといってたね」

「ゼロではないけど、そんなことをしている時間が惜しいんです。何しろ俺の人生は短いですから。大半は眠っているわけでね。短い人生だから、自分のやりたいことだけをしていたいんです」

「わかってるよ。絵を描かせろということだね」

「そういうことです。先生が神楽に反転剤を少ししか渡さないものだから、ここ以外の場所では、なかなか描くチャンスがない」

「無闇《むやみ》に反転剤を使用すると人格障害を起こすおそれがあるんだ」

「それはわかっています。だから我慢しているんです」

水上は一本の鍵をテーブルに置いた。

ありがとうございます、といってリュウはその鍵を手にした。立ち上がり、ドアに向かって歩きだした。しかしドアを開ける前に振り返った。

「以前から一度訊きたかったことがあるんです」

「何かな」

「水上先生には俺たちの症状を治せるんですか。この奇妙な病気を」

水上は一瞬迷いの色を顔に浮かべた後、二度三度と首を縦に動かした。

「必ず治せると思っている。少なくとも、神楽君がやろうとしていることに比べれば、はるかに容易なはずだ」

「それは頼もしいお言葉ですね」

「不安なのかい」

「いいえ、別に。ただ、ちょっと気になるだけです」

「何が？」

「仮にこの症状が治った場合、どっちが消えることになるのかなと」

「消える？」

「そういうことでしょう？　今は神楽と俺の人格が同居している。だけど症状が治ったら、神楽か俺か、どっちかの人格は存在できなくなる。違うんですか」

　水上は、ゆっくりと瞬《まばた》きした後、首を振った。

「それはわからない。その時になってみないと。現時点では、二人の人格が融合するのではないかと私は考えている」

「融合ですか。それはそれで、今以上に厄介な気がするけど。まあいいです。ちょっと訊いてみたかっただけです。俺は、自分が消えたって構わないと思っていますしね。では、部屋をお借りします」

　ゆっくり楽しみなさい、という水上の声を背中で受け止めながら、リュウは部屋を出た。

　エレベータに乗り、一つ上の階に移動した。廊下はひっそりとしている。かつてこのフロアでは、ヒトゲノムを解析する研究が行われていた。その研究が完結し、設備がよそに移された後は、各科の物置のように使われている。

　リュウは奥に進み、あるドアの前で立ち止まった。鍵穴に水上から借りてきた鍵を差し込んだ。空き部屋ではあっても、厳重に施錠されているのだ。

ドアを開け、部屋の明かりをつけた。そこにはたくさんの絵が置いてあった。すべてリュウが描いたものだった。彼はそれらを一つ一つ眺めて回った。そのうちの殆どは、手だけを描いたものだ。左右の手で何かを包むようにしている構図が多い。

中央にイーゼルが立てられ、まだ何も描かれていない白いキャンバスが置かれていた。水上が用意したものだろう。その横の小さなテーブルには、絵の具や筆が並んでいた。

リュウが筆を取り、深呼吸をひとつした時だった。ドアをノックする音が聞こえた。

彼は思わず微笑んでいた。邪魔が入ったとは思わなかった。来訪者には心当たりがあった。むしろ待っていたとさえいえる。

彼はドアを開けた。外に立っていたのは、髪の長い娘だった。十五、六歳に見える。体つきはほっそりとしているが、顔つきには丸みがあった。二重瞼《ふたえまぶた》でぱちぱちと瞬きした後、リュウを見上げ、にっこりと笑いかけてきた。

こんにちは、と娘はいった。

やあ、とリュウは応じた。

彼女は当然のように部屋に入ってきた。まだ何も描かれていないキャンバスを見た後、リュウのほうを振り返った。

「はい、おみやげ」そういって彼女が差し出したのは缶ジュースだった。オレンジだ。

ありがとう、と彼はいった。

「ねえ、今日は何を描くの？」彼女は訊いた。

オレンジジュースの缶を握りしめ、少し躊躇ってからリュウはいった。

「もちろん、決まってるだろ」

するとと彼女は再び笑った。丸い頬の上で、目が細くなった。

8

薄暗い廊下が前方に延びている。懐かしいようで、恐ろしくもある光景だった。

その廊下を、ゆっくりと歩いていく。廊下の両側には、引き戸が並んでいた。どれも皆、同じ形だ。歩いても歩いても廊下が途切れることはない。そして、どこまで行っても引き戸が並ぶ。それを開けるのが怖くて、彼は歩き続ける。いつかどこかに辿り着けるのではないかと期待している。引き戸がなくなるのではないかと願っている。しかし廊下は続く。永遠に続く。引き戸も際限なく現れる。絶望的なほどに無限だ。

やがて疲れ果てた彼の中に、ある期待が生じる。自分の求めている出口は、この引き戸ではないか。これを開ければ、別の世界が開《ひら》けるのではないか。

その期待は次第に大きくなっていく。この状況から逃れたい一心で都合のいい答えを作りだしているだけだとわかりつつ、引き戸に手をかけてしまう。

やめろ、と誰かが叫んでいる。誰の声なのかはわからない。そいつは続ける。そこを開けたら取り返しのつかないことになるぞ――。

彼は、そいつに心でいい返す。だったらどうしろというのだ。この永遠に続く廊下を、闇に向かって歩き続けるのか。そのことにどんな意味がある。俺はもうたくさんだ。ここから出たいのだ。

やめろ、と誰かが再び叫ぶのを無視し、彼は引き戸に手をかける。そして、思いきってそれを開ける。

目の前に誰かが立っていた。黒い人影が、すうっと上下に伸びている。よく見ると立っているのではなく、吊《つる》されているのだ。

吊されているのは男だった。男が彼を見た。死人の目をしていた。

全身を痙攣《けいれん》させながら神楽は目を覚ました。その直前には、悲鳴とも呻きともつかない声を発した感覚があった。身体中から汗が噴き出している。

神楽は床に転がっていた。いつものことだった。例の、『彼』が絵を描く部屋の床だ。

『彼』が眠りについた後、神楽は目覚める。その時には、決まって同じ夢を見る。永遠に続く廊下と引き戸の夢だ。

　これまたいつものことだが、神楽はすぐには動けなかった。脳の中に煙が充満しているように頭が鈍く痛い。その煙が晴れるまでには少し時間がかかる。

　そばに立っているイーゼルを見上げた。キャンバスに描かれているのは、一人の少女だった。髪が長く、白いワンピース姿で、こちらに向かって微笑んでいる。その目からは、人間の持つ負の気配が全く感じられなかった。神楽の知らない少女だったが、その純粋な眼差しに、一時《いっとき》引き込まれた。

　イーゼルの真下にジュースの缶が二つ、並んでいた。どちらも空のようだ。『彼』がそんなものを買うとは思えないから、絵の少女が持ってきたのだろう。一体、どこの誰なのか。いつから『彼』――リュウと親しくしているのか。

　神楽は、ゆっくりと身体を起こした。しかしまだ立ち上がる気力はなく、壁にもたれた。その姿勢で室内を見回した。たくさんの絵が壁に立てかけてある。多くの絵は、人間の手を描いたものだった。

　水上教授が提供してくれたこの部屋は、いわばリュウのアトリエだ。同時に神楽にとっては、人間の心の謎を解く資料の宝庫でもある。なぜリュウは絵を描くのか。その絵にはどんなメッセージが込められているのか。いやそもそもリュウとは何者なのか。なぜ存在するのか。ここにある絵から、それらのことを解明しなければならない。

改めて少女の絵を見つめた。うまい絵だと感じた。自分には描けないとも思った。

だがこの絵に芸術的な価値があるかどうかは、神楽にはまるでわからなかった。それ以前に、芸術の意味が不明だった。芸術という言葉は、彼にとっては白いカーテンだ。その向こうは見えそうで見えない。じつは何もないのではないか、という疑いが常に頭の隅にある。

ある人物の声が神楽の耳に蘇る。

「芸術とは作者が意識して生み出せるものではない。その逆だ。それは作者を操り、作品としてこの世に生まれる。作者は奴隷なのだ」

この台詞《せりふ》をいった人物とはほかでもない、彼の父親だった。

神楽昭吾《しょうご》は、孤高の陶芸家と呼ばれた。新技術、新素材を使った陶器が普及する中、昔ながらの製法で、誰にも真似のできない彼独自の作品を提供し続けた。濫造《らんぞう》せず、自分が真に気に入ったもの以外は、決して残そうとはしなかった。その姿勢と芸術性は高く評価された。当然のことながら、彼の作品は人気が高く、最高ランクに近い値がつけられていた。個展を開けば、高価なものから順番に売れていった。

一方で、家庭生活には向かない人物だった。見合い結婚をしたが、妻はストイックな生活に嫌気がさし、夫と息子を残して出ていってしまった。神楽が五歳の時だ。

だが神楽は父親が好きだった。納得する作品ができるまで土をこね続けている姿を見て、自分もこんなふうに生きられればどんなに幸せだろうと思った。他人には真似のできない作品を創造できる力を、心の底から尊敬していた。

そんな神楽昭吾の作品が、ある時期からコレクターの間で、頻繁に売り買いされるようになった。どう考えても数が合わなかった。

美術品調査委員会が警察と連携し、真相を究明することになった。その結果、贋作《がんさく》が大量に出回っていることが判明した。全く同じデザインの作品が、複数確認されたのだ。デザインだけではなく、材質、焼き方といったものも一致した。神楽昭吾は、同じ作品を二度と作らないことでも知られていた。

贋作の出現は、神楽昭吾の作品にとどまらなかった。世間で評価の高い陶芸家の作品が、大量にコピーされていた。当然、市場は混乱した。

やがて、組織ぐるみで贋作を作っていたグループが摘発された。彼等のアジトを調べた捜査員たちは、そこに置いてあったものを目にし、仰天した。

それはロボットだった。正確にいうと義手ロボットだ。

コンピュータ技術の進歩や新素材の発明により、ロボットの進化にはめざましいものがあった。中でも、人間の手の動きを忠実に再現できる義手ロボットは、革新的な進歩を遂げていた。指先は、人間の身体の中で最も複雑な動きが必要とされる。それをほぼ百パーセント再現できることで、多方面に用途が広まっていた。その一つが遠隔手術だった。手術室から遠く離れた場所にいる医師が、特殊なグローブを嵌《は》めて指先を動かせば、手術室にセットされた義手ロボットが、彼の指先そのものの動きをしてくれるのだ。医師はモニターに映った患部を見ながら、いつものように執刀に当たればいい。この技術により、病院内に義手ロボットさえ備えてあれば、患者は世界中の医師の執刀を受けることも可能になった。

贋作グループのアジトに置いてあったのは、驚くべきことに、この手術用義手ロボットだった。ただし、それを動かすのは人間ではなく、別のコンピュータだ。

犯人たちは一流陶芸家たちの作品を徹底的に分析し、その構成要素をプログラム化することに成功していた。コンピュータがプログラム通りに指示を出せば、義手ロボットは陶芸家の手を正確に再現した。

だがこれだけならば、単に精巧な模倣物に過ぎない。じつは犯人たちは、次なる手段を計画していた。それは、この世にはまだ存在していないオリジナルを作るというものだった。もちろん、無名作家の名で作ったところで商売にはならない。犯人たちはコンピュータとロボットを駆使し、既存の陶芸家たちが「作りそうな」オリジナル作品を製作し、コレクターたちに売ろうとしていたのだ。

陶芸家や美術専門家は、冷笑を浴びせた。コピー作品なら客を騙《だま》すことはできても、機械によって作られたオリジナル作品など、芸術品に成り得ないだろうと決めつけた。

これに真っ向から反論したのは、ほかでもない。贋作グループのリーダーだった、Kという男だ。

「それならば、我々が作った試作品と陶芸家たちの未発表作品を専門家たちに見せてみればいい。どれがロボットの手によるものか判別できたのなら、自分たちの負けを認めよう」

牢屋《ろうや》からの挑戦を、意外なことに裁判所が後押しした。贋作作りは無論犯罪だが、その精巧さによって罪の大きさが変わるからだった。専門家が見分けられないほどなら、極めて悪質ということになる。つまりKとしては、そんな実験は自分で自分の首を絞めることに繋がるおそれがあるわけだが、それを覚悟してでも貫きたい信念があったのだ。

じつはKは、かつて優秀なロボット技術者だった。会社員時代、それに関する特許を何件も取得していた。しかしある時、彼が関わったロボットが事故を起こし、その責任を取る形で会社を追われた。彼にしてみれば、多大な利益を生み出してきた自分が、そんなふうに会社から切られるとは思ってもみなかった。彼の能力を過小評価している業界全体にも憤りを覚えた。贋作作りは、そんな私怨《しえん》から始まったことだった。したがって、ロボットによって完璧な芸術品を作れると証明することは、たとえ刑罰が重くなるという結果を招いたとしても、彼としてはどうしても必要だった。

この挑戦を何人かの専門家が受けて立った。警察、マスコミ、さらには裁判関係者が見守る中、前代未聞の鑑定大会が実施された。

Kたちの作った作品十点と陶芸家たちの未発表作品十点が、専門家たちの前に並べられた。彼等はそれらを手にとってじっくりと吟味し、どれがロボットによって作られたものかを見極めるのだ。

その時の結果は、インターネットによって、即座に伝えられた。その時に画面に現れた文字を、神楽は今も思い浮かべることができる。

鑑定士軍団の的中率は四十八パーセント——というものだった。

本物と偽物が半々なのだから、目をつぶっていても五十パーセントの確率で当たるはずだ。それがこの結果というのは、もはや鑑定不能と宣言したに等しかった。

鑑定に参加した専門家たちは、責任を陶芸家に押しつけた。

「今の陶芸家は個性がない。奇麗な作品は作れるが、人間臭さが感じられない。これでは簡単に模倣されても仕方がないだろう。昔の陶芸家が作るものには、決して真似できない味というものがあった。今回の結果は残念だが、真摯《しんし》に受け止めるしかない」これは四十年のキャリアを誇る美術商の言葉だ。

「ロボットが優れているというより、人間のほうがロボットに近づいている。そのことを、今回は改めて感じた」こんな表現をした者もいた。

一部のマスコミは、Kの言葉も伝えた。「当然の結果だ。全く驚いていない」というものだった。

この結果は、美術界を揺るがした。専門家でさえ、ロボットの作った贋作を見抜けないと証明してしまったのだから、陶芸品に対する信頼度は地に落ちた。その現象は間もなく、他の美術工芸品にも飛び火した。殆どすべての作品の値が暴落した。焦ったある画家は、「工芸品のような、もともと機械で作ることが可能なものと違い、画家のイメージが複雑に絡み合う絵画はロボットでは贋作を作れない」と発言し、工芸家たちの顰蹙《ひんしゅく》を買った。

こうした状況に、神楽昭吾は激怒した。彼の怒りは、敗北した鑑定士たちに向けられた。

「何という情けない話だ。人間が丹誠込めて作ったものと、機械によって作られたものの違いもわからんとは。そんなことだから愛好家たちに愛想を尽かされるんだ」

昭吾はKたちの行為を、芸術を愛する心に対する冒瀆《ぼうとく》だと断じた。

「芸術というのは、作品に触れた人々の心の中で結晶化するものだ。なぜ感動するか、どこに心を打たれたかということは、本人にすらも説明できない。だからこそ尊く、人々の心を豊かにしていく。ところが芸術もどきが出回ると、真の芸術を結晶化させる力が、みんなの心から次第に失われていく。これは大変な重罪だ。断じて許すことはできない」

昭吾はマスコミを通じ、Kに挑戦状を叩きつけた。どれほど巧妙に真似てあろうと、自分の作品ならば必ず真贋《しんがん》を見分けられると宣言した。

しかしこれに対するKの返事は、「もはやその必要はない」というものだった。先の鑑定対決で、自分の技術の高さは証明されたと満足しているようだった。また裁判所も、さらなる対決には意味を感じなかったらしく、昭吾に協力する姿勢は見せてくれなかった。

苛立った昭吾に、某テレビ局が近づいてきた。自分のところで神楽昭吾作といわれる陶芸品をいくつか揃えるから、それらが本物か否かを自分で鑑定してくれないか、というのだった。

この申し出に、昭吾は難色を示した。テレビの企画では、視聴者を納得させられないのではないか、と危惧したのだ。鑑定対象となる作品の真贋を、局側が事前に昭吾に教えていると勘繰られるおそれがあるからだ。

「疑う人は、どのようにやっても疑います」テレビ局のプロデューサーはいった。「こちらとしては、極力厳密に実施したいと思います。先生は、余計なことは考えず、鑑定に集中してくだされば結構です。視聴者は、それほど馬鹿ではありません。真剣勝負をすれば、必ずそのことが伝わります」

最終的に、この言葉で昭吾は決心した。

神楽が小学校五年の夏だった。彼は生まれて初めて、テレビ局のスタジオに足を踏み入れた。いつもなら、好奇心に勝てず、勝手に動き回っていたところだ。しかしその日は、ずっと父のそばにいた。タイトルマッチを控えたボクサーを見守るように、期待と不安を抱え、無言でじっとしていた。

いよいよ番組が始まった。生放送だった。リハーサル通りに司会者が進行していく。神楽は観覧席の隅から、父の真剣勝負を見つめることになった。

緊張した面持ちの昭吾の前に、三つの箱が並べられた。この中に含まれている贋作を見破る、という趣向になっていた。ただし、いくつ含まれているかは明らかにされていない。昭吾も、それは教えてもらわなくていいといっていた。

箱の中身は茶碗、大皿、壺《つぼ》だった。いずれも神楽の目には、父の作品に見えた。しかしそれは遠目だからかもしれない。

昭吾が三つの作品を鑑定するのに、さほど時間はかからなかった。彼が自信に満ちていることは、離れていても神楽にはわかった。神楽は安堵《あんど》した。父は勝った、と確信した。

「では、発表していただきましょう。どの作品が本物で、どれが偽物でしょうか」司会者が昭吾に尋ねた。

　昭吾は真っ直ぐに前を見つめ、口を開いた。

「じっくりと見るまでもありません。私には、ひと目で答えがわかりました。局側は、私が間違えることを期待して、このような作品を並べたのでしょうが、その手には乗りません。確信を持って、断言します。ここにある三つの作品は、すべて私のものです。神楽昭吾の作品に間違いありません」

　じつに堂々たる口調だった。その姿を見て、神楽は父親のことを誇りに感じた。自分が彼の息子なのだということを周りの人間たちにいいたい気分だった。

「ええと、では、この中に偽物はないということですか」司会者が、作り笑いに戸惑いの表情を滲《にじ》ませた。

「そういうことです」昭吾は頷いていった。「すべて本物です」

「その結論に変更はありませんか。まだ時間はありますから、今一度確認していただくことも可能ですが」

「その必要はありません。私は自分の作品については、それを作った時の状況まで覚えています。見間違えるはずがない」

「そうですか……」司会者が、番組スタッフのほうをちらりと見た。

何を勿体《もったい》ぶってるんだ、と神楽は苛々した。昭吾が、もう確認する必要がないといっているのだから、さっさと答えをいえばいいじゃないかと思った。おそらく、あまりにもあっさりと正解をいわれてしまったので、番組制作側としては失望しているのだろうと想像した。そんなこと知るもんか、と神楽は腹で舌を出した。

「わかりました。そこまで自信をお持ちなら、我々としましても、これ以上引っ張る意味がありませんので、解答を発表させていただきます」司会者が、ようやく意を決したようにいった。その顔から笑みは消えていた。唇を舐《な》め、呼吸を整えるように軽く息を吐いた後でいった。「神楽先生、驚かれると思いますが、ここにある三つの作品は、じつはすべて贋作なんです。本物はひとつもありません」

スタジオ内が一瞬静かになり、その後でどよめきが起こった。それはそのまま神楽の思考状態を表現していた。頭の中が真っ白になった後、激しく混乱し始めていた。

うそだ、と彼は呟いた。

だが彼以上に昭吾は混乱しているに違いなかった。昭吾は立ち尽くしていた。その目は大きく見開かれていた。充血しているのが遠目にもわかった。

「そんな……馬鹿な」呻くようにいった。「そんなはずがない」

「ところが神楽先生、本当のことなんです。先程おっしゃったように、我々は少々意地の悪い問題を用意しました。本物と偽物を混ぜておくより、すべてをどちらか一方にしたほうが難しいと考えました。我々が選んだのは、すべてを偽物にするというものでした。先生のお答えとは、全く逆なんです」

司会者の口調には、昭吾を気遣うような響きがあった。憐《あわ》れんでいるようにも神楽には聞こえた。そのことが一層、惨めな気分にさせた。

昭吾が突然、作品に近づいた。茶碗を手に取ると、首を振った。

「信じられん。そんなことはあり得ない。これは私が作ったものだ。私の手による作品だ」

「違うんです」司会者がいった。今度は、その声には冷たいものが含まれていた。「信じたくない気持ちはわかりますが、違うんですよ。これらは偽物なんです。贋作グループがロボットを使って作ったものなんです」

「これが贋作だと……」

昭吾の目が殺気を帯びてきた。彼は持っていた茶碗を大きく振り上げた。

いち早く危険を察知し、彼の背後に近づいていたスタッフが、それを後ろから止めた。

「割らせてくれ。割ってみないことには、到底信用できん」

喚きながら暴れる昭吾を、大勢のスタッフが取り押さえた。

テレビ局が用意した車で、神楽は昭吾と共に自宅に帰った。車中、昭吾は一言も発しなかった。眉間に皺を刻んだまま、じっと瞼を閉じているだけだった。そんな父に神楽も声をかけられなかった。

神楽父子《おやこ》の家は西多摩《にしたま》にあった。昭和初期に建てられたという日本家屋を買い取り、改装したものだった。

家に帰るなり、昭吾は仕事場に向かった。神楽はついていかなかった。ついてくるな、と父の背中が語っていたからだ。

間もなく仕事場から、叫びに似た怒声が聞こえてきた。さらに、何かを叩き壊す音もした。昭吾が自分の作品を壊しているのだと神楽は悟った。

止めることなどできなかった。神楽は押入から布団を引っ張り出し、頭からかぶった。どれほどの時間が経ったのかはわからない。気がつくと何も聞こえなくなっていた。神楽は布団から出て、仕事場に向かった。

薄暗い廊下を歩き、仕事場の前に立った。入り口は引き戸になっている。それを開けた。床には陶器の破片が散乱していた。それらは戦場に散らばった死骸《しがい》を連想させた。仕事場の中央にある作業台の上も同様だった。

そして——。

その作業台の上に、昭吾の姿があった。神楽は一瞬、立っているのかと思った。だがそうではなかった。父親の足は作業台から浮いていた。

何かの物音で、神楽は顔を上げた。外が何だか騒がしい。急患でも運び込まれたのかもしれない。無論、不思議なことではない。ここは病院なのだ。

彼は頭を振った。頭痛は少し治まったようだ。

またしても嫌なことを思い出してしまったな、と自虐気味に笑った。リュウから意識を取り返す時には、いつもそうだ。あの廊下と引き戸の夢を見せられる。

ただし、あの夢の続きはない。それはおそらく、父親の首吊り死体を目撃した直後の記憶がないからだろう。次に気がついた時、彼は病院のベッドで寝かされていたのだ。後で聞いたところによると、彼は昭吾の仕事場で眠っていたそうだ。毛布で全身を包み、隅でうずくまっていたのだという。

神楽を発見したのは駆けつけた警官たちだ。揺すっても声をかけても目を覚まさないので、病院に連絡したということだった。

なぜ警官が駆けつけたのか。それは通報があったからだ。自宅で父親が首を吊って自殺した、というものだった。

この内容から、電話をかけたのは神楽ということになる。実際、通信指令室の記録でも、通報者は神楽龍平となっていた。

だが神楽には、その記憶はない。死体発見後の行動を警官から尋ねられた時も、何ひとつ答えられなかった。

記憶を失っていた間に彼がしたのは、じつは電話をかけたことだけではなかった。警官たちが仕事場に入った時、床は奇麗に掃除されていたのだ。神楽が目にした陶器の破片は、すべて片づけられていた。それもまた彼自身がやったとしか思えない。

あまりのショックで精神がパニックを起こしたのだろう、というのが医師の説明だった。その間のことが記憶に残っていないというのも、よくあることだといわれた。ただ神楽のケースが珍しいのは、その間におかしなことをしたわけではなく、極めて冷静に、的確な手順で行動していることだった。通報を受けた担当者も、小学生とは思えないほど理路整然と事実を伝えてきた、と感心していたらしい。

おそらくそれが、リュウが最初に出現した時なのだろう、と現在の神楽は考えている。しかしもちろんその時点では何もわからず、「気にするほどのことではない」という医師の言葉を鵜呑《うの》みにしていた。

何より当時の神楽は、父を亡くした悲しみが大きく、それ以外のことを考える余裕がなかった。昭吾の親戚のもとに預けられたが、殆ど誰とも口をきかず、学校にも行かず、部屋に閉じこもったままで何日間も過ごした。

最初は悲しみを抱える毎日だった。それを過ぎると、次には怒りを募らせる日々に変わった。自ら命を絶つほどに父親を傷つけた贋作者たちを呪《のろ》った。何とか復讐《ふくしゅう》できないものかと悶々《もんもん》とした。

それも過ぎてしまうと、今度は空虚な時間がやってきた。あの尊敬すべき父の作品が、たかが機械にコピーできてしまうという事実を受け入れた瞬間、それまでの価値観、世界観が、ぐるりと一変してしまったのだ。

一体、人間と機械の違いは何だろう——そんなことを考えるようになった。構成している物質が違うということ以外に、根本的な違いはあるだろうか。

心が存在することか。では心とは何なのだ。脳という物質が作りだした、行動をコントロールするプログラムに過ぎないのではないか。その証拠に脳が故障すれば、精神にも支障をきたす。うつ病が脳内物質の補充によって改善されることは、広く知られている。

神楽は自分の手を見つめた。何時間も何日間も見つめ続け、臓器や脳や血液のことを考えた。間もなく、その思索の対象は細胞になった。

やがて彼はゴールに辿り着いた。それが遺伝子だった。

施設に入れられた彼は、遺伝子の謎を解くため、勉学に励んだ。大学では遺伝子工学と生命工学を専攻した。人間と機械の違いは何か——そのことが常に頭にあった。

二十一歳の夏、神楽はついに一つの結論に達した。人間の心は遺伝子によって決まる、というものだった。これはすなわち、人間と機械は本質的には何も変わらない、という結論に至る前章でもあった。

奇妙なことが起き始めたのは、ちょうどその頃だ。何かの拍子に気を失うことが多くなった。ところが不思議なことに、周りの人々はそのことに気づいていないのだ。むしろ、その間の記憶をなくしていることを心配がられた。

どういう時に気を失うのか、神楽自身にもわからなかった。このままではいつか重大な事故を起こすのではないかと不安になった。

やがて、気を失った時に、ひとつの現象が起きていることに神楽は気づいた。周りのどこかに、必ず絵が残されているのだ。最初は悪戯《いたずら》描きのようなものだったが、次第に精巧な絵に変わっていった。

誰が描いたのかを教えてくれたのは、同じ研究室にいる女性だった。

「帰ろうと思って廊下を歩いていたら、まだ研究室の明かりがついていたんで、ちょっと覗いてみたんです。そうしたら神楽さんが机に向かってて、何か一生懸命にペンを動かしている音が聞こえてきたんです。最近じゃ手書きすることなんてめったにないから、何を書いてるんだろうと思って首を伸ばして見たら、鉛筆で絵を描いていらっしゃるじゃないですか。神楽さんにそんな趣味があるとは知らなかったから、かなり意外でしたよ。邪魔しちゃ悪いと思って、声をかけずに部屋を出たんですけど、前から絵を描くのが趣味だったんですか」

この話に神楽は驚愕《きょうがく》した。彼女が目撃したという時間は、彼が気を失っていた時だったからだ。

神楽は、人格についての研究論文を読み、一人の人物に会いに行くことにした。それが水上洋次郎だった。水上は、多重人格研究の第一人者だった。

神楽を診察した水上は、真っ直ぐに彼の目を見つめてきた。

「君の判断は正しかった。君の中には、もう一人の人格が住んでいる。つまり君は二重人格者なんだ」

ノックの音で神楽は我に返った。誰かが激しく叩いている。

「神楽君、まだ起きてないか？　リュウ、まだそこにいるのか」水上の声だ。

神楽は立ち上がり、ドアを開けた。水上の蒼白《そうはく》な顔が目の前にあった。

「どうしたんですか」

水上は、瞬きしてから口を動かした。

「大変なことが起きた」

「何ですか」

水上は気持ちを落ち着かせるように深呼吸をし、じっと神楽の目を見つめながらいった。

「彼等が……蓼科兄妹が……殺された」

9

浅間が木場からの電話を受け取ったのは、戸倉が運転する車の助手席にいる時だった。二人は聞き込みの帰りだった。例のNF13に関するものだが、収穫はまるでなかった。

新世紀大学病院に向かってくれ、と木場はいうのだった。

「そこで何かあったんですか」浅間は訊いた。NF13の捜査の過程で、その病院名が出てきたことはない。

「事件だ。殺しだよ」

「凶器は？」

「拳銃だ。入院中の患者が二人殺された。いや、違うか。患者と、その兄だ」木場は手元にあるメモか何かを見ながら話しているらしい。

「犯人がＮＦ13の可能性があるんですか」

「それはわからん。これまでの犯行と拳銃が一致するかどうかは、まだ判明していない」

電話を握ったまま、浅間はしかめっ面をして隣の戸倉を見た。

「それならまだ我々が駆けつけることもないと思いますがね。とりあえず所轄に任せて、ＮＦ13のセンが濃厚だってことになれば、合同捜査に切り替えるってことでいいんじゃないですか」

「ところがそういうわけにはいかん」

「どうしてです」

「今回の事件に関しては、所轄に任せるわけにはいかないんだ。それだけでなく、警視庁捜査一課ならいいというものでもない。事情のわかっている者だけで、まずは対処したい」

「何ですか。事情って」

「詳しく話している暇はない。とにかく、病院に行ってくれ。俺も、これから向かう。場合によっては、那須課長たちも駆けつけるかもしれんぞ」

「捜査一課長が？　一体何事です」

「だから、ただ事ではないんだ。のんびり話している暇はない。さっさと新世紀大学病院に向かえっ」いい放つと木場は電話を切った。

浅間は頭をゆらゆらと振った。戸倉に行き先を告げた。

「新世紀大学病院？　最先端医療で有名な総合病院ですね。あんなところで殺しが？」

「患者が殺されたといってたな。係長の口ぶりでは、犯人はまだわからないようだった。大病院で、誰にも見咎《みとが》められずに患者を射殺するなんてことができるのかな」

浅間は電話を使って速報ニュースを調べたが、その事件に関する情報は見当たらなかった。

「何か載っていますか？」戸倉が運転しながら訊いてきた。

「何もない。情報が制限されているようだ」

浅間は電話をしまった。最近では、情報操作をしないかぎり、警察に通報された時点で事件の内容がネット上に流れるのが常なのだ。

約十五分後、二人の乗った車は新世紀大学病院の駐車場に入っていた。ここでも浅間は、いつもの事件現場とは違う雰囲気を感じ取った。通常ならば、パトカーが路上や空きスペースにずらりと並んでいるはずだが、今日は一台もない。見覚えのある警察車両は、すべて駐車場に止められていた。もちろん部外者には、それが警察車両だとはわからないだろうが。

どうやら事件が起きたこと自体を警視庁と病院が隠蔽《いんぺい》しているらしい、と浅間は察した。

駐車場を出てから木場に電話をかけた。木場はすでに現場に到着しているらしい。

「正面玄関から入って、脳神経科の病棟に向かってくれ。エレベータホールに見張りがいるから、身分を示した上で、おまえだけ最上階まで上がってこい」

「俺だけですか。戸倉は？」

「待たせておけ」またしても一方的にいった後、木場は電話を切った。

内容を戸倉に伝えると、後輩刑事は肩をすくめた。

「相当、厄介な事件みたいですね。あまり関わり合いたくないな」

「じゃあ、最初から指名されてる俺はどうなるんだ」

「まあがんばってください、としかいいようがないですね」

舌打ちをした後、浅間は足を建物のほうに向けた。

指示された通りに脳神経科病棟のエレベータホールに行くと、警備と書かれた腕章をつけた私服刑事が立っていた。浅間が身分を明かすまでもなく、見知った顔だった。

「何だか、物々しいな」見張りの刑事に浅間はいった。「一体、何が起きたんだ。ただの殺しじゃないのか」

「詳しいことは、俺たちも知らされてないんです」若手の刑事は首を捻った。「所轄から誰も来てない。こんなことは初めてです」

「最上階だって？」

「ＶＩＰ用のフロアです」

エレベータに乗り、上に向かった。七階が最上階だ。

エレベータが止まって扉が開くと、いきなり丸い背中が目の前にあった。ずんぐりとした体型だけで、誰なのかはわかった。その男が振り返った。

「おう、やっと着いたか」木場が不満そうにいった。

「これでも急いだんですがね。現場はどこです」

「こっちだ。ついてこい。手袋をつけ忘れるなよ」

すぐ正面のドアが開放されており、木場はそこをくぐった。ドアの横には静脈認証システムのパネルがあった。つまり、通常ならば関係者以外は入れないということだ。

リノリウムの白い廊下では鑑識作業が行われていた。ところがそれに当たっている者たちの着ている制服は、浅間の見慣れたものではなかった。

「彼等は何者ですか」先を行く木場に小声で訊いた。

「後で教えてやる」

廊下の中央部が二本のテープで仕切られており、その間を木場は進んでいく。浅間も彼に続いた。

廊下の先に焦げ茶色の扉があった。インターホンが付いていて、木場が手袋を嵌めた手でボタンを押した。

すぐに内側から扉が開けられた。開けたのは、浅間の知らない男だった。顔の彫りが深く、痩《や》せている。五十歳前後のようだ。白衣を着ていることから、この病院の医師らしいと見当をつけた。

「部下の浅間です」木場が紹介した。

男は頷き、自己紹介した。水上洋次郎という脳神経科の教授だった。

水上に促され、浅間は部屋に足を踏み入れた。捜査一課長の那須と若い管理官がすでにいたが、それ以上に浅間を驚かせたのは、室内の様子だった。壁に沿って、ずらりとコンピュータのモニターが並んでいる。それ以外には大きな机と椅子、そしてソファセットがあるだけだ。

「ここは何です。病室じゃないんですか」浅間はいった。

「病室ですよ」水上が答える。「ただしＶＩＰ室ですから、患者の希望で、どんなものでも置いていいことになっています。病状を悪化させるものでなければ」

「一体、どういう患者ですか」

「それは、私の口からは説明できません」

浅間は吐息をつき、那須を見た。この場での最高責任者だからだ。

「説明すると長くなる。かなりな」那須はいった。「一言でいうと、政府にとっても警察にとっても、極めて重要な人物だということだ」

「なるほど、だからＶＩＰですか」浅間は床に描かれた白い人形《ひとがた》を見下ろした。それは二人分あった。一人はソファの横、もう一人は大きな机のそばで撃たれたらしい。どちらも、周囲に血痕《けっこん》が飛び散っていた。

「まだ無闇に触るなよ」那須はいった。「遺体を運び出しただけで、本格的な鑑識作業はこれからなんだ」

「そういえば、外で作業をしているのは、どこの鑑識ですか」

いいところに目をつけた、とでもいいたそうな顔で那須は頷いた。

「科警研から派遣された特別チームだ」

「科警研？　それはまた大層な」

どうやら警視庁だけでなく警察庁も一緒になって、今度の事件を隠蔽したがっているようだ。

「遺体は解剖中ですか」

「そうだ。別の病棟で行われている」

「殺された患者は男性ですか」

「患者は女性だ。その兄が一緒に殺された」

横から木場が写真を差し出してきた。この部屋が写っている。ソファの横で倒れているのは、三十歳ぐらいの男だった。口の周りに髭を生やしている。撃たれているのは頭部だった。額の真ん中に黒い穴があいていた。

机のそばには太った女性の遺体があった。こちらは胸を撃たれたようだ。

「女性に暴行の跡は？」浅間は訊いた。

「おそらくない。部屋にいるところを、何者かに突然射殺されたと思われる。逃げようとした形跡さえない」

浅間は頭を掻きむしった。「ひとつ訊いていいですか」

「構わんが、髪の毛を撒《ま》き散らすな。鑑識作業の邪魔になる」

「初動捜査はどうなってるんですか。所轄には知らせないそうだし、機捜も来てないようだ。こんなんで、目撃情報とかを集められるんですか」

「その点について、君に心配してもらう必要はない。刑事部長とも話し合って、そういった大がかりな聞き込み捜査は避けることになったんだ。また、そういう捜査が効果を上げるとも思えない。今回は少数精鋭主義でやる。指揮のほうは木場係長に任せるが、実質上の現場担当責任者としては君を任命したい」

「俺をですか」

「何か不満があるか」

「お忘れかもしれませんが、俺は今、重要な任務についています。ＮＦ13――連続婦女暴行殺人事件です。これまでの話を伺ったかぎりでは、今回の事件はＮＦ13とは何の繋がりもない。それなのに、俺に担当しろというんですか」

浅間の疑問は予想したものだったのか、那須は頬を少し緩めた。

「その点については皆で相談した。あっちの事件については、別の者を担当につける。君は、今回の事件に専念してもらいたい」

「どうして俺なんですか。政府関係の仕事ということなら、もっとほかに適任者がいると思いますがね」

「情報の拡散を防ぐためですよ」突然、別のところから声が聞こえた。部屋の奥にドアがあり、それが開いた。出てきたのは、浅間が知っている男だった。白い顔に吊り上がった目、広い額。警察庁特殊解析研究所の志賀だ。

げんなりした思いを示すため、浅間は口元を曲げた。

「おたくらも呼びつけられてたとはね。ＶＩＰが殺されたとなれば、集まる顔ぶれも豪華ですな」

「それは少し違う。この部屋に入ったのは、警視庁の皆さんよりも私のほうが先です。そして私が那須課長に連絡をした。だから、呼びつけられたのではなく、こちらから皆さんをお呼びした、ということになります」

彼のいう意味がわからず浅間が顔をしかめると、志賀は那須たちを見た。

「被害者についての説明は、私がしても構いませんか」

「是非、そうしてもらいたい」那須はいった。「我々にしても、ついさっき聞いたばかりだからね」

二人のやりとりを聞き、浅間は、はっとした。

「被害者は、特解研の関係者なんですか」

志賀が厳しい顔つきのままで頷いた。

「まさにその通り。いや、関係者なんていうレベルじゃないな。我々が使うシステムの頭脳を作った人物です。システムそのものといって過言じゃない」

「頭脳……」そういった直後、浅間は、この場の顔ぶれに疑問を持った。特解研に関しているとなれば、当然あの男も来ていなければならないはずだ。彼は志賀にいった。「おたくの相棒の姿が見えませんけど、どうしたんですか」

「彼なら来ていますよ。今はまだ、話せる状態ではありませんがね」

「どういうことです」

志賀は黙って、自分が出てきたドアのほうを見た。

浅間は近づいていき、ドアを開けた。そこは寝室になっていた。二つのベッドが並んでいる。殺された兄妹が使っていたのだろう。

だが無人であるべきベッドの片方に、なぜか横たわっている男がいた。目を閉じているせいで、いつもの翳《かげ》りのある表情は消えているが、神楽龍平に相違なかった。

10

鑑識特別チームが現場検証の作業に入るため、浅間たちは場所を移動しなければならなくなった。同じ病棟の四階に、水上が管理している精神分析研究室がある。そこの応接室で、改めて話し合うことになった。

「気絶？　あの神楽が気を失ったわけですか。死体を見て」浅間は水上の顔を見返した。

「そうです。私が彼に、蓼科兄妹が殺されたことを知らせると、彼はすぐに部屋に向かいました。ドアを開け、倒れている二人を見た直後、その場で昏倒《こんとう》したのです」

水上の話に、浅間は肩をすくめた。

「あの自信家が、そんなにか細い神経を持っていたとはね」

「彼の神経は極めて繊細です」水上は真剣な顔つきでいった。「その上、複雑です。常人には想像もできないほどにね」

　単に神楽を庇《かば》っているだけではなさそうだったので、浅間は水上の顔を真っ直ぐに見返した。

「どういう意味ですか」

「それについては」志賀が割って入ってきた。「今はお話ししなくてもいいでしょう。関係のないことだ。ただ、これだけはいえます。被害者は神楽君にとって、非常に大切な存在だった。殺されたと知れば気を失うのも無理はない」

「もったいつけてないで、さっさと教えてくれたらどうなんですか。殺された蓼科兄妹ってのは、一体何者なんです。システムの頭脳を作ったって、どういうことですか」浅間は苛立ちを声に乗せた。

　志賀は頷き、傍らに置いてあったファイルを手にした。そこから一枚の書類を出し、浅間の前に置いた。それはネット配信された記事をプリントアウトしたもののようだった。記事と共に太った娘の顔写真が載っている。脂肪の重みで瞼が垂れ下がり、たるんだ頬には吹き出物があった。カメラから目をそらしているせいか、ひどく無愛想な表情に見える。その写真の下に、蓼科早樹さん、と記されていた。

「これが今回の被害者ですか」浅間は訊いた。

「そうです。ただし、十四歳の時のものですがね。今から約九年前ということになる」志賀が答えた。「御存じかどうかは知りませんが。新世紀大学では飛び級が認められています。蓼科早樹は中等部在学中に、数学の博士号を取得しているのです。これは、その時の記事です」

「ははあ、ずいぶん前にそんな話を耳にした覚えはあるな。数学の天才少女が現れた、とかいう」

浅間は書類を手にした。文面は、蓼科早樹の博士論文について紹介したものだった。無論、彼にはそこに並んでいる言葉の意味すらわからなかった。

「それにしても、中学時代の写真なんか見せられても仕方がない。もっと、最近の写真はないんですか」

浅間の問いに、志賀は首を振った。

「ほかに写真はありません。蓼科早樹は決して写真を撮らせなかったからです。この時の写真も、インタビュアーが隠し撮りをしたものなんです。大学側が抗議をして、すぐに記事から削除されましたがね。この写真は、抗議をする資料として大学側が保管していたものです」

「写真嫌いなんですね」

「というより、人に見られることを嫌っています」そういったのは水上だ。「恐れている、といったほうがいいかな」

「というと？」

「その写真ではよくわかりませんが、彼女の顔の右側には、大きな痣がありました。頬全体から首筋にまで及んでいましたから、かなりの広範囲です。おまけに濃い紫色をしていて、化粧でごまかせるものではない。もっと早くに手術を施していたら、あるいは目立たなくできたかもしれませんが、彼女の親にはそれほどの経済力はなかった」

水上の話を聞いた後、浅間は改めて写真に目を落とした。隠しカメラの存在に気づいていなかったにもかかわらず、蓼科早樹は顔の右側を隠すように首を曲げている。おそらくインタビュアーに見られること自体が嫌だったのだろう。

昨今では小学生ですら化粧道具を持ち歩いているが、写真の中の少女は容姿については無関心に見える。そうせざるをえなかったのだろう、と浅間は思い至った。

「その痣のせいで、子供の頃から蓼科早樹は他人と接することを避けていたようです。自分自身の存在意義を見出《みいだ》せず、強烈な自己嫌悪に囚《とら》われ、心をなくしていったのです。母親が彼女を産んだ時に亡くなっていることや、父親が家族を顧《かえり》みない性格だったことも無関係ではなかったかもしれない。彼女が、この病院に連れてこられたのは、十一歳の時でした」水上は静かにいった。

「いわゆる、うつ病というやつですか」

水上は首を傾げた。

「その言葉を安易に使用することは避けたいですな。漠然としすぎている。しかし彼女の場合、こういう表現は使えます。強烈な心的外傷が、脳の神経損傷を引き起こした。それが極めて早い段階で起きたため、先天性の脳機能障害と同様の症状が出ていた。そういう点で、自閉症に似ているといえます。本来、自閉症というのは、環境などの外的要因で、後天的に発症することはあり得ないのですがね。もしかしたら蓼科早樹には、遺伝的要素が元々あったのかもしれない」

浅間は唸り、腕組みをした。隣で話を聞いている那須に目を向けた。

「話の行方が見えないんですがね。被害者の病歴について、俺が詳しく把握しておく必要があるんですか」

「大いに必要です」答えたのは志賀だった。「たしかに今、水上先生は蓼科早樹の病歴について話しておられます。しかし彼女の病歴というのは、同時に経歴でもあるのです。天才数学者としてのね」

「病歴が同時に経歴？」

「もしも蓼科早樹が単なる自閉症の少女に過ぎなかったら」水上が話を再開した。「我々は彼女を他の患者と同じように扱っていたでしょう。少なくとも、専用の病室を与え、学費や生活費を援助してまで、新世紀大学初等部に入れるようなことはなかった」

「その頃から天才だったとでも？」

水上は大きく首を縦に動かした。

「自閉症の子供には、サヴァン症候群と呼ばれる一種の天才性を示す者がいます。しかし蓼科早樹の場合は、今もいったように厳密な意味では自閉症ではないので、我々も当初はその方面について調べる気はありませんでした。むしろ、閉ざされた心を開くため、彼女が興味を持っているものを探す作業を行ったわけです。すると彼女は、意外なものに強い関心を持っていることが判明しました。そのことを我々に教えてくれたのは、彼女の兄でした」

水上によれば、蓼科早樹の兄である耕作は、「妹は数学に強い愛着を持っている」と告げたらしい。他人との関わりを避ける代わりに、彼女は数学の本を読み漁《あさ》り、自らも様々な難問に挑戦していたということだった。

「そこで我々はカウンセリング代わりに、数学の教授とのディスカッションを彼女にやらせてみたのです。人と接することが大嫌いな彼女でしたが、相手が数学者と聞き、了承してくれました。こうして、劇的な発見が成されることになったわけです」当時のことを思い出したのか、水上の口調は徐々に熱を帯びてくるようだった。

「発見？」

「天才的頭脳の発見です。蓼科早樹と対話をした教授は、彼女がすでに大学の教授レベルの理解力を備えていることを知りました。しかもそれが成長過程にあることもね。面談した教授は、即座に大学のトップにそのことを伝えました。彼女を特待生として迎え入れることが決定したのは、それから間もなくのことです。形の上では初等部への転校でしたが、実質的には大学で研究に取り組ませることになりました。その三年後に博士号を取得して世間を驚かせたわけですが、最初から見ている我々としては当然の結果でした」

「中学生の女の子がね」浅間は頭を振る。数学についての知識はゼロに等しかったが、とてつもない話だということは理解できた。「で、その天才少女が特解研に、どう関与しているんですか」

「そこから先は、私が話しましょう」志賀が引き継いだ。「国民のＤＮＡをデータベース化して、わずかな手がかりから犯人を割りだす――ＤＮＡ捜査システムの構築が本格的に始まったのは、今から十年以上も前です。このプロジェクトは、私と、ある遺伝子解析工学の優秀な研究者を中心に進められました。その研究者の名前は、浅間警部補もよく御存じのはずです」

一瞬、誰のことをいっているのかわからなかったが、志賀の狐のような目を見ているうちに思いついた。

「死体を見て気絶した兄さんか」

「御承知のように、ＤＮＡ捜査システムは、プロファイリング・システムと検索システムで成り立っています。プロファイリングについては、神楽君の尽力により、順調に研究が進んでいきました。ところが検索システムのほうが難航したんです。ＤＮＡには様々な情報が含まれています。しかも将来的には一億人、いやもしかしたらそれ以上の数のＤＮＡを扱う可能性だって出てくるかもしれません。それらをすべて数値化してデータベースを作り、必要に応じて検索や照合といったことができるようにしなければならないのです。単純に親子関係にあるかどうかを判定するだけでも熟練した技術が必要なのに、いかにしてコンピュータに数字を読ませ、正確な判定を下させるか。計算に手間取っていてはいけません。無論、だからといって誤判定などは絶対に起きてはならない。そしてこれが最も大事なことですが、データベースは完全に暗号化されていなければなりません。完全とは、解読される可能性はゼロということです。さあ、この難問をどうやって解決するか。我々は途方に暮れていました。ＤＮＡ捜査システムそのものを見直さねばならないとまで思いました」

そのまま頓挫《とんざ》してくれればよかったのに、という本音を浅間は呑み込んだ。

「そんな時、神楽君は蓼科早樹と出会ったんです。彼女が発表しようとしていた研究論文を読み、彼は衝撃を受けた。その数学理論を応用すれば、膨大な数のＤＮＡ情報をコンピュータデータとして処理できる上、完全に暗号化した状態でデータを扱えると確信したからです。そこからすべてが始まった。蓼科兄妹と組んだことで、机上の空論に近かった我々のアイデアが、一気に現実のものへと変わっていったのです。蓼科兄妹は、あの病室で、我々が必要としていたプログラムのほぼすべてを生み出してくれた。その後のことは浅間警部補も承知しておられますよね。ＤＮＡ捜査システムは実用化され、今や犯人逮捕には欠かせないものとなった」

「ＮＦ13みたいなケースもありますがね」浅間は両手を広げた。「そのせいで、今朝も聞き込みで走り回ってました。その途中で、ここに呼ばれたわけですが」

「ＮＦ13は、システムに問題があるわけではなく、データ不足が原因です。国民の理解不足、といい換えてもいい」志賀は表情を変えずにいった。

「まあそれはいいです。事情はわかりました。なるほど、政府にとっても警察にとっても重要な人物が殺されたわけですね」

「君を捜査主任に任命する理由もわかったと思う」那須がいった。「この病院がＤＮＡ捜査システムと密接に関係していることは、ごく限られた人間にしか明かせないんだ。事件のことは公表しない。表向きは、単なる事故として扱う。捜査チームを作ることになるだろうが、蓼科兄妹がここで何をしていたのかは、捜査員たちにも教えない」

「待ってくださいよ。そんなやり方で、まともな捜査なんてできませんよ」

「できるかできないかを判断するのは君じゃない。君は、こちらの指示に従ってくれればいいんだ」

　浅間は大きなため息を上司たちに聞かせた。

「で、まずは何をすればいいんですか。どこから手をつけろと？」

「事情さえわかってくれれば、あとはいつものやり方でいい」那須はいった。「現場を調べ、関係者から事情を聞き、鑑識結果を検討し、報告する。何も変わらんよ」

「俺一人でやるんですか」

「捜査チームを作るといってるだろ。兵隊を何人希望してくれても構わんよ。予算のことも気にしなくていい。木場君と相談してやってくれ」

「それはどうも、ありがたいお言葉ですね。事情を知らない兵隊がいくらいても、屁《へ》の役にも立たないと思いますが」

浅間っ、と隣にいる木場が険しい声を発した。まあまあ、と那須がなだめる仕草をする。

「難しい捜査だということはわかっている。だからこそ、君に任せるんだ。それとも、君以上にうまくやれる人間がどこかにいるか？　いるのなら教えてほしい」

いい加減なことを、と浅間は上司を睨んだ。彼等が浅間を選んだのは、彼がすでにＤＮＡ捜査システムの内部事情を知っているからに違いなかった。

「刑事部長に報告しなきゃならないから、私はこれで失礼する」那須は時計を見てから立ち上がった。だが部屋を出る前に、もう一度浅間を見下ろした。「何かわかったら、すぐに知らせるんだ。私の部屋が捜査本部だと思ってくれ」

那須が管理官と共に出ていった後、木場が訊いてきた。

「捜査チームに入れるメンバーに希望はあるか」

「お任せします」

「じゃあ、こっちで決めておこう。決まったらすぐに、極秘事項に関与しない部分の捜査を始めさせる。おまえは関係者から話を聞いておいてくれ。水上教授が力を貸してくださるそうだ。実況見分のほうは、鑑識の特別チームがやってくれることになっている。くれぐれも、部外者に事件のことを話すなよ。おまえだけじゃなく、俺や課長の首も吹っ飛ぶからな」そういうと木場は腰を上げ、部屋を後にした。

「私は研究所に戻ります」志賀もいった。「何かあれば、いつでも呼んでください」

二人が出ていった後、浅間は上着の内ポケットに入れてあった煙草を取り出した。しかしすぐに戻した。禁煙だと思ったからだ。

ところが席を立った水上が、ガラスの灰皿を手に戻ってきた。「これをどうぞ」

浅間は目を丸くした。

「いいんですか」

もちろん、と水上はいった。

「ここは患者の精神を救う場所です。彼等の心を開かせるためには、それが違法でないかぎり、求めるものを提供することも必要です。煙草とか数学とか」

助かった、と呟きながら浅間は煙草をくわえた。

「大変な仕事を任されましたね。私にできることがあれば、何でもおっしゃってください」

水上の申し出を聞き、浅間は煙を吐いてから頭を下げた。

「ありがとうございます。先生もDNA捜査システムに関わっておられるのですか」

「いいえ、とんでもない。私は単に蓼科早樹の担当医というだけです。それも、週に一度ばかりカウンセリングをする程度の。いわば、話し相手です」

「遺体は先生が発見を？」

「いえ、見つけたのは警備員です。この病棟専任の警備員です」

「ははあ、その警備員には事件のことを口止めしてあるのかな」浅間は首を捻った。

「おそらく大丈夫だろうと思います」

「どうしてですか」

「その警備員は、蓼科兄妹が特解研と組むことが決まった時に、志賀所長が連れてきた人物だからです。つまり事情はわかっているはずです」

「なるほどね」

どこまでも徹底している、と浅間は思った。


警備員の詰め所は一階にあった。緊急用出入口の、すぐそばだ。窓口があるが、水上はその横のドアを開けた。

制服を着た若い警備員が、机に向かって何か書き物をしているところだった。

「こちらは警察の方だ」水上は浅間を紹介した。「さっきの件で、富山《とやま》さんから説明してもらおうと思ってね。今、大丈夫かな」

「大丈夫だと思いますよ」若い警備員は答えた。

奥にもう一つドアがあった。水上はノックをしてから開いた。

「警察の人が話を聞きたいそうだ」室内に向かっていった。

どうぞ、という声が中から聞こえた。水上が浅間に頷きかけてきた。

ドアの向こうは四畳半ほどの狭い空間だった。ずらりとモニターが並んでいて、その前に制服を着た四十歳前後と思われる男が座っていた。富山という名字だということを、ここへ来る前に水上から聞いていた。

パイプ椅子があったので、浅間は水上と共に腰掛けた。

「死体を発見した時の状況を、もう一度説明してもらいたいんだがね」水上がいった。

富山は頷き、浅間のほうを向いた。

「七階のカメラが、突然不調になったんです」

「カメラ？」

ええ、と富山は背後のモニターを振り返った。

「ここでは基本的に、この建物内の廊下、エレベータといった場所を、すべて防犯カメラでチェックしています。不審者が立ち入った場合には、即座に様子を見に行くというのが、こちらでのルールなんです」

浅間はモニターを覗き込んだ。なるほどエレベータ内や各階の廊下が映し出されている。

画像は鮮明だし、時刻も表示されていた。

「録画もしているんですね」

「もちろんそうです。二十四時間分、ハードディスクに記録できるようになっています」

「で、七階のカメラが不調になったとは？」

「このモニターです」富山は、右端一番上のモニターを指した。それは現在、何も映っていない。「本来ならば、七階の廊下が映っているはずなんです。あのフロアは、エレベータを降りてすぐのところにVIPルームへの出入口がありますが、そこを出入りする者は、必ず映るようになっていました」

「それが突然、映らなくなったわけですか」

「そうです。時刻だけは表示されていましたので、メモを取っておきました」富山はそばの机に置いてあった紙片を手にした。「午後六時十二分のことです」

「その後は？」

「最初はモニターの不具合かと思い、あれこれいじってみたのですが、どうやらそうではないということが判明し、様子を見に行きました。もっとも、モニターをいじっていたのは、ほんの二、三分だったと思います」

富山の言葉には、行動を起こすのが遅かったのではないかと責められた時の予防線が張られていた。

「あなたが様子を見に行ったわけですか」

「そうです。その間、モニターの見張りは、外にいる者に代わってもらいました」

「エレベータを使って、七階に上がったわけですね」

「そうです」

「カメラには異状がありましたか」

「目視したかぎりでは、わかりませんでした。とにかくVIPルームの様子が気になったので、そちらに向かいました」

「あそこの入り口は静脈認証システムのオートロックになっているようですが、何か異状はありませんでしたか」

「特になかったと思います。警備員の中でも、私のものだけは登録してあるので、通常の手順で中に入りました。さらに奥に進んでVIPルームのインターホンで呼びかけましたが、何の応答もありません。念のためにノックもしましたが、同様でした。そこで試しにドアの把手《とって》を回したところ、鍵がかかっていなかったのです」富山は一旦《いったん》言葉を切り、唇を舐めてから続けた。「で、ドアを開け、二人の遺体を発見したというわけです」

「その後は、すぐに警察に連絡を？」

浅間の問いに、富山は首を振った。

「蓼科さんたちに何かあった場合は、最初に特解研の志賀所長に連絡するという規定になっています。それに従って行動しました。警視庁へは、志賀所長が連絡されたはずです」

浅間は水上と顔を見合わせ、頷いた。そういえば志賀は、警視庁の人間よりも自分のほうが先に現場に入った、といっていた。

「話を最初に戻しますが」浅間はいった。「一台のモニターが消える直前まで、あなたはすべてのモニターを監視していたわけですね。ほかのモニターに何か変わったことはなかったですか。不審人物が映っていたとか」

富山は、ほんの少し頰を緩めた。

「もしそういうことがあれば、その時に何らかの行動を起こします」

それはそうだろうな、と浅間も合点した。

「でも複数のモニターを一人で監視するとなれば、見落とすってことも考えられる」

「そういうことが起きないように日頃から注意しているのですが、起こり得ないことではありません」富山は素直に認めた。「だからじつは先程から、何度か録画を見ているのですが、やはり異状は認められませんでした。御覧になりますか」

「今すぐ見られますか」

「もちろんです」

富山はモニターのほうを向くと、手前の操作盤上にあるスイッチやジョグダイヤルを動かした。複数のモニターが同時に静止画像になり、次には逆再生が始まった。

やがてそれまで消えていた七階を映すモニターにも映像が現れた。富山は、そこで一旦映像を停止させた。

「御覧の通り、十八時十二分です」画面の右下を指して彼はいった。「この直後に、映像が消えるわけです」

浅間は頷き、ほかのモニターを確認した。人の姿が映っているフロアもあるが、見たところ、特に変わったことはなさそうだ。この時点で、エレベータを使っている者はいない。

「もう少し、戻してもらえますか」

「いいですよ。このジョグダイヤルを回せばいいだけですから、好きなだけ戻してください」そういって富山は操作盤上を指した。

浅間はモニターを睨みながら、慎重にダイヤルを回していった。だがエレベータでＶＩＰルームのある七階まで上がる者はいなかった。人々の姿が映るのは四階から下ばかりで、五階以上は全くの無人状態が続く。

「五階と六階は使われてないんですか」浅間は水上に訊いた。

「六階はコンピュータルームと資料室になっています。蓼科兄妹の部屋に端末機がありますが、六階とケーブルで繋がっているんです」

「通常は人の出入りはないはずです」富山が横からいい添えてきた。「たまに御兄妹のどちらかが使用される程度です」

「五階は？」

「かつては研究室でした」富山が答えた。

「かつては、というのは？」

「ヒトゲノムを研究していたグループが使っていたんです」水上がいった。「研究が一段落したということで、そのグループは別の場所に移りました。それで五階は、ほかのグループが、自分たちの都合のいいように使っているだけです。早い話が物置です」

「それはまた、えらく経費のかかる物置ですね」

「皮肉られるのも当然といえましょうな。ただ、上の階に蓼科兄妹がいましたから、病院側としても慎重にならざるをえなかったわけです」

「VIPルームを、なるべく隔離しておきたかった、ということですか」

「おっしゃる通りです」水上は頷いた。

浅間はモニターに視線を戻し、ジョグダイヤルを回し続けた。表示されている時刻は、死体発見時からすでに四時間以上も前になっている。

ここまで遡《さかのぼ》っても意味がないか、と思った時だった。それまで全くの無人だった五階の廊下に、突然人影が現れた。

「おっ……」

浅間は映像を再生させた。一人の男がエレベータを降り、廊下を歩いていく。奥にあるドアの前で立ち止まり、鍵をあけて中に入った。

再び映像を戻し、横顔が見える位置で静止させた。

「これは……」浅間は思わず唸った。知っている顔だった。

「神楽君です」水上がいった。「五階を物置以外の目的で使っているといえば、彼ぐらいでしょう」

「あいつは……彼は五階で何をしているんですか」

水上は肩をすくめた。

「詳しいことは話せません。患者のプライバシーに関わることですから」

「患者？」

「彼は私の患者なんです。定期的に治療を受けに来ています。今日もそうでした」

「先生はたしか、脳神経科……でしたよね」浅間は水上の鷲鼻を見つめた。

「神楽君の場合、脳に何らかの物理的損傷があるわけではない。しかし精神部分において、通常とは違う特徴を呈しています。そうした場合、病状の把握が何よりも大事なんです。彼が五階に行くのは、そのためです。あの部屋は、彼の精神状態を分析するための部屋だといっていい」

「あの部屋には、彼のほかに誰かいるんですか」

「いません。彼一人です。彼が出ていった後、彼が残したものを、私が分析するんです」

「残したもの？　何ですか」

浅間の問いに、水上は怪訝《けげん》そうに眉をひそめた。

「それが今回の事件と何か関係がありますか」

「それはわかりませんが、一応伺っておこうと思いまして」

水上は、ゆっくりと首を振った。厳しい顔つきになっていた。

「私には、彼の症状が事件に関係しているとは、とても思えない。話す必要があると私が判断した場合を除いては、さっきもいいましたように患者のことは口外できません」

医師としては、当然の対応といえた。浅間は頷くしかなかった。彼にしても、神楽の病気が事件に関係しているとは思っていなかった。単に興味があっただけのことだ。

「そういえば、さっき、先生がおっしゃってましたよね。彼の神経は極めて繊細だと。しかも常人には想像もできないほど複雑だとも」

「いいました」

「あれは病気のことを指しておられたわけですか」

するとと水上は一旦目をそらした。答えるべきかどうかを迷っているのかもしれない。

「まあ、そう受け取っていただいて差し支えない。もっとも彼自身は、病気という言葉を使われるのは不本意でしょうが」

「不本意？　でも病気だと自覚しているから治療に来ているわけでしょう？」

「彼にいわせれば研究です。自分自身を使った神秘的な研究……いや、やめておきましょう。これ以上話しても、あなたの好奇心を刺激するだけだ」そういって水上は顔の前で手を振った。

11

目を覚ました時、神楽は自分がどこにいるのか、すぐには理解できなかった。横になっているベッドは、彼が部屋で使っているものとはまるで違っていた。照明が絞られていて、室内は薄暗かった。ぼんやりと浮かんで見える何の装飾もない白い壁も、彼には見覚えのないものだった。

いや、見覚えがないわけではない。同じような壁をどこかで見たことがある。どこだったか――。

すぐそばで物音がした。神楽は首を回した。看護師の制服を着た女性が、彼に背中を向け、何かをしているところだった。

あの、と彼はいった。声がひどくかすれた。

女性が驚いたように振り返った。三十歳ぐらいに見えた。丸顔で、目も大きくて丸い。やや厚めの唇に笑みを浮かべた。彼女の前には加湿器があった。それを調節していたらしい。

「気がついたんですね。今、先生を呼んできます」

「あの、俺は、どうしてここに」

彼女は一瞬、戸惑ったような表情を見せた。だがすぐに元の優しい笑顔に戻ると、「詳しいことは先生からお話があると思います」といって部屋を出ていった。

彼女が出ていったドアを見つめているうちに気がついた。ここは病室なのだ。

なぜ病室に？　一体何があったのか――。

神楽は額に手を当てた。記憶を探ろうとした。

だがそんな必要はなかった。次の瞬間、様々な情報が脳の中から溢《あふ》れ出してきたからだ。

最初に蘇ってきたのは、無惨な光景だった。二つの死体が横たわっている。どちらも銃で撃たれており、その血が床に流れ出していた。そばでは複数台のコンピュータ端末機が、休むことなく何かの演算を繰り返している。

その光景と重なって、水上の声が聞こえた。「蓼科兄妹が殺された……」

神楽はベッドから上半身を起こした。両手で頭を抱えた。

そうだ、あの死体は彼等だった、蓼科兄妹が殺された。夢でも幻でもない。水上から知らされ、急いで最上階まで上がった。廊下を駆け抜け、二人の部屋に飛び込んだ。そして見たのだ。彼等が血まみれになって倒れているのを目の当《ま》たりにしたのだ。

そこから先が空白になっている。気がついたら、このベッドで寝かされていた。

神楽は周囲を見回した。枕元に彼の所持品が置いてある。彼は真っ先に電話に手を伸ばした。素早く発信した先は志賀のところだった。

「神楽か。意識を取り戻したみたいだな」電話に出るなり志賀はいった。その口ぶりから、事情を知っていることが窺《うかが》えた。

「蓼科兄妹は、どうなりました」

志賀が、すっと息を吸う気配があった。

「その質問が安否を尋ねるものだとしたら、絶望的なことをいうしかない。ほぼ即死だったらしい。二人ともね」

　ふっとまた意識が遠のきそうになったが辛うじて耐え、電話を握りしめた。

「誰に殺されたんですか」

「それをこれから突き止める」

「だけど事件のことが公になったら、システムの頭脳部分がここにあるってことが世間に知れてしまいます」

「だから警視庁には極秘で動くよう要請した。こっちでも、やれるだけのことはやる。君も身体が回復したら、すぐに捜査に加わってくれ」

「俺なら、今すぐでも大丈夫です」

「今、何時だと思ってるんだ。今夜はいい。ゆっくり身体と頭を休めておいてくれ」

　神楽は腕時計を取った。午前零時になろうとしていた。

「明日の予定は決まってるんですか」

「九時に、警察庁で会議だ。科警研の鑑識チームからの報告がメインになる」

「九時に警察庁ですね」

「無理するなよ。といっても、じっとはしていられないだろうけどな」

「そういうことです。だけど、一体誰があの兄妹を……」

「それはわからないが、はっきりしていることはある」

「何ですか」

「蓼科早樹の死により、今後五十年間は、ＤＮＡ捜査システムのプログラムが進化することはなくなった」

「……そうですね」

「そして五十年はおろか向こう百年間は、進化する必要などない。なぜなら蓼科早樹が作りあげたプログラムは完璧だからだ。つまり、我々のＤＮＡ捜査システムに、今回の事件は何の影響も与えない。そうだろ？」

「そうだといいんですけどね」

「共同開発者の君が、そんな弱気じゃ困るね」

明朝会おう、といって志賀は電話を切った。

電話を放り出し、神楽は再び横になった。頭が鈍く痛んだ。思考回路のいくつかが途切れているように感じた。

蓼科兄妹が死んだという実感はまだなかった。したがって悲しみもない。もっともその実感を得られる時が来たとしても、訪れるのは悲しみではなく単なる喪失感だけではないかと神楽は予想した。なぜなら神楽にとってあの兄妹は、優れたソフトウェアを生み出す装置に過ぎなかったからだ。蓼科早樹は神楽に心を開こうとしなかったし、兄の耕作にしても、妹と神楽たちの間を取り持つインターフェースに徹していたように思われる。事実、神楽も彼のことを、そのようにしか捉《とら》えていなかった。

志賀は楽観的だが、あの兄妹を失った損失がそれほど小さいものだとは神楽には思えなかった。何かとてつもないトラブルが今後発生し、それを解決するには彼等の力が絶対不可欠という事態が来るのではないか。根拠があるわけではなかったが、神楽は次第に不安になってきた。

そういえば――。

蓼科耕作は、神楽に話があるといっていた。彼のほうからそんなことをいいだすのは珍しい。しかもNF13に関することだといっていた。少々複雑、という表現を使っていたことも神楽は思い出した。

NF13は、最近発生している連続婦女暴行殺人事件の犯人を示すキーワードだ。遺留品は多数存在するのに、DNA捜査システムにかけても該当者や周辺人物が引っかかってこない。単にデータの不足によるものだというのが神楽や志賀たちの見解だった。

蓼科耕作の用件とは何だったのか。もはや知る術《すべ》はないのだろうか。そう考えると、全身が熱くなるほどの焦燥感を覚えた。

その時、ノックの音がした。どうぞ、と神楽は反射的に答えた。

ドアが開き、白衣の人物が現れた。暗くて顔がよく見えないが、体格から水上だとわかった。

「部屋を明るくしてもいいかな」

「お願いします。自分でも、そうしようと思っていたところだったんです」

水上が壁のスイッチを操作すると、天井の照明が明るくなった。壁の白さが眩《まぶ》しい。

「気分はどうかね」水上がベッドに近づいてきた。

「単に肉体的なことだけをいえば、問題はないようです」

「精神的には、気分がいいはずはないか。君ほど、あの兄妹の存在を大きく感じていた人間はいないだろうからね。気を失ったとしても不思議ではない」

神楽は頭を振った。

「無様なところをお見せしてしまいました。死体なんて、いくらでも見慣れているはずなのに」

「失神というのは、恐怖や興奮だけが引き金になるわけではない。人間の脳は、もっと複雑だ」

「いずれにせよ、御迷惑をおかけしました」

「気にすることはない。救急車を呼んだわけではないし、何らかの治療が必要だったわけでもない。倒れた拍子に頭を打ったんではないかということだけが気がかりだったが、幸いそういうこともなさそうだ」

「僕は気絶していただけですか」

「おそらくそのことを心配しているだろうと思ったよ。大丈夫だ。君は気を失っていただけだ。しばらく蓼科兄妹のベッドで寝かせた後、この病室に運んだ。目を覚ます気配がないので、多少気を揉《も》んだがね」

「よかった。僕が意識をなくしている間に、『彼』が勝手に動き回ってたりしたら、後で周囲の人間たちに説明するのが大変だと思っていたところです」

「そのための反転剤だよ。効果が認められてよかった」

たしかに、と神楽は頷いた。

反転剤は水上が発明した薬で、『他人格出現制御剤』というのが正式名称だ。多重人格を持つ人間に投与することで、意図的に別人格を引き出すことができる。それによって医師と別人格とのコミュニケーションがスムーズになるだけでなく、患者本人の予期せぬ時に人格が変わってしまうことも防げるのだ。

自分が二重人格だと知った後も、神楽が特に生活に支障をきたすことなく研究に専念してこられたのは、反転剤のおかげだった。それだけに、最初に診察を受けた医師が水上だったことは、彼にとって幸運といえた。

「それにしても、一体誰があんなことを……」神楽は髪をかきあげた。

「わからんね。あの兄妹を殺して得をする人間がいるとは思えない。だからといって、彼等が誰かから恨まれていたというのも、あり得ない話だ。そもそも、一般社会から切り離されたところで生活していたのだからね」

「強《し》いて考えられるとすれば、蓼科耕作のほうですかね。彼のほうはまだ、ほかの人間との繋がりがあったから」

だが水上は首を捻った。

「蓼科耕作がどういう人間と繋がりを持っていたのかについては、完全に把握しているつもりだ。彼に近づいてくる連中には一つの共通点がある。蓼科早樹を必要としている、ということだ。君にしても同様だろ？」

神楽はため息をついた。

「志賀所長は、ＤＮＡ捜査システムは安泰だという考えのようですが、あの兄妹を失ったことによる損失は計り知れません。大袈裟《おおげさ》でなく、国家的損失だ。十次方程式を頭の中だけで解いてしまえる人間なんて、蓼科早樹以外に知らない」

水上が渋い顔をした。

「彼女の死は、まだ理学部長と学長に伝えられただけらしいが、二人ともがっくりしていたそうだ。何しろ蓼科早樹は、数学界の宝だといわれていたからね。学長は、この病院の院長も兼ねているから、さらに頭が痛いだろうな。今回のことは事故死として発表されるらしいが、おそらく世界中の数学関係者から病院の管理体制について非難されるに違いない。どうして事故を未然に防げなかったのか、とね」

蓼科早樹は神楽たちのプロジェクトに協力していただけでなく、様々な研究を独自で行っていた。その成果は蓼科耕作の手により、世界中に発信されてきた。一般の人々にとっては有名人でも何でもないが、数学界ではスーパースターだったのだ。

「記者会見は開かれるんですか」

「明日の午後、大学で行うらしい」水上は腕時計を見た。「学長が説明するらしいが、蓼科早樹の主治医として、私も出席しなければならない。どういう事故に遭ったことにするか、それまでに警察とも相談して決めておく必要がある。大変な一日になりそうだ。もちろん、君たちもそうだろうが」

「先生のおっしゃる通りですね」

「何がかね」

「あの兄妹が死んで得する人間など、誰一人いないということです」

水上は肩をすくめ、薄い笑みを浮かべた。

「とにかく、今夜はゆっくり休みなさい。眠れないようなら、睡眠薬を持ってこさせるが」

「平気です。ありがとうございます」

おやすみ、といって水上はドアに向かった。だが途中で足を止め、振り返った。

「あの少女は誰だろう？」

「少女？」

「キャンバスに描かれていた少女だよ。白い服を着ていた」

ああ、と神楽は頷いた。『彼』の絵のことだ。

「僕も知りません。誰だろうと考えているところです」

「『彼』の空想の産物か、あるいは思い出の人物かな」水上は首を捻った。

「こっそりとガールフレンドを連れ込んでいた、ということは考えられませんか」

「それはあり得ない。さっき警備員室で防犯カメラの映像を見たが、君……いや、『彼』がアトリエに入った後は、誰も五階のフロアに行っていない」

「それなら、『彼』の頭の中だけに存在する人物ということになりますね」

「今度、『彼』に尋ねてみよう。話してくれるかどうかはわからんがね」そういって水上は部屋を出ていった。

今度というのは来週の意味だ。現在のところ、反転剤の使用は週に一度と決まっている。

12

科警研から派遣された特別鑑識チームの責任者は、穂高《ほだか》という四十歳ぐらいの人物だった。小柄だが、姿勢がいいので堂々として見える。やや顎を上げ気味にして話す顔つきにも自信が漲《みなぎ》っているようだった。

「七階の防犯カメラの映像が消えたのは、ケーブルが途中で切断されていたからだと判明しました。場所は、一階警備員室の横にある制御盤の中です。切断といっても、カッターか何かで切ったわけではなく、特殊な装置を使い、ケーブルを流れる電気信号を遮断するわけです。これがその装置と同じものです」穂高はテーブルの上に、黒く、小さな箱を置いた。

「窃盗犯などが、防犯カメラのある家を狙う際、忍び込む前に取り付けておくのだそうです。タイマーを付けて、望みの時刻に信号を遮断することもできますし、遠隔操作も可能です。ネットなどで出回っています」

「くだらんものが出回ってるもんだな」ぼやいたのは那須だ。

今さら何をいってるんだ、と浅間は嘲《あざけ》りたい気分だった。犯罪者たちが警察よりもはるかにネットを有効活用していることは、何十年も前からわかっていることだ。

警察庁で会議が行われることは、今朝になってから知らされた。出席しているのは、警視庁からは那須をはじめとする管理職三人と、木場、浅間を合わせた五人だけだ。それに対して警察庁からは、刑事局、科警研、特解研の人間が十人以上来ている。結局のところ、今回の捜査では、警察庁に主導権を握られるらしい、と浅間は理解した。

穂高の話は続く。

「警備員室の監視モニターの映像を分析しましたところ、七階のモニターが消えている間、エレベータで七階に上がったのは、富山警備員ただ一人です。モニターが消えたのが十八時十二分。富山警備員の乗ったエレベータが七階に到着したのは、十八時十七分です。つまり犯行は約五分間でなされたことになります」

「五分で可能かな」志賀が腕組みした。

「楽勝でしょう」浅間はいった。「被害者たちは、明らかに不意をつかれている。犯人は、VIPルームのドアが開くなり二人を射殺し、即座に逃走した——そう考えるのがふつうです。おそらく犯人は、銃の扱いにかなり慣れた人間でしょう。少なくとも、人を殺し慣れている」

「我々の分析では」穂高が書類に目を落としながらいった。「二つの遺体に残った弾痕《だんこん》の角度や形状から、犯人はVIPルームの入り口から、立っている蓼科耕作の頭部を撃ち、続いて、椅子に座っていた蓼科早樹に二、三歩近づいた後、胸を撃ったと推測されます。浅間警部補の説を裏づけているといえます」

「犯人はどうやって逃走したのかな」那須がいった。

「犯人は侵入にも逃走にも、まず間違いなく非常階段を使ったと思われます」穂高が即座に答えた。「エレベータを使っていないことは、防犯カメラが証明してくれています。また、非常階段に出るためのドアには、通常内側から鍵がかかっているのですが、事件直後はかかっていませんでした。ちなみに、ドアノブ等から指紋は検出されていません」

「通常は内側から鍵がかかっているのなら、侵入はできないんじゃないか」那須が眉根《まゆね》を寄せる。

「あらかじめ、鍵を外しておけばいいんですよ。あるいは、犯人は合い鍵を持っていたのかもしれない」

浅間の言葉に、那須は考え込む顔になった。

「だとしたら、犯人は病院関係者ということになるぞ」

「あるいは、そういう人間が手引きしたか、ですね」

浅間がいった時、ドアが開き、一人の男が入ってきた。彼は穂高のそばへ行くと、書類を渡しながら何やら耳打ちした。その途端、穂高の顔が険しくなった。

「重要な報告事項があります」穂高が立ち上がっていった。「銃に関することです。被害者の体内に残っていた弾丸から、拳銃が特定できました。三十二口径の米国製銃ですが、弾丸に残った特徴から、現在警視庁で捜査中の連続婦女暴行殺人事件——特解研ではＮＦ13と呼ばれる事件で使用されたものと同一と考えられるそうです」

13

警察庁での会議を終えた後、神楽は志賀より一足先に有明の研究所に戻っていた。志賀が帰ってきたのは、それから一時間ほど後だった。二人は会議机を挟んで向き合った。

志賀がガラスケースを机に置いた。そこには一本の毛髪が入っている。神楽はケースを手に取り、中を凝視した。

「これは……」

「鑑識チームから提出されてきた。蓼科早樹の着衣に付着していたらしい。胸のあたりだそうだ。彼女自身の髪の毛でないことは、外観からでも明白だ。蓼科耕作のものでもない」

「犯人のものだと？」

「今のところ、その可能性が一番高い。蓼科早樹が着ていた服は、事件発生より二時間ほど前、クリーニング店から戻ってきたのを警備員が部屋まで届けたものだ。その後、彼等の部屋には誰も訪ねていない。犯人が蓼科早樹を撃った後、事切れているかどうかを確認するために近づいた際、髪の毛が落ちたのではないか、というのが鑑識チームの見解だ」

「それ以前から床に落ちていた髪が付着したということは？」

神楽の疑問に志賀はかぶりを振った。

「あり得ない。蓼科早樹は胸を上にして倒れていた。ほぼ即死だから、寝返りを打ったとは思えない。それに君は知らないだろうが、あの部屋は蓼科耕作が毎朝掃除をしている。彼等以外の髪の毛が落ちている可能性は殆どない。実際、鑑識チームも、部屋から採取した髪の毛はすべて兄妹のものだったと断言している。そいつを除いてね」

神楽はガラスケースを机に置いた。

「こいつのDNAを解析しろってことですね」

志賀は頷き、椅子にもたれた。ふっと息を吐いた。

「これでたぶん事件の片は付くんじゃないか。動機にしろ犯行手段にしろ、犯人の口から聞き出すのが一番手っ取り早い」

もう犯人を逮捕できたも同然、といった口ぶりだ。

「今朝の話、どう思いますか」神楽は訊いた。

「どの話だ？」

「科警研の穂高さんの話です。使用された拳銃はNF13のものと一致しているということでした」

「あれには驚いたな」

「今回の犯人はNF13と同一人物だということでしょうか」

「ふつうに考えれば、そういうことになるな」

神楽は首を捻った。

「NF13は連続婦女暴行殺人事件の容疑者です。その人物がなぜ、厳重な警戒をかいくぐってまで蓼科兄妹を殺すんですか。しかも蓼科早樹は暴行を受けていない」

志賀は、そんなことは大した問題ではない、といわんばかりに首の後ろを揉んだ。

「だからそれは犯人に自供させればいいといってるじゃないか。とにかくそいつの解析を急いでくれ。NF13と一致すれば、議論の余地はなくなる」

釈然としなかったが、神楽は頷いた。志賀のいっていることは尤《もっと》もでもある。

「それからもう一つ」志賀は人差し指を立てた。「これは今朝の会議では出てこなかった話だが、鑑識チームによれば、蓼科早樹の使っていたコンピュータ端末機を調べたところ、彼女が新しいプログラムを作っていた形跡があるそうだ」

「新しいプログラム？　何に関するものですか」

「それがわからない。形跡はあるが、プログラムそのものは残っていないんだ。プログラムの名称は『モーグル』」

「モーグル？　スキーの？」

「蓼科早樹がスキーの研究をしていたとは思えない。何か心当たりはないか」

神楽は首を振った。

「聞いたことがないですね。DNA捜査システムとは関係のない、彼女が個人的に研究していたものじゃないんですか」

「私もそう思うが、一応心に留めておいてくれ」

「わかりました」

「髪の毛の解析には、どれぐらい時間がかかるかな」

神楽は腕時計を見た。午後一時を少し過ぎたところだった。

「これから分析班に回しますから、塩基配列が出てくるのは夕方になるでしょう。その後、システムに入力しますから、急げば夜の十時頃には結果が出るかもしれません」

「なるほど。するとシステムが答えを出す十時頃までは、君は身体が空いているということだな」

「それはまあそうですが、何か？」

　すると志賀は、それまでよりは幾分柔らかい表情になった。

「たまには一緒に食事でもどうかなと思ってね。特に予定はないんだろ？」

「別にありませんけど……二人でですか」

　神楽の問いに志賀は肩を揺すって苦笑した。

「男二人で食事をしたって、楽しいことなんか何もないだろう。じつは君に紹介したい人物がいるんだ。もちろん女性だ。しかも若くて、なかなかの、いやかなりの美人だと保証しておこうか」

「女性ですか」神楽は思わず顔をしかめていた。

　志賀が、不思議そうな顔で、しげしげと見つめてきた。

「わからんねえ。科警研時代から、女性職員の間では君の人気がピカイチだった。ところが肝心の君のほうには、まるっきり女っ気がないときている。まさか、女性に興味がないわけではないんだろ」

「恋愛に関してはノーマルです。所長にお話ししたことはありませんが、女性と付き合ったこともあります。ただ、初めて会う女性とは、どう接していいかわからないから気が重いんです。しかも一緒に食事をするとなると……」神楽は吐息をついた。「料理の味がわからなくなりそうだ」

「要するに、アガるということだろ。心配するな。私がついている。それに、いずれ君はその女性と密接に付き合うことになる。仕事の上でね」

「仕事？　どういう女性なんですか」

「先日までアメリカでDNAプロファイリングの研究をしていた。アメリカ育ちだが、れっきとした日本人だ。もちろん日本語も堪能《たんのう》だ。彼女は我々のDNA捜査システムの技術を習得するため、しばらくうちの研究所で勤務することになった」

「初耳ですね」

「蓼科兄妹があんなことになったものだから、話しそびれていた。まあ、急に決まったことでもあるしな。NF13のこともあるし、君も助手が必要だろう」

「僕は一人でも――」

神楽がいいかけるのを、志賀は手を出して制した。

「所長命令だ。逆らうな」

「……わかりました」神楽は小声で答えた。

「彼女とは七時に青山で会うことになっている。近くに来たら連絡をくれ」そういって志賀は立ち上がり、そのまま部屋を出ていった。

神楽は肩をすくめ、口元を歪めた。改めてガラスケースを手にした。

最後に蓼科耕作に会った時、彼は神楽にNF13について話があるのだといっていた。複雑な内容だ、という意味のことも付け加えた。

蓼科兄妹はNF13について何か知っていたということだろうか。それが理由で殺されたと考えれば一応の筋は通るが、では一体何を知っていたのか。NF13を見つけられないのは単なるデータ不足のせいだと考えられているが、じつはそうではないのか。

頭を一度振り、神楽は腰を上げた。すべてはこの手がかりをDNA解析してからだ、と切り替えることにした。

14

モニターから視線を外し、浅間は両手を使って目をマッサージした。早送り再生画面とはいえ、二十四時間分を続けて見ていれば、目が疲れるのも当然だ。

灰皿代わりの空き缶を引き寄せ、煙草の箱に手を伸ばした。新品だったはずだが、すでに半分以上がなくなっている。

「かなりのヘビースモーカーなんですね」隣で富山が呆れたようにいった。

「あ、申し訳ない」

浅間が煙草を箱に戻そうとすると、富山はあわてたように手を振った。

「気にしないでください。皮肉でいったわけじゃありません。ただ、身体に悪いんじゃないかと思っただけです」

「そんなことは三十年も前からわかってるんですが、どうしてもやめられなくてね」

「私の友人にもいます。どこへ行く時でも、まずは先方に喫煙所があるかどうかを確かめる奴が。どうぞ、遠慮しないでください。吸えないストレスから浅間さんの能率が悪くなるのでは本末転倒です」

「すみません。じゃあ、失礼して」結局、浅間は新しい煙草をくわえた。この警備員室は本来禁煙なのだが、富山が特別に認めてくれたのだ。

煙を吐いた後、浅間は改めてモニターに目を向けた。

「どう見ても、誰も近づいてないんだよなあ」

「七階ですか」富山も横から覗き込んでくる。

「非常口のほうです。七階に上がった人間は何人かいるけど、非常口には誰も近づいてない。

唯一近づいたのは、若い警備員さんだけだ。事件前夜の十時頃」

「巡回の時ですね」

「そう。本人にも確かめましたが、この時点で非常口の鍵は間違いなくかかっていたらしい。彼が犯人でなければ、の話ですが」

　富山は低い声で笑った。

「あの男は信用できると思いますよ」

「疑っちゃいません。事件発生時、彼は自宅で寝ていた。今週は夜勤だそうで」

「二週間交替です」

「大変ですね。というわけで、事件前日の午後十時の時点で非常口は施錠されていた。その後、事件が起きるまで誰も近づいていない。犯人が非常口を使ったのだとしたら、一体どうやって鍵をあけたのか」浅間は頭を掻きむしった。「何度も訊くようですが、七階の非常口の鍵は、本当に三つしかないんですね」

「ありません。病院本館の事務局に一つ、ここに一つ、そして建物のメンテナンスをする会社に一つです。少なくとも私は、そう聞いています」

　浅間は煙草をくわえて頷いた。その事実は、すでに病院を造った建築会社の担当者からも聞いている。だが何事にも裏と表があるので、何らかの裏技を知っているのではないかと思い、富山に尋ねてみたのだ。

三つの鍵の所在についても、すでに確認済みだった。富山のいう所定の場所に、間違いなく保管されていた。無論、持ち出された形跡もない。また鍵は内部にＩＣが埋め込まれた特殊なもので、複製することはまず不可能だった。

そうなれば、非常口の鍵をあける方法は一つしかない。内部から誰かがあけるのだ。ところが非常口には誰も近づいていない。これはどういうことか。

モニターには事件が起きる直前の七階フロアが映っている。デジタル数字は十八時十一分を示している。その数字が十八時十二分に変わって間もなく、画面が真っ暗になった。

「何度も申し上げていますが、この後、二、三分して私は七階に向かいました」富山がいった。

「わかってます。そのことはエレベータを監視しているカメラが証明しています。あなたが七階に到着したのが十八時十七分でした」浅間は煙草の灰を空き缶の中に落とした。

十八時十二分から十七分までの五分間が、犯人が自由に使える時間だ。その間に犯人は非常口から侵入し、蓼科兄妹を射殺した後、再び非常口を使って逃走した、と考えられる。

では共犯者が非常口の鍵をあけたのも、その時だという可能性はないか。しかしモニターが消えてからエレベータで七階に上がったのは富山だけだということは確認済みだ。つまりその時点ですでに共犯者は七階にいなければならないことになる。

椅子にもたれていた浅間は身体を起こした。煙草の火を空き缶の中で揉み消した。

一つだけ可能性がある――。

蓼科兄妹のどちらか、あるいは両方が共犯だったということだ。

いや、共犯という表現は適切ではない。自分たちが殺されるとは知らず、誰かを招き入れるためにあけた、と考えるのが妥当だろう。なぜエレベータを使わせなかったのか。兄妹の部屋に、その人物が入るのを人に知られたくなかったからか。だが防犯カメラがある。たとえ非常口を使おうが、兄妹の部屋に入るところは警備員室から見られてしまう。

防犯カメラを不能にすることも、その人物――蓼科兄妹のどちらかは、承知していたということか。しかしそんなことをすれば警備員が駆けつけてくることは予想できたはずだ。それまでに侵入者を脱出させるつもりだったのか。そんなことをしてまで、一体誰を招き入れる必要があったのか。しかも、そんなわずかな時間だけ。

「どうかされましたか」富山が心配そうに尋ねてきた。浅間が突然黙り込んでしまったからだろう。

「いや、大したことじゃありません」浅間は愛想笑いを返し、煙草の箱に手を伸ばしかけた。だがさすがに後ろめたくなり、その手を途中で引っ込めた。

ほんの一瞬光明が見出せたような気がしたが、それもまた線香花火のように消えつつあった。とにかく今回の事件は扱いにくいと思った。被害者について不明なことが多すぎる。

「どうも、仕事の邪魔をしてすみませんでした」浅間は立ち上がった。

「あまりお役には立てなかったみたいですね」富山が残念そうにいった。

いやいや、と浅間は手を振った。

「ここのモニターがあったから、犯人の行動を特定できたんです。問題は、モニターに映っていない部分でしてね。それを俺たちが暴かなきゃいけないのに、打つ手が全くないときてる。情けない話です」

「そんな弱音を吐かず、どうか一刻も早く犯人を逮捕してください。私は、付き合いはそう深くはなかったんですが、あの兄妹のことが大好きでした。あの二人は、本当に純真だったんです。今時こんな若者がいたのかと思うほどにね」

「何か印象に残っていることでも？」

「いろいろありますが、最近では、こんなことがありました。知り合いからチョコレートを貰《もら》ったんですが、私は甘いものを食べないので、兄妹に持っていってやったんです。もっとも、妹さんのほうは奥の部屋に引っ込んでしまいましたけどね。だけど後日お兄さんから礼をいわれたんです。妹がとても喜んでたって。チョコレートが好きなんですかと訊いたら、そうじゃなくて袋が気に入ったという話でした」

「袋？」

「なかなか洒落《しゃれ》た袋に入ってたんです。たしか青色の縞《しま》模様で、小さなリボンみたいなのが付いてました。お兄さんの話では、妹さんは本当はそういうかわいいものが好きなんだけど、身に着けたり持っていたりすると人から馬鹿にされるから、自分で買ったことがなかったんだそうです」

「どうして馬鹿にされるんだろう」

「だってそれは」富山は一旦いい淀んだ後で続けた。「あの顔の痣を気にしていたんですよ。自分のような者がかわいいものを欲しがったりするのは、他人の目には滑稽《こっけい》に映ると思い込んでいたみたいです。たぶん子供の頃、実際にそういう目に遭ったんじゃないでしょうか。そう思うと、かわいそうな話です」

浅間は蓼科早樹について水上から聞いた話を思い出していた。顔の痣のせいで内向的になり、それが結局特異な才能を育《はぐく》むことになったのだろう、ということだった。

「ですから、ほかの者にとってはただの粗末な袋でも、妹さんにとっては大事なものだったんでしょう。実際、その後で部屋に行った時、その袋が奇麗に畳んで置いてあったのを見ました。あれには少し感激しました」

浅間は頷いた。被害者のことを知らなければ、幼い少女のエピソードのようだった。無論、そういう些細《ささい》なことに気づく富山の感受性にも敬意を払うべきではある。

「弱音なんかは吐いたりしませんよ。必ず犯人をあげてみせます」浅間は断言した。「またいろいろと教えてもらうことがあると思います。その時はよろしく」

「はい。いつでもどうぞ」富山は直立不動の姿勢をとっていた。

警備員室を出ながら、被害者のことをもっと知る必要がある、と浅間は考えていた。

15

神楽が青山に到着したのは、午後七時ちょうどだった。青山通り沿いの歩道から志賀に電話をかけた。志賀が指定したのは、その場所から徒歩で数分のところにある日本料理店だった。

小さな坂道の下に、数寄屋《すきや》造りを意識したような店があった。中に入るとすぐに個室に案内された。志賀が若い女性と向き合って待ち受けていた。

「お待たせしてすみません」神楽は頭を下げた。

「紹介しよう。こちらが、昼間に話したシラトリさんだ」

シラトリです、といって女性は神楽のほうを向いて正座し直し、名刺を出してきた。白鳥里沙という文字が並んでいた。

　神楽も自分の名刺を差し出した。それから改めて彼女を見た。見事な黒髪を肩まで伸ばした、和風の顔立ちをした女性だった。一重瞼だが、目尻がきりりと上がっていて、その目で見つめ返してくる光には強さがあった。

　神楽は志賀の隣に座った。畳敷きだが、足元はほりごたつ式になっていた。

「例の髪の毛はどうなった？」志賀が訊いてきた。

「予定通り、塩基配列の確認が済みました。現在、プロファイリングとデータベースとの照合を並行してやっているところです。早ければ、後二時間ほどで結果が出るでしょう。完了すれば、自動的に僕の電話に結果の概略が表示されるようセットしておきました」

　志賀は満足そうに頷いた後、その顔を白鳥里沙《りさ》に向けた。

「神楽はＤＮＡ捜査システムの開発段階から携わっている男です。システムの全容を誰よりも理解している第一人者といってもいい。わからないことがあれば、どんなことでも彼に訊いてください」

　白鳥里沙は微笑み、好奇の目で神楽を見た。

「ＣＩＡやＦＢＩだけでなく、アメリカのあらゆる組織が日本のＤＮＡ捜査システムに興味を持っています。特に検索システムに対して、極めて強く関心が持たれています。是非そのあたりのノウハウを習得したいというのが、私の望みです。どうかよろしくお願いいたします」

「それはもちろん、僕にできることなら何でも……。ただ、知的所有権の問題があるので、上からの指示を仰ぐ必要がありますが」

するど志賀はゆっくりと首を振った。

「特許についてなら、すでに話はついている。今後、日本とアメリカは協力して、システムの構築を行っていく。将来的には、双方のデータベースを共有できる仕組みを作るつもりだ。もっと先の話をすれば、世界中の人間のDNA情報を管理し、どこで事件が起きようが、即座に照合できるようにしていきたい。以前から、君とも話し合っていたことだ。その夢に一歩近づいたということだよ」

「素晴らしいことです」白鳥里沙も言葉に力を込めた。「それが実現すれば、犯罪のない世の中が完成するかもしれません。もちろん、かなり遠い未来の話だと思いますけど。全世界の人間のDNA情報なんて、取得するだけでも何年かかるかわかりませんものね」

「その点が、我々としても依然として頭の痛い問題でね。この神楽君なんかもがんばってくれているんですが、何しろ一般の人々の理解を得るのが難しい。恐怖の管理社会になるとでも思っているようだ」

「アメリカでDNAプロファイリングがスタートした時も多くの反発がありました。特に容疑者の人種を特定するという点が、多くの国民にとっては抵抗があったようです。でも今では理解が得られたと考えています。大事なことは実績を積み重ねていくことです」

白鳥里沙が自信に満ちた言葉を発した時、部屋の襖《ふすま》が開き、仲居が現れた。手際よくテーブルに並べられた料理を見て、白鳥里沙は感嘆の声をあげた。

ビールも運ばれてきた。志賀が白鳥里沙のグラスに注《つ》いだ後、神楽のほうにも瓶《びん》を向けてきた。神楽はグラスを手で塞《ふさ》いだ。

「申し訳ありませんが、この後まだ仕事があるので」

「それはわかっているが、せっかくだから乾杯だけでも付き合え」

「乾杯ですか」神楽は視線を落としていた。

「そうだ。何か文句があるのか」

「そうじゃないんですけど、あんな事件が起きた直後だけに、乾杯ってのはどうかと思っただけです」

志賀はビール瓶を持ったまま、渋い顔を作った。

「白鳥さんを歓迎する乾杯だ。固いことをいうなよ」

「志賀所長、神楽さんのいうことも尤もだと思います。私に気を遣ってくださるのは嬉しいんですけど、今日はやめておきましょう。事件が解決した後、ゆっくりと乾杯しませんか。私も今夜はアルコールは控えておきます」

神楽は驚いて瞬きした。「いえ、あなたまでそんなことをする必要はありません。どうぞ、召し上がってください」

「そういうわけにはいきません。今夜から私は、あなたのサポート役を始めるつもりです。あなたが飲まない以上、私も飲むわけにはいきません」唇に笑みをたたえているが、その目つきは鋭い。

志賀はビール瓶を持ったまま、眉間に皺を寄せた。

「参ったな、アルコール抜きの歓迎会か」

「どうぞ、志賀所長はお飲みになってください」白鳥里沙は手元のビール瓶を取り、志賀のほうに向けた。「歓迎会を兼ねた作戦会議ということでいいじゃないですか。ねえ、神楽さん」

「それではまあ、私はいただこうか」志賀はグラスを手にした。

乾杯抜きの会食がようやく始まった。白鳥里沙は料理を口に運ぶたびに、顔の表情を大きく変え、やや大袈裟ともいえる感激の言葉を発した。

神楽は会話に加わりながらも、時折腕時計を確認した。システムの結果が転送されてくる時刻が迫っている。

「やはり、お仕事のことが気になるみたいですね」白鳥里沙がいった。

「いや、そういうわけではないんですが」

「気になって当然だと思います。何しろ、ふつうの事件じゃありませんものね」彼女は真顔になっていた。「蓼科早樹さんのことはアメリカでも有名です。あの方が亡くなったというのは、日本だけでなく、世界の損失だと思います」

「大まかな事情は、すでに話してあるんだ」志賀が神楽にいった。「事件が関係者だけの秘密事項だということも説明してある」

「私もショックを受けました。これからDNA捜査システムを勉強しようという時に、その生みの親ともいうべき人物が殺害されるなんて、何といっていいかわかりません」白鳥里沙は悲しげな目をして首を振った。「必然的にそれが、私が神楽さんのお手伝いをさせていただく最初の事件になるんですから、皮肉なものだと思います」

神楽は驚いて志賀を見た。

「今回の事件までは、自分一人でやれます」

志賀が顔の前で箸《はし》を振った。

「せっかく彼女が来てくれたんだから、手伝ってもらえばいい。何か問題があるか？」

「いえ、そういうわけじゃないんですけど……」

「さっきも申し上げたはずです。今夜から私は神楽さんの助手になるつもりなんです。どうかよろしくお願いいたします」白鳥里沙が改めて深々と頭を下げてきた。

仕方なく神楽も、よろしく、と短く答えた。

志賀が白鳥里沙に、蓼科兄妹について説明し始めた。蓼科早樹の能力を見つけたのは、さも自分だといわんばかりの口調だったが、神楽は口を挟まないでおいた。

料理が後半に入りかけた頃、神楽の電話が着信を伝えた。彼は上着の内ポケットから電話を取り出した。当然、志賀や白鳥里沙の会話は止まり、視線が彼の手元に向けられた。

「システムが何か伝えてきたか？」志賀が訊いた。

「プロファイリングが終了したようです。性別は男性。血液型はAB型でRhプラス。身長は百七十五センチプラスマイナス五センチ——」液晶画面に表示された内容をそこまで読んだところで神楽は一旦顔を上げた。「違いますね」

志賀が黙ったままで眉根を寄せた。

「違うって、何がですか」白鳥里沙が訊く。

「NF13じゃないってことです。これまでに出ているプロファイリング結果では、血液型は

Aで、推定身長はもっと低かった」神楽は再び液晶画面に目を落とした。「体型や髪の色も違う……」

「蓼科兄妹を殺したのは、NF13ではないということか。しかし、ではなぜ銃は一致しているんだろう。別人が同じ銃を使ったのか」志賀は腕組みした。

「共犯ということは考えられませんか」白鳥里沙がいった。

「大いに考えられますね」神楽は頷いた。「NF13の犯行と今回の事件とは、趣がまるで違っています。何らかの関係がある二人の人物が、別々の目的のために同じ銃を使って殺人を犯したと考えるのが、最も妥当です」

「検索システムからの回答は？」

「それはまだ出ていないみたいです」

「やれやれ、明日の会議では議論が紛糾しそうだな」志賀はげんなりした表情で、箸を動かし始めた。

神楽は液晶画面をスクロールした。NF13の内容をすべて覚えているわけではなかったが、血液型や体格、髪の色といった項目以外でも、全く違うと断言できるものがいくつもあった。もはや完全に別人と断定してよさそうだ。

最後に、DNAから予想される容貌が画面に表示された。それを見て、神楽は自分の目を

たらしい。

疑った。思わず息を呑んだ。

「どうかされました?」白鳥里沙が尋ねてきた。食事を続けながらも、彼の様子を窺ってい

「いや、何でも……」神楽は電話をポケットに戻した。

「ほかに何か気になることでもあるのか」志賀も箸を止めていた。

「そういうわけじゃありません。この電話に転送されてきたのは、プロファイリング結果の一部に過ぎませんから、詳しいことはやはり研究所に戻らないと……」

「明日の会議までに、うまくまとめておいてくれ。警視庁の、頭の固い連中でもわかるようになな」

「わかりました」

「警視庁の人たちは頭が固いんですか」白鳥里沙が志賀に訊く。

志賀は、ふっと鼻から息を吐いた。

「キャリア組はそうではないんだが、現場から上がってきた連中の中には、未《いま》だに靴の底をすり減らすことこそが捜査だと信じている者が少なくない。まあ、徐々に教育していきますよ」

「あのう、所長……」神楽は会話に割って入った。「申し訳ないんですが、僕はお先に失礼

させてもらっていいでしょうか。そろそろ検索システムの結果が出ている頃だと思いますし、できればすぐに作業にとりかかりたいので」

「なんだ。もう少しいいだろう。メイン料理はこれから出てくるんだぞ」

「じつをいうと夕方に少し食べてしまったんです。そのせいで、すでにかなり満腹状態なんです。せっかくの御馳走《ごちそう》を前にして、勿体ない話ではあるんですけど」

「ふうん……」

志賀は釈然としない顔つきだ。白鳥里沙も怪訝そうに神楽を見ている。

「お二人は、ゆっくりとお食事を続けてください。どうも申し訳ありません。ではこれで」

二人から何か質問が出される前に、神楽は頭を下げて立ち上がった。襖を開けて部屋を出ると仲居とすれ違った。

「お客様、お手洗いでしたら、こちらでございます」

仲居が声をかけてくるのを無視し、玄関に向かった。

店を出てタクシーに乗り、「有明へ」といった後、神楽は電話を取り出した。先程の画像を再び表示させた。一人の男の顔が現れた。

どうしてこんなことに——。

そこに描きだされた顔は神楽自身に酷似していた。

16

研究室に駆け込むと、神楽は立ったままでシステムの端末を操作し始めた。まずDNAによるプロファイリング結果を画面に表示させた。そこに並んだ身体的特徴は、彼自身のものと一致していた。さらにモンタージュ画像を表示させる。

髪型こそ違っているが、正面を向いている男の顔は神楽にほかならなかった。画像は3Dで描かれているので、角度を変えることも可能だ。彼は様々な角度から、モンタージュ画像を眺めた。どう見ても彼の顔だった。

彼は引き続き、DNA検索システムを立ち上げた。すでに結果は出ているはずだ。キーを操作する指が震えた。

間もなく画面に結果が表示された。次のようなものだった。

RYUHEI　KAGURA　適合率99・99%——。

目眩《めまい》がした。神楽は椅子に腰を下ろした。軽い頭痛を覚え始めていた。

現場から採取された毛髪が神楽のものであることは、もはや疑いようがなかった。なぜそんなことになったのか、それを懸命に考えた。

神楽は記憶を辿った。事件が起きる前、彼は蓼科兄妹の部屋を訪ねている。あの時に髪の毛が落ちたのか。それが何らかの理由で蓼科早樹の服に付着したのか。

いや、と彼は首を振った。

神楽が部屋にいたのは、ほんの一、二分だ。しかもドアを開け、足を踏み入れた程度だった。仮に髪が落ちたとしても、蓼科早樹の服に付くはずがない。しかも志賀の話によれば、早樹が着ていた服は事件発生の二時間ほど前に届けられたものなのだ。

では鑑識チームの手違いで、採取物の中に神楽の毛髪が紛れ込んだのか。だが精鋭部隊である彼等が、そんな初歩的なミスをするとは思えない。

わけがわからず、彼が頭を抱えた時、手元のランプが点灯した。誰かが研究室のドアを開けたのだ。だが自由に出入りできるのは、神楽以外には志賀しかいない。志賀が戻ってきたということか。

息を潜めていると、声が聞こえた。

「神楽さん、いらっしゃいますか」

その声は白鳥里沙だった。神楽は狼狽《ろうばい》した。プロファイリングや照合の結果を見られるわけにはいかない。

この部屋のドアがノックされた。彼はあわてて操作パネルのキーをいくつか押した。

「神楽さん」ドアのすぐ向こうから声がした。「こちらですか」

「はい、どなた？」神楽は大声を出した。

「その声は神楽さんですね。先程お目に掛かった白鳥です」

「ちょっと待って。今、手が離せないから」

操作パネルのすぐ上にある小さな扉が開き、十センチ角の薄い板が排出されてきた。DNAの配列をデジタルデータにして記憶させたものだ。神楽たちはこの板のことをDプレートと呼んでいる。

そのDプレートを服のポケットに入れた後、神楽は入り口に駆け寄り、ドアを少しだけ開いた。白鳥里沙が、にっこりと笑った。

「よかった。この建物の中は複雑すぎて、少し迷いました。志賀所長から詳しく聞いてきたんですけど」

「どうして君がここに？」

神楽の問いに、彼女は笑みを浮かべながらも意外そうに瞬きした。

「だって、作業をされるんでしょう？　だったら、お手伝いしないと。御馳走を食べるために、わざわざアメリカから来たわけじゃありませんから」

「志賀所長は？」

「了承してくださいました。入館時のパスワードも志賀所長から教わったんです」

彼女は今にも部屋に押し入りそうな勢いだった。神楽は手を出して制した。

「手伝ってくれるのはありがたいけど、今夜は結構。一人でやれるから。君は着いたばかりで疲れているだろうし、明日から仕事をしてくれればいい」

「そういうわけにはいきません。だって、蓼科兄妹を殺害した犯人に関する解析なんでしょう？　そんな重要な事例となれば、ぜひ最初から関わらせていただかないと」白鳥里沙は目を輝かせていった。

面倒臭い女だ、といいたくなるのを神楽は堪《こら》えた。

「悪いけど、今夜のところは我慢してほしい。一人でやりたいんだ」

「では、見学だけでも」

「申し訳ないけど、それも断る。作業に集中できない」

さすがに白鳥里沙の顔から笑みが消えた。一重瞼の鋭い目で神楽を見つめてきた。

「私が特殊解析研究所の技術を習得することについては、日米の政府間で話がついています。本来、あなたに拒否する権利はありません。それでも、このように丁寧にお願いしているのは、素晴らしい技術を確立したことに対して敬意を払っているからです。どうしても見学さえだめだというなら、今すぐに志賀所長に連絡します」

神楽は頭を振った。志賀に連絡されたらおしまいだ。

「わかったよ。本当のことを話そう」

神楽はドアを大きく開き、彼女を招き入れた。

巨大な電子機器が並んだ部屋を見回し、彼女は大袈裟に肩をすくめてみせた。

「ここが、あなた方の知恵の結晶というわけですね。何だか不思議な感覚です。無機的なマシンに囲まれているだけなのに、神秘的な気持ちになれそう」

「それは買い被《かぶ》りというものだ。君がいったように、ここにあるのは単なるマシンだ。したがって、壊れることもある」

「壊れる?」白鳥里沙は形のいい眉の間に皺を刻んだ。険しい表情をしても、その美貌《びぼう》が損なわれることはなかった。

「じつはシステムが不調なんだ。それで、今日は手伝ってもらえないというわけだ」

「どう不調なんですか」

「現象だけをいうならば、検索システムが機能しない。エラーが出る」

「やってみてください」

「もう何度もトライした」

「この目で見たいんです」白鳥里沙はメイン・キーボードの前に立ち、神楽のほうを振り返った。「早く」

神楽は吐息をつき、彼女の横に立った。それから傍らの引き出しを開け、一枚のDプレートを取り出した。

白鳥里沙は目を見張った。

「それが噂のDプレートですね？　DNA情報をコンピュータが処理しやすい形にパッケージしたもの。そして、あなた方の偉大な功績のひとつ」

「我々の功績じゃない。蓼科早樹の功績だ」

「その蓼科早樹を殺害した犯人のDNA情報が、そのプレートに？」

「そういうこと」

もちろん嘘だった。神楽が手にしているのは、複数の人間のDNA情報を混在させてしまった失敗作だ。サンプルを採取する段階で、採取者の皮脂が混入したというじつに初歩的なミスが原因だった。

神楽はその偽のプレートを機械にセットし、いつもの手順通りにキーボードを操作した。隣で白鳥里沙が頷きながら見つめている。この装置の使用方法について、すでにかなりの予備知識を有している顔つきだった。

「通常、ここから検索結果が出るまでには二時間程度を要する」

「私は構いません。たとえ十時間かかったとしても」

「それは頼もしいな。だけど、今はそんな覚悟は必要ない」

「というと？」

「見ていればわかる」神楽は白鳥里沙にパイプ椅子を勧めた。「まあ、座ったらどうだ。十時間待つ必要はないが、十分ぐらいは待たされる」

「十分？」彼女は首を傾げながら座った。

神楽も椅子に腰掛けた。余裕のあるところを見せているつもりだが、心の動揺は収まっていない。

白鳥里沙はバッグから手帳を取り出した。真剣な眼差しを装置全体に向け、何やらメモを取り始めた。

「熱心だね」

「そうですか。与えられた仕事をしているだけですけど」横顔を神楽に向けたままで彼女は答えた。

彫りは深いほうではないが、高い鼻梁《びりょう》は日本人離れしている。化粧は薄いのに、肌は陶器のように白く、艶《つや》がある。欧米人の中にいても美人で通ったのではないか、と想像させる美貌だ。

「どうしてこんな仕事を選んだんだ？」神楽は思わず訊いた。

「私のような人間が、こういう仕事をしちゃいけないですか」

「逆だよ。君ならどんな仕事でも選べただろうと思うからね。もっと華やかな仕事が世の中にはたくさんある。そちらのほうが君にふさわしいように思える」

　白鳥里沙は筆記の手を止め、神楽に目を向けた。冷めた目だった。

「外見についておっしゃってるのなら、問題のある発言です」

「外見によって、選べる職業が制限される人間が存在するのは事実だろ？　たとえば蓼科早樹は、顔の痣がなければ数学者にはなっていなかったかもしれない。その点君には、この職業を選ばねばならない事情が見当たらないように思ったから尋ねてみたまでだ。答えるのが面倒なら答えなくていい」

「別に面倒ということはありません。理由は単純です。支配されるぐらいなら、支配する側に回ったほうがストレスにならないと思ったからです」

「支配？」

「管理、といったほうがわかりやすいですか。アメリカで初めてDNAプロファイリングが実用化された時、子供心に思ったんです。これからきっと何もかもが管理されるようになるって。偽造カード、偽名、偽造パスポート、どんなものを偽造しても意味がなくなる。生きているかぎり、遺伝子は偽造できない。それを国家が管理するということは、人生を支配されるのと同じことです。自由なんて言葉にも意味がなくなる」

「そこまでいうなら、反対勢力に回ったほうがいいんじゃないか」

白鳥里沙は、ふっと唇を緩めた。

「反対勢力が国家の方針を変えた例って、過去にどれだけあります？　国家が国民のＤＮＡを管理するというのは、もはや世界の流れです。誰にも止められない。私は、そういう無駄なことで人生を棒に振りたくはありません」

「だから支配する側に回ろうってことか」

「こちら側に回ったところで管理されることには変わりがない。それはわかっています。ただ、システムを理解し、裏側を知っておきたいということです。それなら何が起きても、多少は自分にも責任があると納得できますから」

「よくわかったよ」

神楽が頷いた時、モニター画面に変化が現れた。様々なデータが流れるように走った後、最後にエラーの文字とエラーコード番号が表示された。

「御覧の通り」神楽は白鳥里沙にいった。「なぜかシステムは検索できないでいる。データに問題があるか、システムが不調かのどちらかだ」

「NF13は、これまでも検索システムで見つからなかったのでは？」

「このデータがNF13だったら、『NOT　FOUND　No.13』と表示される。NF13のデータは、すでに入れてあるからね。どこの誰かはわからないけど、一致しているかどうかはわかる」

白鳥里沙は腕組みをした。

「システムが不調だとして、その原因は？　これまでに同様のことはあったんですか」

「コンピュータシステムの調子が悪くなる原因なんて無数にあるし、もちろん今までだっていろいろとトラブルはあった。とりあえずシステム全体を見直そうと思っている。もしかしたら、プログラムを入れ直す必要があるかもしれない。そうなったら、調整には数日間かかるだろう」

「大変ですね。もちろん、お手伝いさせていただきます。トラブルシューティングというのは、システムを理解する上では、とてもいい体験になりますから」

「ありがとう。だけど今夜は結構だ。毛髪からDNAを抽出した分析班の話も聞きたいからね。システムのチェックに着手する時には、必ず君に連絡する。それまでは待機していてもらいたい」

神楽の言葉に、白鳥里沙は不満そうに尖った顎を少し上げた。だがすぐに唇に笑みを浮かべた。

「わかりました。いつ頃になりそうですか」

「まだ断言はできないが、二、三日中には連絡できると思う」そういうと彼はシステム終了の操作を始めた。先程の偽のDプレートが吐き出されてきた。

「明日はどうするんですか」白鳥里沙が訊いた。

「明日？」

「警察で会議があるという話でしたよね。あなたは解析結果について、そこで報告する予定だったはずです」

神楽は舌打ちをしそうになった。それがあったか。

「こういう状況だから、報告どころじゃない。志賀所長には僕から説明しておくよ」

「会議には出席されるんですね」

「状況次第だが、とりあえずはそのつもりだ」

「志賀所長は、私も出席できるよう取り計らってくださるそうです」

神楽は白鳥里沙を見つめ、頷きながら息を吐いた。

「だったら、明日、警察庁の会議室で会おう」

「わかりました。では明日」白鳥里沙は神楽を見つめながら顎を引いた。

17

研究所を出た後、神楽は白鳥里沙とは別のタクシーを拾った。上着のポケットに入れたプレートの感触を確かめた。

彼女は今夜にでも志賀に話すかもしれない。志賀は変だと思うだろう。初期の頃ならともかく、最近ではシステムが不調に陥ったことなど一度もないからだ。しかしすぐに神楽を疑うとは思えなかった。

自分に残された時間はどれぐらいあるだろうと神楽は考えた。うまくごまかせば、明日一日ぐらいは乗り切れるかもしれない。だがそれ以上となれば難しい。本物のプレートは神楽の手にあるが、同じものを作るのは簡単だ。

二十四時間か――それが神楽に与えられた時間だった。その間に、真相を明らかにしなければならない。

東京湾を見下ろせるマンションのそばで神楽はタクシーを降りた。そこが彼の住まいだった。特殊解析研究所で働くようになってから住んでいる。

二十階にある彼の部屋は、窓ガラスで囲まれたようなワンルームだった。彼が望んだわけではなく、研究所が用意してくれたのが、たまたまこういう部屋だったのだ。眺望の良さが売りらしいが、カーテンは昼間でも閉じっぱなしにしている。

必要最小限の家具や調度品以外は何もない殺風景な部屋だった。神楽はデスクの上からレポート用紙とペンを取り、二人がけのソファに腰掛けた。

レポート用紙を見つめた後、彼は深呼吸をひとつした。ペンを手にし、まず最初にこう書いた。

リュウと名乗る者へ——。

この呼び名は好きではないが、『彼』が使っているのならば仕方がない。この手紙が誰宛《あて》のものなのかを明らかにしておかないと、『彼』も困惑するだろう。

なぜ蓼科早樹の服に神楽の毛髪が付着していたのか。仮に警察でそう問われた時、彼自身に答えることはできなかった。なぜなら蓼科兄妹が殺害された時、彼は意識をなくしていたからだ。

単に意識不明だったのならいい。だが彼には特殊な事情がある。意識をなくしていたからといって、肉体が何もしていなかったとはいいきれないのだ。いや、身体は確実に活動していた。ただし、それを操っていたのは彼ではなく、『彼』のほうだ。

したがって毛髪の件についても、『彼』なら何か知っているはずだった。水上の話によれば、『彼』の意識が働いている間のことを神楽が知らないのに対し、『彼』のほうは神楽の行動などを見ており、自分の周りで何が起きているのかを把握しているらしい。ならば、現在の神楽の混乱ぶりにも気づいていることになる。

神楽は再びペンを動かした。

『あいさつは抜きだ。おれがこんな手紙を書く理由については説明不要だろう。どうしてもあんたに尋ねたいことがある。もちろん、蓼科早樹のことだ。』

そこまで書いたところで、彼の手は止まった。文面を読み返し、その文体がどこかで見たことのあるものだと気づいた。

じつはかつて一度だけ、神楽は『彼』に手紙を書いたことがある。自分の中にもう一つの人格がいると判明した時、水上から促されて書いたのだ。

「リュウは君の行動を見てはいるが、君の心の中までは見通せない。今、君がどんな思いでもう一人の人格を受け入れようとしているのか、正直に伝えるんだ。君たちはこれから先、長年にわたってお互いを理解し、時には無視しながら生きていかねばならない。何事も最初が肝心だ。格好をつけず、ありのままの気持ちを手紙に書きたまえ」

その時『彼』に宛てて書いた手紙の文面を、神楽は今も正確に思い出すことができる。次のようなものだった。

『はじめまして、と書くのも変かもしれませんね。でも君はともかく、こちらは君のことを全く知らなかったので、やはり、はじめましてということになります。

自分の中にもう一人の人格が存在すると知り、大変驚いています。なぜそんなことになったのか、自分ではまるでわかりません。これから水上先生が、その点についても突き止めてくださるそうですが、もし君が何か知っているのなら教えてください。君が現れたのは、どうやら父さんが死んだ時みたいだけど、その時のことなんかを説明してくれると何かわかるかもしれません。

今の僕は大変戸惑っています。正直なところ、君とどのように付き合っていけばいいのか、よくわからない状態です。もっと本音を言えば、この状況からは脱したい。つまり君には消えてもらいたいということになります。

こんなことを書けば、おそらく君は気を悪くするでしょう。でも水上先生は本当の気持ちを書かねばならないとおっしゃいます。そこから始めるしか、我々がうまく生きていく道は拓《ひら》けてこないのだそうです。なぜなら、この状態がいつまで続くかは先生にもわからない、もしかすると一生このままかもしれないからだそうです。だとすれば、最初のうちにお互いの気持ちをぶつけあっておくことは、たしかに必要だろうと思います。

さて、今すぐにこの状況から脱することはできない以上、我々は現実的なことを考えねばなりません。すなわち、どのようにすれば、お互いが不利益を被らずに生きていけるかということです。

まずこちらからの希望と提案を書きます。

一番目は、原則として君の存在は周囲には秘密にしたい、ということです。当然のことながら、現時点では水上先生以外、我々の事情を知りません。皆が知っているのは僕という人格のことだけです。それがすべてだと信じています。僕は、それを覆すことにメリットがあるとは思えません。しかしたぶん君は納得できないでしょう。なぜなら周囲の人間が神楽龍平だと認識している人格が僕のものである以上、君が肉体を支配している時も、君は僕の人格を演じなければならないからです。その点については、話し合う必要があるでしょう。

二番目は、お互いの生活には干渉せず、邪魔もしないということです。僕は自分の望む通りに生きていきたいと思っているし、君もそうでしょう。ただ、肉体が一つしかない以上、譲歩すべきことはいくつもあると思います。君が今後、どのように生きていきたいかを包み隠さずに打ち明けてくれると助かります。

三番目は、これはもしかすると最も大事な問題かもしれません。我々の治療についてです。もし水上先生の治療を受けた結果、この症状が治るとすれば、それは我々のどちらか、あるいは両方が消滅することを意味しているのかもしれません。それでも僕はこれからも治療を受け続けるつもりです。君はそれについてどう考えますか。

自分自身に向けて手紙を書くというのも奇妙なものです。しかし僕は君を、別の人間として捉えているつもりです。君も、遠慮なく自分の考えを述べてください。』

その後、この手紙は水上を通じて『彼』に手渡された。水上によれば『彼』は、「殆ど顔色を変えることなく手紙を流し読みしていた」らしい。考えてみれば当たり前のことだ。神楽が手紙を書いている間も、『彼』は覚醒《かくせい》していて、どんな文面が書かれるのかを神楽の目を通じて見ていたのだ。

手紙を読み終えた『彼』は、便箋《びんせん》を裏返し、そこに返事を書き始めた。その内容もまた神楽は諳《そら》んじることができる。何度となく読み返したからだ。

その文章は、「おれのせいじゃない」という言葉から始まっていた。

『おれのせいじゃない。おれの存在が迷惑らしいが、なぜこうなったのかは知らない。

質問に答える。

一については同感。おれのことを他人に知られたくない。おれは誰とも接触する気はないから、あんたとしても何も問題はないだろ。

二についても同感。おれはあんたの人生に興味はない。

三については関心なし。おれはおれである時をおれらしく過ごすだけだ。以上』

返信を読み、頭にきたことを神楽は覚えている。こちらが極力丁寧に書いたつもりなのに、このぞんざいな書きようは何だと思った。筆跡も神楽のものと違い、書き殴ったように乱雑だった。

その後は書簡のやりとりはなく、水上を仲介してお互いの考えを述べ合うことになった。その結果、いくつかの取り決めがなされた。

まず呼び名だ。神楽と区別するために、『彼』のほうはリュウと名乗ることになった。『彼』がそれを望んでいると知った時、気取った奴だ、と神楽は思った。

リュウの要求は、絵を描く環境がほしい、ということだけだった。指定の絵の具、キャンバス、そして部屋を用意してくれというのだった。その部屋には無断で誰も立ち入らせないこと、という条件も付けてきた。

神楽側からは、人格を反転させる周期について希望を出した。二週間に一度、というものだった。それに対してリュウは、それならば人格を十時間以上維持したいと答えてきた。これまでの経験で、反転剤を使用した場合の人格維持は約五時間であることが判明していた。

神楽は水上と相談した上で、人格反転の周期は一週間に一度と決めた。

この約束は、今日まで破られたことはなかった。おかげでリュウの存在は、ごく限られた人間にしか知られていないし、神楽が彼から迷惑を被ったこともない。彼にも迷惑をかけた覚えはなかった。

絵を描くことだけを楽しみにしている全くの赤の他人が、この世のどこかにいる――神楽にとってリュウとはそういう存在だった。決して出会うことがないのだから、無視することは難しくない。彼の存在を意識するのは、遺伝子と心という命題を研究する時だけだ。

神楽は再びレポート用紙に目を落とした。

文体が荒れたものになったのは、あの時の返信の影響だろうと思った。そっちがそういう態度なら、こちらも遠慮しない、という思いが無意識に働いたのだろう。

彼は文章を続けた。

『あんたもわかっていると思うが、おれの毛髪が蓼科早樹の服に付いていた。おれには心当たりがないから、あんたが原因だってことになる。どういうことなのか、すぐに説明してほしい。断っておくが、ここには絵を描く道具は揃っていない。退屈かもしれないが、我慢しろ。では回答を待つ。』

文面を読み直した後、神楽は立ち上がり、デスクの引き出しを開けた。そこから煙草のケースに似た箱を取り出し、ソファに戻った。

灰皿をセットし、箱から、これまた煙草そっくりの反転剤を抜き取った。

息を整え、反転剤をくわえてからライターを手にした。火をつけ、肺いっぱいに煙を吸ってから吐き出す。それを何度か繰り返した。

壁にかけた、骨董《こっとう》品の水晶発振時計がカチカチと音をたてている。

神楽は眉をひそめた。反転剤を口から離し、見つめた。

おかしい――。

いつもなら、すでに意識を失っているはずだった。これほど時間がかかったことなどない。だが今日は、依然として頭は冴えたままだ。朦朧《もうろう》とする気配さえない。

今まで吸っていた反転剤を灰皿の中で消した。少し迷った後、新しい反転剤を取り出し、くわえた。先程と同じように火をつけ、大きく吸った。さらに目を閉じ、気持ちを鎮めるように努めた。

だが間もなく彼は目を開いた。せわしなく何度か煙を吸っては吐いた。やがて短くなった反転剤を灰皿で捻りつぶした。

軽い頭痛がする。だがそれだけだった。意識は、はっきりとしている。反転剤を吸う前と、何ひとつ変わらない。

神楽は立ち上がり、うろうろと室内を歩き回った。カーテンを開け、窓ガラスに映る自分の姿を見つめた。無論、外見に何の変化もない。

かった。


どういうことだ、なぜ人格の反転が起きないのだろう——。

水上に電話をかけようかとも思った。だが前回反転剤を使用してから、まだ二日も経っていない。それなのになぜ反転剤を使用するのかと問われた時の、適切な言い訳が見つからなかった。

テーブルの上に置いた反転剤の箱に目を向けた。さらにもう一本吸ってみようかと思ったのだ。しかし反転剤の連続服用は厳しく禁じられている。しかも彼はすでに二本を吸っていた。これ以上の使用は危険だった。それに、二本でだめなものは三本でも同じように思えた。

原因は全く違うところにあるような気がした。

洗面所に行き、冷たい水で顔を洗った。鏡に映った顔と正対した。

「どうしたっていうんだ」神楽は鏡に向かって問いかけた。「今日にかぎって、なんで出てこないんだ。出てきて、きちんと説明しろよ」

口に出していってから、はっと気づいた。

人格の反転をコントロールすることが『彼』にできるかどうかについて、これまで神楽は考えたことがなかった。反転剤を使用すれば、必ず『彼』が出てくるものだと決めつけていた。だがそうではないとすれば——。

『彼』は手紙の文面を見ている。出ていけば、質問に答えねばならない。だから出てこないのではないか。

人格の反転が起きないのは『彼』の意思によるものだとすれば、『彼』には神楽の質問に答えられない事情があるということになる。

神楽は鏡に映った顔を睨みつけた。

「おまえが蓼科兄妹を？」

その時だった。玄関のチャイムが鳴った。その音の感じから、エントランスから鳴らされたものではないとわかった。誰かがドアのすぐ外にいるのだ。

神楽は眉をひそめた。誰であれ、直接に訪ねてくることなど認めていない。しかも今は真夜中なのだ。

玄関に行き、ドアスコープを覗いた。

一人の少女が立っていた。顔はよくわからない。

首を傾げながら、神楽はドアを開けた。

「こんばんは」そういって少女は微笑んだ。

神楽は声も出せず、彼女を見つめていた。年齢は十代後半といったところか。髪が長く、白いワンピースを着ていた。その顔には見覚えがあった。

キャンバスに描かれていた、あの少女だ。

18

「君は……誰？」神楽は訊いた。声が少しかすれた。

髪の長い娘は不思議そうな顔で彼を見た。

「彼じゃない……」

「彼って？」

「顔は同じだけど、彼じゃない。わかった。あなた、神楽君ね。そうでしょう？」彼女は目を輝かせた。「びっくり。あなたに会えるなんて思ってなかった。あなたのことは彼から聞いてる。本音をいえない臆病者だって、こぼしてた」

彼女のいう『彼』とは何者なのか、神楽にもわかった。

「リュウと話したことがあるみたいだな」

「そう。あなたのもう一人の人格とね」彼女は首を横に傾け、にっこりと笑った。

神楽は当惑した。彼が二重人格者であることは、ごくかぎられた人間しか知らないはずだ。

「で、君は何者だ」

「あたしはスズラン」

「スズラン？」

「彼が付けてくれた名前。ねえ、そんなことより、中に入れてくれない？　ここ、少し寒いんだけど」彼女は眉をひそめた。

神楽は迷ったが、どうぞ、といってドアを大きく開いた。得体の知れない娘を部屋に入れることには抵抗があったが、この娘に訊きたいことは山のようにある。

スズランと名乗った娘は、部屋に入り、ソファに腰を下ろした。テーブルに置いてあった雑誌を手に取ったが、すぐに元の位置に戻した。その後は室内をじろじろと見回すようなこともなく、神楽のほうに黒い目を向けてきた。

「あなたも座ったら」

神楽はパソコンデスクの前にあったキャスター付きの椅子を引き、彼女と向き合うように座った。「本名は？」

「何？」

「君の本名だ。スズランというニックネームは聞いた。本名を教えてほしい」

彼女は不快そうに口を尖らせた。

「そんなこと、彼は訊かなかった。だって、名前に何か意味がある？　単なる記号じゃない。彼はリュウ、あたしはスズラン、それで十分だもの」

「残念ながら僕は『彼』じゃない。本当の名前をいうんだ」

「いわなかったら？　あたしを追い出す？　でもあなた、いろんなことを訊きたいんじゃないの？　あたしの本名なんかより、もっと大事なことがいっぱいあると思うんだけど」

彼女の口調は、どこか楽しげだった。神楽をからかっているようだ。

「わかった。本名については保留にしておこう。ではスズランさん、君と『彼』との関係を教えてほしい。君はリュウの何なんだ」

彼女はソファにもたれ、細い脚を組んだ。

「もちろん、恋人。でも、あたしのことはみんなには内緒なの。だからあなたも、ほかの人にいいふらさないでね」

「リュウの恋人？」神楽は首を振った。「そんなこと、あり得ない」

「どうして？」

「リュウは水上先生以外の人間とは接触していないからだ。恋人だというなら、どこで出会ったのかをいってみろよ」

「そんなの簡単。アトリエで会ったの」

「アトリエ？」

「脳神経科病棟の五階にあるじゃない。あなただってよく知っているはずよ」

「リュウが絵を描く部屋か」

「そう。あそこで会ったの。彼があたしの絵を描いてくれたことは、あなたも知ってるはずよ」

その通りだった。今、目の前にいるスズランは、キャンバスに描かれたままの姿をしている。服装も髪型も同じだ。

「わからないな」神楽はいった。「あの部屋は僕たち以外は立入禁止だ。君とリュウが会うことなんてできないはずなんだけどな。もし君が出入りしていたなら、防犯カメラにだって写ってしまうし」

スズランは肩をすくめ、首を傾げた。

「そんなの、どうってことない。カメラなんて、所詮《しょせん》機械の目でしょ。光学的にしか物を見ることができない。そんな機械をごまかすことなんて簡単。すっごく簡単」

「一体どうやったんだ」

神楽が訊くと、彼女はうんざりしたように顔をしかめた。

「ねえ、神楽君、そういう質問にどんな意味があるの？　あたしと彼がどうやって会ってたかなんて、どうでもいいじゃない。それともあなたは恋愛ドラマを見ている時、恋人たちの待ち合わせ方法だとか連絡手段がわからないと気が済まないわけ？　ふつうは、二人がどんなふうに惹《ひ》かれ合ったかとか、どういうふうに過ごしてるかとかが気になるものじゃない？　あたしはそうだけど」

神楽はため息をついた。

「僕は恋愛ドラマなんか見ないよ。だけどまあいい。君たちがどうやって会っていたかについて追及するのはやめておこう。いずれわかると思うしね。じゃあ、質問を変えよう。二人で何をしているんだ？　彼とはどんな話をした？」

スズランは嬉しそうに目を細めた。

「そうそう、そんなふうに尋ねてくれればいいの。あたしたちはね、素敵な時間を過ごしているの。具体的にいうと、彼が絵を描いて、それをあたしが眺めている。それがあたしたちにとっては最高に幸福な時間なの。誰にも邪魔されたくない、貴重な時間」

「僕が反転剤で人格を転換した後、いつも二人でそんなふうにしていたというのか」

「そうよ。彼が消える時には、あたしも部屋から立ち去る。だからあなたに会うことはないと思ってた」そういってから彼女は細い腕を組み、神楽の顔をしげしげと眺めた。「でもおかしいな。どうして今日はあなたなの？　なぜ彼じゃないわけ？」

「それはこっちが訊きたい。反転剤を二本も吸ったのに、何の変化もない。一体どういうことだ」そう訊いてから彼は頭を振った。「君に尋ねても、わかるわけないいな」

「あたしは彼に会えると思ったから、ここへ来たんだもの」

「その点についても質問したい。なぜ君はここへ来た？　なぜ彼に会えると思った？　僕が反転剤を使うことを知っていたわけじゃないだろ」

　スズランは困ったように顔をしかめた。

「それについて、説明しなきゃいけない？」

「是非、聞きたいね」

「本当のことをいうと、あたしにもよくわからない。強いていえば、呼ばれたってことになるのかな」

「呼ばれた？」

「彼にね」スズランはいった。「リュウが呼びかけてくるの。あたしの心に。あたしはそれを察知して、彼の指定した場所へ行く。そうすると会えるの」

「信じられないな。それじゃまるでテレパシーだ」

「いけない？　テレパシーは現代科学では存在が証明されてないから、あなたとしては受け入れるのは嫌？」彼女は意味ありげに笑みを浮かべた。「そういえばリュウがいってたな。神楽は計測器やコンピュータが認めたものしか信じないって。不便な生き方をしているとも」

神楽は腕組みをし、スズランの顔を見据えた。彼女が本気でテレパシーのことを話しているのか、単に彼を翻弄《ほんろう》しようとしているだけなのかを見極めようとした。だが彼女はそんな彼の狙いをはぐらかすように笑顔のままだった。計算された笑みなのか、心底楽しんでいるのか、それさえも見抜けなかった。

「君がここへ来たということは、彼に呼ばれたのかな」

「もちろんそうよ。だから彼がいないのが不思議なの。どういうことかな」

「何といって呼ばれたんだ」

「そんなの言葉じゃ説明できない。テレパシーって、そういうものなの」

神楽は頭を掻きむしった。目の前にいる娘は重大な鍵を握っているはずなのに、何ひとつ有用な情報を引き出せない。

「リュウが絵を描いている時、君は一緒にいるわけだな。彼はなぜ絵を描くんだろう。そういう話をしたことは？」

「あるわよ。彼はね、魂の解放だといってた」

「ふうん、格好いいな」

「彼は、なぜ自分が存在しているのかを知っているみたいだった。その鍵が、彼の絵には隠されているそうよ」

「存在？　鍵？　彼の描く絵に、二重人格の秘密が込められているというのか」

「そのことに神楽君が気づけば、すべての謎が解けるんだって。でもたぶん無理だろうともいってた。神楽君には、彼の描く絵の意味はわからないそうよ」

「どの絵だ。彼はいろいろな絵を描くじゃないか」

「彼は見えないものを描いているの。たとえば、彼が手の絵をたくさん描いていることは知っているでしょ？」

「手の絵か。知ってるよ。たしかに僕には意味不明だ」

「あなただって、たしかに見ているものなの。でも同時に見えていない。だから意味がわからないの」

神楽は右手の拳《こぶし》で自分のこめかみを押さえた。

「まるで禅問答だな。どうして君はそういうもってまわった言い方をするんだ。もっとストレートに表現してくれないか」

するとスズランは悲しげな目をして首を振った。

「悪いけどあたしにはこれ以上の説明はできない。この問題については、あなた自身が解決するしかないの。そうしないと呪いは解けない」

「テレパシーの次は呪いか。君と話していると頭が痛くなってくる」

「じゃあ、やめる？」

「そういうわけにはいかない。彼について訊きたいことがほかにもある。じつをいうと彼に手紙を書いたんだが、反転剤が効かないので困っていたところだ。彼の代わりに答えてもらいたい」

「いいわよ。あたしに答えられるなら」

「必ず答えられるはずだ。なぜなら、彼と最後まで一緒にいたのは君のはずだからね。その時の彼の様子を教えてもらいたい」

「様子？　別にいつもと変わらなかったけど。あの日は前に約束した通り、あたしの絵を描いてもらったの。絵のモデルになるのなんて初めてだったから、少し恥ずかしかった。でもやっぱり嬉しかった。彼があたしを眺める眼差しはすごく優しくて、それだけで気持ちまで温かくなるの」

「絵を描きながら、彼はどんな話を？」

「いろいろな話。知らない国のこととか」

「知らない国？」

「彼の頭の中にだけ存在する国よ。差別も戦争も犯罪もない国。人々は自然に敬意を払い、皆で手を取り合って生きている。そこに文明の利器はないけど、それに勝る知恵がある」

「絵本の世界だな」

神楽の感想に、スズランはやや寂しげに微笑した。

「彼がいってた。神楽なら絵空事だというだろうって。でもリュウにとっては、今ある現実のほうが非現実的なんだって。どうしてこんなSFみたいな世の中がみんなは好きなんだろうって不思議がってた。神楽君の仕事も好きじゃないって」

「だから？　そんな世の中を壊したいとかいってたかい？」

スズランは笑みを消し、目に険しい光を浮かべた。

「彼はそんな過激なことは考えない。ただ悲しんでいるだけ」

神楽は一旦目をそらしてから、改めて彼女を見た。

「彼はずっと絵を描いていたのか。そのほかには何かしなかったか。たとえば部屋を出ていったとか」

「そんなことあるわけないじゃない。彼は、あの部屋でずっと絵を描いていたいの。ほかにはしたいことなんてない。そのことはあなたも知っているはずよ」

「じゃあ、君はいつまで彼と一緒にいた？　さっきの話だと、彼の意識が消えるまでということだったけど、あの時もそうだったのか」

「そうよ。彼が静かに目を閉じて、そのまま眠りに入るのを見届けてから、あたしは部屋を出たの」

「それは何時頃？」

　スズランは少し考える素振りを見せたが、お手上げだというように両手を小さく広げた。

「時刻なんてわからない。あたし、時計を持ってないもの」

「電話は？」

「持ってない。ネットになんて縛られたくないから」

「よくそれで現代社会を生きていけるな」

「そんなの別に難しいことじゃない。みんな、どうかしてるのよ」

　屈託なく話すスズランの顔を見ながら、神楽は思考を巡らせた。彼女が嘘をついているかどうかは不明だが、仮に本当のことをいっているとしても、リュウが事件に無関係だと断言することはできない。リュウが眠ったというのは芝居で、彼女が部屋を出た後で再び起き上がり、蓼科兄妹の部屋に行ったことも考えられるからだ。

「リュウは蓼科兄妹について何かいってなかったか」神楽はスズランに訊いてみた。

「何かって？」

「どんなことでもいい。さっき君は、リュウは僕の仕事を好きじゃないといってたな。ということは、蓼科兄妹のことも快く思ってないんじゃないか」

スズランは右手を頬に当てた。

「あの人たちは、単に自分の好きなことをしていただけでしょ。それについてリュウが不快に思うなんてことはなかったんじゃないかな。だって数学やコンピュータを愛することは悪いことじゃないもの。大事なのは、それをどう使うかってことじゃないの？」

「僕たちの使い方が間違っていると？」

「さあ」彼女は長い髪をかきあげた。「それは自分で考えるべきことだと思うけど」

神楽は苛立ってきた。立ち上がり、スズランを見下ろした。

「ずいぶんと偉そうな口をきいてくれるじゃないか。君は一体何者なんだ。見たところ、まだ高校生みたいだけど、どこからやってきた？　君の親は何をしている？」

声に威圧感を込めたつもりだったが、スズランに怯《おび》えた様子は全くなかった。相変わらず意味ありげな微笑を浮かべ、不思議そうな顔で神楽を見上げているだけだ。

さらに詰め寄ろうと神楽が足を踏み出した時、彼の電話が鳴りだした。

「電話だよ」スズランがいった。

「わかっている」

神楽はパソコンデスクに近づき、そこに置いてあった電話を手にした。発信者は志賀だった。スズランに背を向けたままで電話に出た。「はい、神楽です」

「志賀だ。今、話せるか」

「大丈夫です」

「白鳥君から話を聞いた。システムが不調のようだな」

「そうなんです。原因は不明です」

「どういうことかな。初期の頃ならともかく、このところトラブルが発生したことはなかったはずだが」

「データが増えてきたせいで、どこかに負担がかかっているのかもしれません。とにかく、明日から全力を挙げて調整するつもりです」

「そのことだが、白鳥君の申し出を断ったそうだな。彼女は問題解決の手伝いをしたいといったらしいが」

「まず自分の手で原因を突き止めてからと思いまして」

「何でもかんでも自分一人で進めようとするな。彼女はお客さんじゃない。君の良きパートナーになってもらわなきゃならないんだ。それにシステムは一刻も早く復旧させる必要がある。いいチャンスだから、彼女を助手として使ってくれ。これは所長命令だ」

「……わかりました」

「明日の会議では、私のほうからうまく説明しておく。嫌味をいわれそうだがな」

「すみません。お願いします」

電話を切った後、神楽は唇を嚙んだ。やはり白鳥里沙は、早速志賀に報告したようだ。彼女にシステムのチェックを手伝わせるわけにはいかない。そんなことをすれば、システムに異状などないことがばれてしまう。

この局面を打開するには、なぜ蓼科早樹の着衣に神楽の髪の毛が付着していたのかを突き止めるしかない。そしてそれを知っているのはリュウだけだ。

「さっきの話の続きだけど――」神楽は振り返った。

だがスズランの姿が消えていた。神楽はあわてて室内を探し回った。といっても所詮はワンルームだ。バスルームやトイレにいないということは、部屋を出たということになる。

神楽は玄関のドアを開け、外に出た。エレベータに乗り、一階に着くと、駆け足でエントランスホールを横切った。

しかし通りに出ても、彼女の後ろ姿を見つけることはできなかった。

19

浅間が木場からの電話を受けたのは、夜中の二時を過ぎた頃だった。彼は自宅でウイスキーの入ったロックグラスを傾けていた。アルコールを摂取しないと眠れないようになってから、もう何年も経つ。

大至急、新世紀大学病院の警備員室に行ってくれ、と木場はいうのだった。

「鑑識グループが何か見つけたらしい。明日の会議に間に合うよう、しっかりと話を聞いておいてくれ」

自分が出向く気はなさそうだった。了解しました、と白けた口調で答え、浅間は電話を切った。眠る前でよかったと思った。寝付いたところを電話で起こされていたら、もっと不機嫌な声を出していただろう。

タクシーを使い、病院に向かった。警備員室には鑑識グループの人間が三人いた。そのうちの一人は責任者の穂高だった。警備員の富山もいる。私服だということは、彼も呼び出されたくちらしい。

「お互い大変ですね」浅間は富山にいった。

「いえ、私は別に構わないのですが……」

「分析に手間取っていて、この時間になっちゃったんです」穂高がいった。「明日の朝から会議があるでしょ？　それまでに捜査責任者に報告しておいたほうがいいと思いましてね。責任者の浅間さんに」

責任者、というところを穂高は強調した。夜中に呼び出されたぐらいのことで文句をいうな、といいたいらしい。

「もちろん適切な判断だと思いますよ。で、分析というのは？」浅間は訊いた。

「こいつです。これが見つかりましてね」そういって穂高が見せたのは、二十センチ角ぐらいの平たい金属製の箱だった。コードを繋ぐ端子がいくつか付いている。

「どこで？」

「防犯カメラからの信号をまとめている制御盤の横です。七階の防犯カメラからのケーブルが、何者かの遠隔操作によって遮断されていたことはお話ししましたが、もう一つ別の仕掛けが見つかったというわけです。我々も仕掛けが二重になっているとは思わなかったから発見が遅れました。ミスは認めます」

「潔いのは結構だけど、どういう仕掛けなんですか」浅間は先を促した。

「百聞は一見にしかず。見てもらうのが何よりだ」

穂高は持っていた箱を、そばにいた部下に手渡した。それを部下は、手慣れた様子でモニターに繋いだ。

「さてと」穂高は富山のほうを向いた。「いつものようにモニターを使ってみてください」

富山は戸惑った顔つきのままで監視モニターの前に座り、操作盤のスイッチを入れた。

すべてのモニターに電源が入り、映像が映し出された。深夜だけに、どのフロアも無人だった。

「七階のモニターに御注目」穂高はいった。

浅間にも見慣れた映像がモニターに映っていた。蓼科兄妹の部屋へ向かう入り口がある。いつもと違うのは、静脈認証パネルの上に何か載っていることだ。よく見るとそれは熊のぬいぐるみだった。

「あれは？」浅間は訊いた。

「私が置いたものです。少し前まで入院していた女の子の忘れ物らしいです。警備員室で預かっているのを拝借しました」穂高が答えた。

「どうしてあんなものを？」

「それはこれからわかります」

穂高は電話を取り出し、片手で操作をした。

「いいですか。画面をよく見ていてください」そういってから、最後に一つのボタンを押した。

モニターを凝視する浅間の目の前で、映像が瞬きをした。次の瞬間、あっ、と彼は声を発していた。

たった今まで映っていた熊のぬいぐるみが画面から消えたのだ。

振り返った浅間を見て、穂高はにやりと笑った。

「もう一度、よく見ていてください」彼は再び電話を操作した。

再び熊のぬいぐるみが現れた。だがそれ以外には何の変化もない。

「どういうことですか」浅間は訊いた。

「今、御覧になっているのが本当の映像です。現在の七階フロアの様子を映しています」

「じゃあ、さっきのは？」

浅間の質問を受け、穂高は電話を操作した。先程と同じように熊のぬいぐるみが消えた。

「これは偽の映像です」

「偽？」

「先程お見せした箱にはメモリが内蔵されていて、そこに入れられたデータが、防犯カメラからのデータの代わりにモニターに映し出されているのです。全く別の時に撮影されたものと思われます」

「それが制御盤に仕掛けられていたと？」

「そういうことです。調べた結果、このように電話を使ってコントロールすることが可能だと判明しました。つまりこの仕組みを知っている者であれば、いつでもどこからでも、モニターを欺《あざむ》くことができるわけです」

「どうしてこんな仕掛けが……」

穂高は首を振った。

「それは我々にはわかりません。防犯カメラの意味がなくなるわけですから、病院側がやったことでないことはたしかでしょう」

「犯人が仕掛けたということですか」

「そう考えるのが妥当でしょう」

「じゃあ、あれは何だったんですか。防犯カメラからのケーブルが、遠隔操作で切断されていたというのは」

穂高は渋面を作った。

「おそらく我々を騙すためのトラップでしょう。突然モニターに何も映らなくなっても、ケーブルが切断されていたと判明すれば、それ以上に防犯システムを調べられることはない。同時に、犯行はその間に為《な》されたと推定されるため、犯人にとってはアリバイ工作になる。実際には、犯人はいつでも犯行が可能だったわけです。何しろ、七階は監視されていないんですから」

浅間は唸り声を出した。

「何てことだ。捜査はまるっきりの振り出しに逆戻りということか。――その装置を付けるのには、どれぐらいの時間を要しますか」

穂高は首を捻った。

「見たところ、装置は手作りです。これだけのものを作れるということは、かなりの技術を持っているでしょう。仕掛けるだけなら、おそらく三十分もかからないと思いますね。ただし、準備には時間がかかったと思います。内部の事情に詳しい者の仕業と考えて、まず間違いないんじゃないですか」

浅間は口元を歪めた。

「このことを会議で報告したら、上の連中はたまげるだろうな」

「おそらくね。それに、まだ驚くことはあるかもしれない」

「どういう意味ですか」

「この装置を使えば、七階だけでなく、ほかのモニターを欺くことも可能だということです。たとえばエレベータのモニターにも偽の映像が流されていたとしたら、犯人がエレベータを使った可能性さえ出てくるのです」

浅間は首を振り、ため息をついた。

「それはすぐに確認できるんですか」

「これから急いで分析するつもりです。明日の会議までには間に合わせますよ。徹夜仕事になるかもしれませんが」

「そいつは大変だ。よろしく頼みますよ」浅間は心の底からいって頭を下げた。


浅間の報告を聞き、予想通り上司たちは苦い顔を見せた。

「じゃあ、七階のモニターが消えていた時間というのも関係なくなったってことか。前回の会議では、その間に蓼科兄妹が殺されたとみられる、というような話になっていたと思うが」那須が不機嫌さを露《あら》わにした口調でいった。

「モニターの映像自体が偽物であったなら、当然そういうことになります」浅間は答えた。

那須は大きな音をたてて舌打ちした。

「何をやってるんだ。何が科警研の特別鑑識チームだ。そんな重大なことを見落としていたんじゃ、話にならんな」

「お言葉を返すようですが、彼等はよくやっています。ふつうの鑑識なら、モニターが映らなくなった原因を突き止めたところで終わりです。でも彼等は、さらに調べて、偽の映像データを送り出す装置を発見したんです」

浅間の反論に、那須は嫌な顔をした。

「その発見が事件解決に役立ってくれることを祈るよ。ところで志賀君のほうはどうだ。今日はＤＮＡの解析結果を聞かせてくれるという話だったが」

するとと志賀は、何となくばつの悪そうな顔で立ち上がった。

「申し訳ないのですが、システムが不調のため、今日の時点では結果を御報告することができません。二、三日お待ちいただければ、必ず結果を出せると思います」

「システムが不調？　どういうことだ」

「昨夜、神楽のほうから連絡があったんです。現在、復旧に当たっているはずです。本当に申し訳ございません」志賀は頭を下げた。

それで神楽がいないのか、と浅間は志賀の隣の席を見て思った。そこに座っているのは、今まで見たことのない若い女だった。アメリカからＤＮＡ捜査システムについて学びに来た、とだけ浅間は聞いている。

「なんだそれは。それじゃあ、こんな朝早くに集まった意味がないじゃないか。進展は全くなしか」

「そんなことはありませんよ」浅間はいった。「仕掛けられていた装置はかなり特殊なもので、素人に簡単に作れるものではなさそうです。また、犯人が病院の内部事情に詳しいことは間違いありません。この二つの条件から、かなり容疑者を絞り込めると思います」

那須は不承不承といった表情で頷いた。

「そういう地道な捜査に頼るしかなさそうだな、今回は」

その時、ドアが開いて一人の男が入ってきた。穂高だった。顔つきが厳しくなっている。

「どうした？　偽の映像がモニターに流されていたことなら、浅間から聞いたぞ」那須がいった。

「それに関して新事実が見つかったんです。報告させていただいてもよろしいでしょうか」

穂高の声は少し上ずっていた。

「いいだろう。聞かせてくれ」

穂高は会議机に近づき、脇に抱えていたファイルを開いた。皆を見回した後、ゆっくりと口を開いた。

「防犯システムの制御盤に仕掛けられていた装置を詳しく調べたところ、七階フロアの監視モニター以外に、偽の映像が流されていたモニターがあると判明しました」

浅間は目を見張った。

「エレベータですか」

「いや、エレベータのモニターには異状はありませんでした。偽の映像が流されていたのは、五階フロアのモニターです」

「五階？　何があるフロアだろう」浅間は呟いた。

「設備としては何もないフロアです」穂高が答えた。「そのフロアを使用しているのは、ただ一人、特解研の神楽主任解析員だけです。そして映像を分析したところ、事件当日、偽の映像が約五時間にわたって流されていました。さらに事件が起きたのは、その時間内だと推定されます」

20

いつもの薄暗い廊下だ。廊下に面して、引き戸がずらりと並んでいる。その前を神楽は歩いた。際限なく廊下は続き、引き戸も無限に現れる。

不吉な予感を抱きつつ、彼は引き戸を開けた。

するとその部屋には、一枚の大きな鏡が置かれていた。そこに神楽の姿が映っている。しかし彼はそれが自分自身の姿ではないことに気づいた。

「どうして出てこないんだ」神楽は訊いた。

「出ていきたくないからだ」鏡の中の彼が答える。「もううんざりなんだよ。俺に構わないでくれ」

「君の話が聞きたい」

「俺は何も知らない」

「そんなことはないだろ。正直に話してくれ。情報がほしい」

　鏡の中の彼が、げんなりしたように口元を歪めた。

「情報、情報。おたくはそのことしか頭にないのか。歳《とし》を取って、耳が遠くなると、かえって長生きするという話を聞いたことはないか？　情報を得ることが必ず幸せに繫がるとはかぎらない。知らない、見ない、覚えない——そのほうが幸せなこともある」

「じゃあたとえば、愛する人に対してはどうだ。すべてを知りたいと思うのがふつうだろ」

「すべてを知り得ないから惹かれる。知ってしまえば愛は終わる。愛とは情報の欠落を埋めるものだ」鏡の中の彼は一枚の絵を出してきた。手を描いたものだ。「何を描いたものかわかるかい？」

「誰かの手だろ？」

　神楽の回答に、彼は悲しげに首を振る。

「あんたには何も見えちゃいない」

　彼は踵を返した。鏡に映っている引き戸を開け、部屋を出ていこうとする。

「待ってくれ。君の力が必要なんだ」

「もう、うんざりだといっただろ」

「待てよ、おい――」

がくんと頭が揺れ、神楽は目を覚ました。タクシーの後部座席に座っていた。タクシーは新世紀大学病院の前で止まっていた。

様々な疑問を解決するためには、何とかしてリュウに出てきてもらわねばならなかった。そこで水上に相談しようと思い立ったのだ。反転剤が効かない以上、彼に頼るしかない。

タクシーを降りた時、電話が鳴りだした。表示を見ると、志賀からだった。彼は警察庁で捜査会議に出席しているはずだった。

「神楽です。会議は終わったんですか」

「うん、ついさっき終わったところだ」志賀がいった。「君は今、どこにいる？　自宅か」

いいえ、といったところで口をつぐんだ。病院にいることをいえば、その理由を訊かれるだろう。それに昨夜の電話で、今日からシステムの復旧に当たると志賀にはいってある。

「移動中です」神楽は答えた。「これから研究所に向かおうと思っています」

「そうか、御苦労様。じゃあ、こっちが片づき次第、私もすぐに戻る」

「わかりました」

電話を切った後、神楽は唇を噛んだ。志賀にシステムを見られたら、神楽の工作などすぐにばれてしまう。

やはり一刻も早くリュウから話を聞き出すしかない——そう思って病院の正面玄関に向かいかけた時、またしても電話が着信を告げた。今度は白鳥里沙からだった。

神楽は一瞬、無視しようかと思った。システムの修復を手伝いたいという申し出だろうと思われたからだ。だが彼は結局電話に出た。彼女は志賀と一緒にいるに違いない。電話に出ないと怪しまれると思ったからだ。

「神楽だ」

「白鳥です。今、どちらに?」白鳥里沙が尋ねてきた。なぜか声を潜めた気配がある。

「志賀さんから聞いてないのか」

「志賀所長とは別行動を取っています。あなたの居場所を教えてください」言葉は丁寧だが、口調に余裕が感じられなかった。

「特解研に向かっているところだ。いっただろ、システムの復旧を急ぐ必要があるんだ」

すると彼女は少し間を置いてから尋ねてきた。

「例のシステムの不調は、本当にトラブルなんですか」

ぎくりとした。電話を握る掌《て》に汗が滲んだ。

「どういう意味だ」

「本当にトラブルが生じて、あなたがそれを復旧させるつもりなら、そのまま研究所に向かってもいいかもしれません。でももしそうでないなら——何らかの理由であなたが意図的に起こしたトラブルなら、研究所に近づくことは危険です。あなたは拘束されるおそれがあります。志賀所長は浅間警部補たちと共に研究所に向かっています」

神楽の身体が熱くなった。心臓の鼓動も速まっている。

「どうして、そういうことになるんだ」懸命に平静さを装った。

「全く心当たりはないのですか」

神楽は返答に窮した。しかしそれは質問に答えたも同然だった。

「やはり、何か心当たりがあるようですね」

「待ってくれ。何のことをいわれているのか、さっぱりわからない」

「そういうごまかしは私に対しては不要だし無意味です。あなたを警察に逮捕させるつもりなら、こんなふうに知らせたりはしません」

たしかにその通りだった。神楽は電話を耳に当てたまま、ため息をついた。

「僕が逮捕されるとして、その容疑は何だ」

「もちろん殺人です。蓼科兄妹殺害事件に関して、あなたに容疑がかかっています」

神楽は電話を持ち替え、空いたほうの手で拳を作った。

「何か証拠でも出てきたのか」

「驚かないんですね。ふつうの人間なら、突然殺人の容疑者にされたら取り乱すものです。そうならないのは、そのことを予想していたということになります」

「予想していたからといって犯人だとはかぎらない」

「おっしゃる通りですが、ではなぜ予想できたのですか。疑われる覚えがあるからではないのですか」

神楽が沈黙すると、白鳥里沙はさらに詰問してきた。

「どうやら、そのこととシステムのトラブルとは関係があるようですね」

神楽は奥歯を嚙みしめた後、口を開いた。

「その通りだ。僕がわざとシステムを壊した」

「やはりそうでしたか。昨夜のあなたは、明らかに態度がおかしかったですものね」

「システムを壊したことが理由で、僕が疑われているのか」

「そうではありません。そもそも、システムの不調が意図的に起こされたものかどうかは、まだ確認されていません。それで志賀所長たちが研究所に向かったのです」

「じゃあ、なぜ僕が疑われることになったんだ」

「新事実が出てきたとだけ申し上げておきましょう。ただ、それだけでは逮捕にまでは至らないでしょう。だから、トラブルが本物で、あなたが本気で復旧させるつもりなら、そのまま研究所に向かってもいいといったのです。でもどうやらシステムが復旧された場合、あなたにとって都合の悪いデータが見つかるということなら、話は違ってきます」

神楽は乾いた唇を舐めた。

「信じてもらえないかもしれないが、僕には全く身に覚えがない」

「さっきもいいましたように、あなたを疑っているのなら、こんなことはしません。私の言葉を信じて、研究所には行かないでください」

「大丈夫だ。研究所に向かっているというのは嘘だ。今は病院の前にいる。新世紀大学病院に来ている」

白鳥里沙が大きく息を吸い込む音が聞こえた。

「そこも危険です。あなたが研究所に現れないことも考えて、警察はあなたが立ち寄りそうなところに捜査員を送り込んでいます。即刻、その場を離れてください」

「君のいっていることが事実なら、そうしたほうがよさそうだな」神楽は電話で話しながら、ゆっくりと病院から遠ざかった。周囲に視線を巡らせてみるが、まだ警官がやってくる気配はない。

「私に嘘をつく理由がありますか。しかもこんな凝った嘘を」

「そうは思わないから、君の指示に従うことにした。だけど質問がある。君の狙いは何だ。助けてくれるのはありがたいけど、それを知っておきたい」

「もちろん、私には目的があります。でもそれを今話すわけにはいきません。どこか、あなたのよく知っている場所を指定してください。そこで会いましょう。人混みに紛れられて、尚かつ防犯カメラの少ないところがいいですね」

現在、大抵の繁華街では、いたるところに防犯カメラが設置されている。神楽は考えを巡らせた後、郊外にある大型書店を指定した。無論そこにも防犯カメラはあるだろうが、そのモニターに向かっている人間たちが目を凝らすのは、万引きをしそうな客を見つけた時だけだ。

「いいでしょう。そこなら三十分で着けると思います。あなたはこの後、電話の電源を切ってください。電源を入れていると、警察の追跡システムに引っかかるおそれがあります」

「そんなことはわかってるよ。僕が科警研の人間だということを忘れたのか」

「そうでしたね。もし何らかのアクシデントが生じて待ち合わせ場所に来られない場合は、どこかのコンピュータからメールを送ってください。私のメールアドレスは御存じですね」

「わかっている」

「では後ほど」そういって白鳥里沙は電話を切った。

神楽は電話の電源を切り、足早に病院の敷地を出た。空車が通りかかったので、手を挙げて拾った。だがワンメーターほど走ったところで一旦降り、別のタクシーを拾い直した。病院の門に防犯カメラが取り付けられていることを思い出したからだった。

21

その建物を訪れるのは、浅間にとって二度目のことだった。『警察庁東京倉庫』と書かれた看板は、相変わらず小さくて見つけにくい。無論、わざとそうしてあるのだろう。

「科学捜査の最先端を研究する施設が、こんな殺風景な場所にあるとはね」鉄製の門扉を眺めながら戸倉がいった。

「だろ？　俺も最初に来た時は面食らった。もっともその時点では、ここがどういう施設なのかも知らなかったんだけどさ」浅間が応じた。

警備員と話していた志賀が、二人のところに戻ってきた。

「神楽君は、まだ来ていないようです。警備の者の話によれば、彼がここを出たのは昨日の深夜で、それ以後は来ていないということでした。昨夜ここを出る時には、白鳥君と一緒だったそうです」

浅間は腕時計を見た。

「あなたが神楽に電話をかけてから、三十分以上が経っています。彼が自宅からこっちに向かったのなら、とっくに着いてなきゃおかしい」

「おっしゃる通りです」志賀は苦しげな顔で頷いた。

浅間は戸倉に目配せした。戸倉は内ポケットから電話を出し、操作してから耳に当てた。すぐに彼は首を振った。「やはり繋がりません」

浅間は顔をしかめて頷いた。神楽の電話は電源が切られている可能性が高い。

「志賀さん、あなた、余計なことはいわなかったでしょうね」

「余計なことって？」

「神楽に勘づかれるようなことです。あなたからの電話に出た後、電源を切ったというのは、どう考えても変だ」

志賀は唇を尖らせた。

「私は、彼が研究所に向かうといったから、自分もすぐに戻るといっただけです。あなただって、横で聞いてたじゃないですか」

「その後に、もう一度神楽にかけ直したってことは？」

志賀は不快感を目元に浮かべ、自分の電話を差し出してきた。

「どうぞ、お調べになってください。電話会社に問い合わせていただいても結構です」

浅間は苦笑し、電話を押し戻した。「念のために伺っただけです」

志賀は電話をしまい、大きく吐息をついた。

「昨夜、彼と電話で話をした時には、全力でシステムの復旧に取り組むといってたんですがね」

「しかしこうなってくると、そのトラブル自体が怪しいと思わざるをえませんね。自分の犯行が露見しないよう、神楽自身が細工したという可能性だってある」

「神楽君が犯人だと決めてかかっておられるようですね」

「そんなことはありません。可能性の話をしているんです」

「彼が蓼科兄妹を殺すなんてこと、あるわけがない。何かの間違いです」

「俺もそうであることを祈ってますよ。でも現時点で重要参考人であることは事実だ」

返す言葉がないのか、志賀は仏頂面をしたままで何もいわず、研究所の奥へと進んだ。浅間も戸倉と共に、その後を追った。

様々なセキュリティシステムで固められた経路を通り、特殊解析研究室の前に達した。志賀が静脈認証を行い、ドアを開けた。

部屋に入った途端、戸倉が驚きの声をあげた。中央に置かれた巨大な装置は、浅間の記憶に残っているものだ。

「まるでSFの世界だ」装置を見上げ、戸倉は呟いた。

「俺は初めてこいつを見た時、宇宙にでも行く気ですかといって、失笑を買ったよ」

その時、戸倉の電話が鳴った。彼は二言三言話した後、浅間のほうを向いた。

「B班の連中が新世紀大学病院に着いたそうです。今日、神楽が来た形跡はないということです」

「わかった。そのまま待機しているようにいってくれ」

浅間は自分の電話を取り出した。神楽の自宅に向かわせた捜査員に連絡を取るためだ。そちらのグループは便宜上A班と呼んでいる。

「マンションの防犯カメラに、今朝早くに出ていく神楽の姿が映っています。それ以後、戻ってきてないようです」電話に出たA班の捜査員はいった。

「部屋の中は見たか」

「まだです。令状もありませんし……」

「それもそうだな。指示があるまで、そこにいてくれ」

電話を終えた後、浅間は志賀に近づいた。志賀はコンピュータのモニターを前に、せわしなくキーボードを操作していた。その顔は険しい。

「何かわかりましたか」浅間は訊いた。

　志賀は低く唸った後、口を開いた。

「これはシステムの不調なんかじゃない。意図的に不良品のデータを読み込ませて、トラブルが発生したように見せかけてあるだけです」

「復旧することは？」

「簡単です。実際にはトラブル自体が起こってないわけですから」

「神楽がやったことですね」

「そうとしか考えられません。しかしどうしてこんなことを……」

「システムが正常だと、何か都合が悪いことがあったからじゃないですか」

「そうはいっても、彼は例の蓼科兄妹殺害事件のDNA解析をしていたわけで……」

「蓼科早樹の着衣に付着していた毛髪の解析ですね」

「そうです」

「その結果は出たんですか」

「プロファイリングは終わっていて、その結果については、昨夜の白鳥君との会食中に報告を受けました。あとは登録してあるDNAデータの検索結果を待つだけでした。白鳥君によれば、その段階でシステムが不調になったと神楽君がいいだしたそうです」

「実際には、検索結果はすでに出ていたのかもしれないわけだ」

「それは……そうかもしれません」

「確かめることはできないんですか」

「残念ながらできません。記録が消されていますから」

「じゃあ、もう一度、一からやり直したらどうですか。できるんでしょう？」

「それはできますが、すぐには無理です」

「というと？」

「DプレートというDNA情報をパッケージしたカードが必要なんです。ところが、そのDプレートも見当たらない。抜き取られています」

「神楽が持ち出したわけだ」

「その可能性はあります」志賀の口調は苦しげだ。

「そのDプレートとやらを新たに作ることはできないんですか」

「できます。半日ほどかかりますが」

「では、早速そのように手配してください。極力急ぐようにと」

志賀は不承不承といった様子で電話を取り出し、どこかにかけ始めた。Dプレートなるものを作成する部署のようだ。

「夕方までには作成してくれるようです」電話を切ってから志賀がいった。

「結構。それを検索システムにかければ、神楽が何を隠したかったのかが判明するというわけだ」

「でも浅間さん、神楽が事件に関与しているとすれば、その行動はおかしいんじゃないですか」戸倉がいった。「DNA解析すれば自分に都合の悪い結果が出るってことは予想できたはずです。それなのに結果が出てからあわててるというのは不自然です」

「うまくごまかすつもりが、何か手違いがあったんじゃないか。それで急いでデータを消し、システムが壊れたように見せかけた。そう考えれば辻褄《つじつま》が合う」

「いや、神楽君は正しい手順で解析を行ったはずです」志賀がいった。「彼にとって何か都合の悪い結果が出たのだとしても、そのことを彼は全く予想していなかったんだと思います。だからあわてたんですよ」

浅間は肩をすくめた。

「どうしてあわてるんですか。自分に後ろ暗いところがないなら、どんな結果が出ようとも堂々としていればいい」

「神楽君自身には後ろ暗いところはない。しかし思い当たることはある――そういう複雑な事情があるんです」

「何ですか、その複雑な事情というのは」

志賀は何かを答えようとし、一旦口を閉じた。それから改めていった。

「その質問に答える前に、ちょっと確かめたいことがあるんですが」

「何ですか」

「プロファイリング結果のデータなら残っているかもしれません。それを調べてみたいのです。時間はかかりません」

浅間は少し考えてから頷いた。

「いいでしょう。あなたに何か考えがありそうだ。お任せします」

志賀が再びコンピュータを操作し始めた時、浅間の電話が鳴った。B班の捜査員からだった。

「病院の防犯カメラに神楽が写っていました。門のところに設置されているカメラです」

浅間は電話を握る手に力を込めた。「今朝か」

「そうです。午前十時十七分という表示が出ています」

「十時十七分？　ついさっきじゃないか」

「我々が到着する直前です。カメラの映像によれば、神楽は一旦病院に入りかけたにもかかわらず、タクシーを拾って立ち去っています」

「タクシーは特定できそうか」

「会社はわかります」

よし、と浅間は呟いた。その彼の目が、志賀の前にあるコンピュータ画面に釘《くぎ》付けになった。そこにはコンピュータによるモンタージュ画像が描き出されつつあった。

画像の完成と同時に、志賀が振り返った。その目は血走っていた。

モンタージュ画像は神楽龍平の顔に酷似していたのだ。

「何としてでも、そのタクシーを探し出せ」浅間は電話で命じた。

22

自動ドアをくぐり、神楽は店内を見回した。書籍だけでなく、映像ソフトや音楽ソフトも豊富に揃っている大型店だ。どの売り場コーナーにも万遍なく客がいる。学生風の若者が多いのは、近くに学校が多いせいかもしれない。

中二階のフロアに白鳥里沙の姿があった。手すりに肘を置き、一階を見下ろしている。すぐに目が合った。

神楽は階段を上がり、彼女のそばに近づいていった。

「ある程度の変装は、おそらく必要でしょうね」白鳥里沙は彼の全身を眺めてからいった。「あなたのその服装は、マンションの防犯カメラに写っているはずですから」

神楽は自分のシャツを摘み、小さく頷いた。

「ここを出たら、早速入手するよ」

「現金は？」

「少しは持ってる。カードもある」

白鳥里沙は眉をひそめ、かぶりを振った。

「カードの使用は絶対にやめてください」白鳥里沙はいった。「あなたがお金を引き出そうとした瞬間に警察が動くでしょう。同様に、その他のすべてのＩＣカードの使用も控えてください。電話を使うのも厳禁です。世の中に張り巡らされたネットのすべてが、あなたを見つけだすために使われると考えてください」

神楽は首を振った。

「何が何だか、わけがわからない。なぜ警察は僕を疑い始めたんだ。君の話を聞いたかぎりでは、僕がシステムに細工をしたことがばれたわけではなさそうだけど」

「簡単なことです。新世紀大学病院の脳神経科病棟から、防犯用モニターを欺く装置が見つかったんです。警察はその装置がアリバイ工作に使われた可能性が高いと見ています」

白鳥里沙によれば、新世紀大学病院脳神経科病棟の七階と五階の監視モニターには、いつでもダミー映像が流せるような仕掛けが施されていたという。そして事件が起きた時間帯、五階のモニターにはまさにそのダミーが流れていたらしい。

「そんなもの、僕は知らない」神楽は首を振った。

白鳥里沙は首を傾げ、観察するような目を神楽に向けてきた。

「あなたが嘘をついているかどうかはともかく、システムに細工をしたのは、あなたにとって計算外のことが起きたからだろうと私は考えています。どうですか」

神楽は周囲に聞き耳をたてている者がいないことを確認してから、しかめっ面で頷いた。

「その通りだ。蓼科早樹の着衣に付着していた毛髪を分析したところ、コンピュータがとんでもない結果を出しやがった。あろうことか、僕の毛髪だというんだ」

白鳥里沙の、ただでさえくっきりとした目が、一層大きく開かれた。

「それはエキサイティングですね」

「どういうことか、さっぱりわからない。僕には全く心当たりがないんだ」

すると彼女は疑念の籠もった表情を示した。

「本当にそうなんですか。ではなぜシステムに細工したりせず、正直にいわないのですか」

この疑問に神楽は答えられない。口籠もった彼を見て、白鳥里沙は唇を緩めた。

「どうやら全く心当たりがないわけではなさそうですね。むしろ、あなたはわかっている。自分には身に覚えはないけれど、自分が犯人の可能性があるということを」

神楽は彼女を睨みつけた。

「知っているのか。僕の症状について」

「リュウという画家のことなら、志賀所長から伺っています」白鳥里沙は、さらりといった。

23

イーゼルに置かれたキャンバスは、浅間にとって見覚えのあるものだった。初めてこの研究所に来た時に見たのだ。そこに描かれているのは、何かを包み込むような形をとっている人間の両手だった。

「二重人格……あの神楽が」浅間は腕組みをし、キャンバスの絵を眺めた。

三人は研究室の奥にある部屋にいた。神楽の仕事部屋だ。中央に会議机が置かれ、書棚やキャビネットが並んでいる。浅間が前に来た時と殆ど変わっていなかった。

「薬で人格の転換をコントロールしているから、日常生活に支障をきたすようなことはなかったんです。私にしても、リュウと名乗るもう一人の人格に接することは殆どありませんでした。あなたが最初にここに来られた時、私がこの部屋のドアを開けたら、中にいた人物が怒鳴ったことがあったでしょう？　あれがリュウです」

浅間は頷いた。その時のことはよく覚えている。

「その後でこの部屋に入ったら、神楽しかいなかった。それなのに彼は、絵を描いたのは自分じゃない、描いた人物は部屋から出ていった、といいました。ほかに出入口がないので、おかしいと思った」

「あなたに説明するのは難しいと思ったんです。その必要もないと思いました」

「その言い分は理解できますが、こういう状況になったとなれば話は別だ」浅間は会議机に置かれた一枚の写真を指差した。それはコンピュータが描きだしたモンタージュ映像をプリントアウトしたものだ。どう見ても神楽龍平としか思えない。

志賀は苦悶《くもん》の色を浮かべた。

「神楽君に、自分が蓼科兄妹殺しに関わっているという自覚があるなら、戸倉さんがいうように、まともにDNA解析などするわけがない。その前に何らかの細工をしていたはずです。この結果を見て一番驚いているのは、おそらく彼自身でしょう」

「つまり、神楽のもう一人の人格――リュウとかいう人物が犯人である可能性が高い、ということですね」

「信じたくないことですが、そう考えるしかなさそうだ」

浅間は、立ったままの戸倉を見上げた。

「A班に連絡してくれ。神楽の部屋を調べさせるんだ。令状なんかなくてもいい。俺が責任を持つ」

戸倉が電話をかけるのを見届けた後、浅間は視線を志賀に戻した。

「神楽が立ち寄りそうなところを教えてください。友人、知人、親戚関係、何もかもすべてです」

「彼を逮捕するんですか。彼自身には、おそらく身に覚えがないというのに」

「それは仕方がない」浅間は頷いていった。「どの人格の意思によるものであれ、行動を起こしたのは彼の肉体なんですから」

24

「反転剤が効かない？　つまり彼――リュウを呼び出せないということですか」白鳥里沙が眉間に皺を寄せた。

二人は書店の中にある喫茶コーナーに移動していた。神楽はブラックコーヒーを、白鳥里沙はミルクティーを飲んでいる。

「なぜそういうことになったのか、僕にもわからない。それで水上教授に相談したいと思って大学病院に行ったんだ」

「今の状況で新世紀大学に近づけば、忽《たちま》ち逮捕されるでしょうね」

神楽はコーヒーを啜《すす》り、舌打ちした。

「逮捕されて、刑事から尋問されたとしても、今の僕には答えられることが何もない。とにかく何とかしてリュウを引っ張り出さないと」

「水上教授なら、彼を呼び出せるかもしれないわけですか」

「それはわからない。でもほかに方法が思いつかない」

白鳥里沙は思案を巡らせる表情を浮かべた後、何かを決心したように首を縦に振った。

「わかりました。ではその点については、私が何とかしてみましょう」

「何とかって？」

「私が教授から、なぜ反転剤が効かないのかを聞き出してみます。大丈夫、私があなたと接触していることは、警察にはもちろん教授にだって気づかれないようにします」

神楽は白鳥里沙の顔を見直した。

「肝心なことを訊くのを忘れていた。どうして君は僕を助けてくれるんだ。君の目的は何だ」

白鳥里沙は背筋を伸ばし、カップをゆっくりと口元に運んだ。ミルクティーを一口飲んだ後、カップをソーサーに戻した。

「ようやく本題に入れますね。私があなたを助けるのは、今あなたが警察に拘束されると困るからです。あなた、あるいはリュウから聞き出したいことがあるのです」

「何のことだ」

「蓼科早樹が最後に作ったプログラム——『モーグル』のことです」

「あっ……」

その名称を、神楽はたしかに耳にしたことがあった。今回の捜査で、鑑識チームが蓼科早樹の端末から見つけだしたものだ。ただし、それがどういうものなのかはわかっていない。

そのことを神楽が告げると、白鳥里沙はゆっくりと顎を引いた。

「そうですか。志賀所長も御存じないようでした。ということは、蓼科兄妹は誰にもプログラムの内容を話していなかったのかもしれませんね」

「君は『モーグル』の内容を知っているのか」

神楽の質問に、彼女は首を小さく傾けた。

「知っている、というのは正確ではありませんね。推測していることはある、と申し上げておきましょうか」

「それで結構だ。どんなふうに推測しているのか、聞かせてもらいたいね」

彼女は意味ありげに微笑んだ。

「今の段階では、それをお話しするわけにはいきません。『モーグル』が見つかった時、そしてその内容を確認できた時には、あなたも知ることになるでしょう」

神楽は白鳥里沙の整った顔を見つめたまま、コーヒーカップを口元に運んだ。彼女は微笑を浮かべ続けていた。

「おかしな話だな」神楽はいった。「君は我々の捜査システムを学ぶためにアメリカから派遣されてきたはずだ。それなのに蓼科早樹が最後に作ったプログラムのことを我々以上に知っているような口ぶりだ。一体どういうことなのかな」

「あなたの疑問は尤もです。でも残念ながら、それについても今ここでお答えするわけにはいかないんです。わかっていただきたいのは、私は決して嘘をついているわけではないということです。あなた方のシステムを学ぶために派遣されてきたのは事実です。ただ、私にはもう一つ任務が与えられています。それは一言でいえば、ＤＮＡ捜査システムの完成を見届ける、ということになります」

神楽は眉根を寄せていた。

「それはどういうことだ」

「言葉通りの意味です。あなた方が現在使用しているシステムは、厳密にいえば未完成なものなのです。完成させるには、最後のパーツが必要になります。パーツをプログラムといい換えることも可能です」

「それが『モーグル』だというのか」

「その可能性が高い、と私は考えています」

神楽は頭を掻きむしった。

「どうにも腑に落ちないな。システムが未完成だなんて話は、一度も聞いたことがない。なぜアメリカ側が知っているんだ」

ここでようやく白鳥里沙の笑顔が消えた。彼女は躊躇いの気配を見せながらも唇を開いた。

「ある数学者からの情報なのです。彼は蓼科兄妹と定期的にメールでやりとりをしていました。そのメールによって、システムが未完成だと判明したのです」

「その数学者の名前は？」

「申し訳ありませんが、お教えするわけにはいきません」

　神楽は、ふっと息を吐いた。

「肝心なことは内緒か。まあ、いいだろう。今もいったように、僕は『モーグル』のことなんて何も知らない。蓼科兄妹は、僕に無断でそんなものを作っていたわけだ。したがって、君に提供できる情報を僕は持っていない。君が僕を助けてくれるのは、『モーグル』に関する情報を手に入れたいからだろう？　すっかり当てが外れてしまったわけだけど、僕のことをどうする？　警察に引き渡すかい？」

　白鳥里沙は悠然とした動作でミルクティーを飲んだ。どうすべきか考えているというより、もったいぶっているように見えた。

「あなたが『モーグル』を知らない可能性は十分にあると思っていました。そのこと自体は驚くに値しません。それより問題なのは、その『モーグル』が行方不明だということです。鑑識チームが見つけたのは、蓼科早樹が『モーグル』というプログラムを作成していたという痕跡《こんせき》だけでした」

「僕たちも、そう聞いている」

「『モーグル』は果たしてどこに消えたのか。それをあなたに推理していただきたいのです。推理し、探し出してほしいのです。それができるのは、蓼科兄妹と最も密接にコンタクトを取っていたあなただけだと思いますから」

神楽はコーヒーカップをテーブルに置き、白鳥里沙を凝視した。

「それで僕を助けてくれるわけか」

「納得していただけましたか」

「その点に関してはね。だけどすべてを納得したわけじゃない。そもそも僕は、システムが未完成だなんて話は聞いていない。システムは問題なく機能している。あれのどこに不足した部分があるというんだ。プロファイリングは完璧だし、検索システムで見つけられないケースだって、かなり減ってきている……」そこまでしゃべったところで神楽は口を閉ざした。自分がたった今話した中に、システムの未熟さを暗示する部分があることに気づいたからだった。

彼の内心を見透かしたように、白鳥里沙が再び笑みを浮かべた。

「何か思い当たったことがあるようですね」

「NF13……もしかすると、あれのことをいっているのか」

「連続婦女暴行殺人事件——まだ解決していませんね。現場からは犯人の様々な痕跡が見つかっていると聞いています。ところがあなた方は、犯人の尻尾《しっぽ》さえも摑めていない。それが単なるデータ不足のせいだとは、どうしても思えないんです」

「プログラムに欠陥があって、その陰に隠れているということか……」

「そう考えたほうが合理的ではありませんか」

「そんな欠陥があるのなら、NF13以外にも検索不能なケースがもっとたくさん出てくるはずだ。だけど今のところ、そんな兆候は出ていない」

「今のところ、でしょう？　今後どうなるかはわかりません」

神楽は頭を掻きむしった。その手を止め、白鳥里沙を見つめた。

「蓼科兄妹を殺した犯人の狙いも、その『モーグル』だったとは考えられないか」

白鳥里沙は一瞬目を見開いた。

「もちろん、考えられます」

「だとすれば、『モーグル』は犯人が持ち去ったと考えるべきじゃないか」

「その可能性は極めて低いです」

「どうして？」

「先程お話しした数学者に、蓼科耕作は『モーグル』が完成したこと、それを安全な場所に保管するつもりだという意味のことを伝えています。犯人が兄妹を殺害した後、室内を荒らし回った形跡はありません。そもそもそれだけの時間はなかったはずです。誰が兄妹を殺したにせよ、『モーグル』はどこかに隠されたままだと推測します」

神楽は、すっかりぬるくなったコーヒーを飲み干した。

「そこまで材料が揃っているなら、志賀所長に相談すればいいじゃないか。警察庁に任せれば、『モーグル』だってすぐに見つけられるかもしれない」

「そういうわけにはいかないから、こうしてあなたを手助けしているんです。私たちは、あなたに『モーグル』を見つけだしてほしいのです」小声ながらもきっぱりとした口調で白鳥里沙はいった。幾分、焦りと苛立ちが感じられた。

神楽は白鳥里沙を睨みつけた。

「アメリカは日本を出し抜こうとしているわけだな。日米で協力してシステムを構築していこうとか、双方のデータベースを共有できる仕組みを作ろうとかいっておきながら」

「その方針に変わりはありません。だけど問題への取り組み方については、アメリカが日本と必ず足並みを揃えるわけではありません」

「ものはいいようだ」

「『モーグル』はそれほど扱いが微妙なものなのです」そういってから白鳥里沙は腕時計を見た。「時間はあまりありません。今すぐに回答してください。あなたが私たちに協力してくれるなら、私たちもあなたをバックアップします。どうしますか」

神楽は吐息をつき、かぶりを振った。

「僕に選択の余地なんてないんだろ。断れば、警察に逮捕される」

「私たちが通報することはありませんが、逃げ続けるのは困難でしょうね。では、承諾してくださったということでいいですね」

「だけど僕には本当に何ひとつ心当たりがないんだ。『モーグル』のことなんて、今初めて知ったようなものだし」

「考えるんです。蓼科兄妹なら『モーグル』をどこに隠すか。何度もいうようですが、あなたにしかできないことです」

神楽は指先で両目を押さえた。

「頭が痛くなってきた」

「これを」

白鳥里沙にいわれ、神楽は顔を上げた。彼女は電話を手にしていた。

「私との連絡用です。ほかのことにはなるべく使わないように。やむをえず使う時でも、本名を名乗ったりしないように」

「わかった」

彼女はバッグから封筒を出してきた。

「電話には電子マネーが入っていますが、現金が必要なケースもあるでしょう」

神楽は受け取り、中を見た。札束が入っている。百万円以上はありそうだ。こんな時でなければ口笛を吹いているところだ。

「それから、これも渡しておきます」さらに彼女は鍵と紙片を出してきた。紙片には地図が描かれている。「マンションのキーです。部屋番号は１２０８、十二階です。当面の潜伏先ということになりますが、防犯カメラに顔が写らないように用心してください」

「ずいぶんと手回しがいいな。僕が警察から追われるのを予期していたみたいだ」

「勘繰らないでください。今の世の中、潜伏場所を急遽《きゅうきょ》用意することなど、何でもないことです」

「僕を助けたことについて、警察庁にばれたらどうする気だ」

「それは私のような末端の人間が心配することではありません」

「国家間レベルで話がつけられる、とでもいいたいのか」

この問いに白鳥里沙は答えず、再び時計に目を落とした。

「では幸運を祈ります。定期的に連絡を入れますから、電話の電源はなるべく切らないように」

「待ってくれ。もう一つだけ訊きたいことがある。君は僕を蓼科兄妹殺しの犯人だと思っているのか。それとも犯人じゃないと思ってるのか」

白鳥里沙は意外そうな顔で神楽を見返した。

「あなたは違うでしょう。リュウについてはわかりませんけど」

「リュウが犯人ならどうする？」

彼女は肩をすくめた。

「犯人が誰かということには興味がありません。私が知りたいのは、『モーグル』がどこにあるかということだけです。もちろんリュウがそれを知っているのなら、何としてでも問い詰めたいですけど、今のところそれは不可能のようですから」

「リュウは『モーグル』のことなど知らないと思うよ」

「だったら、犯人であろうがなかろうが、どうでもいいことです」

急ぎましょう、といって彼女は椅子から立ち上がった。

神楽は白鳥里沙とは店内で別れ、そのまま書店を出た。少し先に大型のショッピングセンターがあったことを思い出し、タクシーには乗らず、歩き始めた。

ショッピングセンターで服と靴、さらにはサングラスまで買い揃え、トイレで着替えを済ませた。それまで身に着けていたものは紙袋に入れ、ショッピングセンターを出てから、近くのマンションのゴミ集積場に紛れ込ませた。

白鳥里沙から受け取った地図を取り出した。潜伏用マンションの住所は、江東区となっていた。

25

浅間は神楽龍平のマンションに来ていた。すでに捜査員たちによって、室内の捜索は終わっている。だが神楽の行き先を示すものは見当たらなかった。蓼科兄妹殺害を裏づけるものも、その動機に繋がりそうなものも発見できていない。

唯一見つかったものは、神楽が書いたと思われる手紙だった。文面は次のようなものだ。

『リュウと名乗る者へ。

あいさつは抜きだ。おれがこんな手紙を書く理由については説明不要だろう。どうしてもあんたに尋ねたいことがある。もちろん、蓼科早樹のことだ。

あんたもわかっていると思うが、おれの毛髪が蓼科早樹の服に付いていた。おれには心当たりがないから、あんたが原因だってことになる。どういうことなのか、すぐに説明してほしい。断っておくが、ここには絵を描く道具は揃っていない。退屈かもしれないが、我慢しろ。では回答を待つ。』

リュウというのが神楽のもう一つの人格だということは、すでに浅間も知っている。つまりこの手紙は神楽自身が、もう一人の自分に宛てて書いたものなのだ。この文面を読むかぎりでは、神楽自身は、蓼科兄妹殺害について何も知らないようだ。その点について疑う必要はないかもしれないと浅間は考えていた。自分は事件と無関係だと思っていたからこそ、神楽は通常の手順でDNA解析を行ったのだろう。ところがあろうことか、コンピュータが出してきた答えは自分自身を示すものだった。大あわてでシステムの故障を装ったとしても不思議ではない。

問題は、次に神楽がどう行動するかだ――。

浅間は窓から外を見下ろしていた。そこへ戸倉がやってきた。

「防犯カメラの映像を見るかぎりでは、神楽は荷物を持っていません。パスポートなども引き出しに入れたままですし、この部屋を出た時点では、逃走する気があったとは思えませんね」

「じゃあ、奴はどこへ行ったんだ？　新世紀大学の入り口付近で立ち去った後、特解研は無断欠勤。自宅にも戻らない。志賀たちに連絡もなしだ」

「だから、ここを出た後で、このままでは自分が逮捕されてしまうと思い、行方をくらますことにしたんじゃないでしょうか」

「そうだとして、じゃあ奴は今、どうしてると思う？　ただ息を潜めているだけか？　奴だって警察庁の人間だ。そんなことで逃げ切れるとは考えないだろう」

「だけど、下手に動いたりはしないでしょう」

「そうかな。俺は動くと思う。奴は単なる殺人事件の容疑者じゃない。容疑者であると同時に探偵でもあるんだ。自分の身体に潜んでいる犯人を追う探偵だ」浅間はそばのソファに腰を下ろした。センターテーブルに灰皿が載っている。それを見つめた。「この灰皿に、吸い殻が二つ入っていた」

「そうらしいですね」

「調べたところ、ふつうの煙草じゃなかった。おそらく例の反転剤とかいう代物だ。神楽はリュウ宛の手紙を書き、彼に読ませるために反転剤を吸った。そう考えるのが妥当だろう」

「同感ですね」

「神楽は、リュウからの回答を得られたと思うか」

さあ、と戸倉は首を捻る。

「新世紀大学に行ってみよう。リュウについて一番詳しい人間から話を聞くしかない」浅間はソファから腰を上げた。

浅間たちが新世紀大学の精神分析研究室に行くと、廊下で先客が待っていた。白鳥里沙だった。

「浅間警部補でしたね。今朝はどうも」彼女は立ち上がり、会釈してきた。今朝、警察庁の会議室で顔を合わせていた。

「どうしておたくがここに？」浅間は訊いた。

彼女は微笑んだ。

「神楽さんとリュウについて、水上教授に教えてもらおうと思いまして。あなた方も、目的は同じでしょう？」

浅間が戸倉と顔を見合わせた時、ドアが開いて水上が顔を覗かせた。

「お揃いですな。ちょうどいい。まとめて話を伺いましょう」

浅間たちは白鳥里沙に続く形で部屋に入った。小さなテーブルがあり、向き合うように二つの椅子が置かれている。予備の椅子はないようだ。浅間は戸倉と共に立っていることにした。

「さて、どちらから先に話を聞きましょうか」水上は白鳥里沙と浅間たちとを見比べた。

「警部補からどうぞ」白鳥里沙が譲ってきた。「捜査の事実上の責任者はあなたですから」

「では遠慮なく」浅間は立ったままテーブルに両手をついた。「神楽龍平に蓼科兄妹殺害の容疑がかかっていることは御存じですね」

「志賀所長から聞きました。正確には神楽君ではなくリュウが疑われているということでしたが」

「その通りです。状況証拠や物証が、いくつか揃っています。そこでお尋ねしたいのです。リュウが犯人だとして、その動機は何だと思いますか」

水上はぴんと背筋を伸ばし、真剣な眼差しを浅間に向けてきた。

「私にはさっぱりわかりません。いやそれ以前に、リュウが人を殺すことなど、到底考えられない」

「殺人者の身内は、大抵そういいますよ」

水上はかぶりを振った。

「彼は人を殺すような悪人ではない、といっているのではありません。それ以前の話です。彼は人と関わること自体を避けているのです。私にさえも、容易には心を開かない。わかりますか。人に近づかない人間には、他人を殺す動機など、生じる余地がないのです」

「しかし今もいいましたように、いくつかの証拠があります」

「あり得ない。何かの間違いだと断言しておきます」穏やかな口調だが、その言葉からは強い意志が感じられた。

浅間は唇を舐め、さらに身を乗り出した。

「我々は神楽の部屋に行ってきました。そこで手紙を見つけました」

「手紙？」水上は眉をひそめた。

「神楽がリュウに宛てて書いた手紙です」

浅間は上着のポケットから一枚の書類を取り出した。例の手紙をコピーしたものだ。それを水上に見せた。

「どうお考えになりますか。ほかならぬ神楽自身がリュウのことを疑っているのです」

「神楽君の気持ちを考えると、無理もないことだとは思いますね」

「どういう意味ですか」

「あなたにとって、この世で一番信用できる人間は誰ですか」

「俺ですか？　俺は……そうだな」思わず苦笑を浮かべていた。信用できる人間などいないと思ったからだ。

水上は彼の内心を悟ったように頷いた。

「あまり人は信用できないようですね」

「疑うのが商売ですから」

「つまり、信用できるのは自分だけ。そういうことではないですか」

「まあそうですね」

「神楽君は、自分すらも信用できないのです」水上はいった。「神楽君にとってリュウは、決して出会うことのない存在です。どういう人間なのか、直接知ることは不可能です。リュウが何を考え、どういう行動を起こすか、彼には全く予想できないし、起こしてしまった行動についても、誰かに教わらないかぎりは知ることもできないのです。当然、リュウの行動を制御することも不可能です。リュウが人を殺したと聞かされても、彼としては否定することもできない。多重人格者というのは、私やあなたのような人間には理解しがたい苦しみを抱えているのです」

浅間は眉間に皺を寄せていた。たしかに理解しにくい話だった。だが理解する必要もない話だと彼は思った。

「反転剤について教えていただけますか」浅間はいった。「反転剤によって、どれぐらいの時間、人格はリュウのものになっているんでしょうか」

「人によりますが、リュウの場合の人格維持は約五時間でした」

「一本で五時間？」

「そうです」

「すると二本で約十時間か」

「どういうことですか。二本というのは？」水上が訊いてきた。

「現在、神楽は姿をくらましています。しかしもしかすると、それはリュウの意思によるものかもしれないと考えたわけです。現場には二本の反転剤が残されていました」

水上が怪訝そうに見返してきた。

「たしかに反転剤ですか」

「たしかです。写真があります」

浅間は電話を取り出し、液晶画面を水上に見せた。そこには二本の吸い殻が入った灰皿が映し出されている。

水上の顔つきが険しくなった。

「これは……おかしいな」

「何がですか」

「反転剤の使用は一週間に一度一本だけ、と決めてあります。続けざまに人格を反転させることは、精神の錯乱を引き起こすおそれがあるからです。しかしこれを見たかぎりだと、たしかに立て続けに二本を使用したようだ。そんなことはこれまでに一度もなかった。どうしてこんなことを……」水上は首を捻った。液晶画面を睨み続けている。

その時、隣で聞いていた白鳥里沙が口を挟んできた。

「一本では効果がなかったから……とか」

浅間は彼女の端整な顔を見た。

「ごめんなさい。横から口出ししちゃって」彼女は自分の口元を手で覆った。

「それはあり得ますね」水上がいった。「あなたのいう通りだ。一本では反転が起こらなかったのかもしれない。反転剤の連続使用の危険性を神楽君は十分に知っていたはずで、余程のことがないかぎり、二本目を吸うことはないでしょうから」

「反転剤が効かないなんてことがあるんですか」浅間は訊いた。

「ごく稀《まれ》にあります」

「その原因は？」

「二つ考えられます」水上は指を二本立てた。「ひとつは多重人格の症状が好転した時。つまり別人格が消失したために、人格の反転もなくなったということです。これは望ましいケースです。もう一つは、何らかの理由で、もう一方の人格が表出することを拒否している場合です。これは望ましいとはいえないのですが、残念ながら、今回の神楽君のケースはこちらだと思います」

「要するに、リュウ自身が出てくるのを拒んでるってことですか」

「その可能性が高いです」

「反転剤を使用しても、人格が出てくるかどうかは、リュウの意思に委《ゆだ》ねられているんですか」

「そういうわけではありません。根本的には潜在意識の問題なのです。リュウという別人が神楽君の身体に間借りしているように思われるかもしれませんが、実際にはそうじゃない。リュウを作りだしているのが神楽君の脳であることは動かしがたい事実です。神楽君自身の中に、リュウを目覚めさせたくないという潜在意識があった場合、反転剤は効かなくなるかもしれません」

浅間は口元を歪め、大きな音をたてて舌打ちした。「厄介な話だなあ」

「困惑されるのはよくわかります。しかし決して神楽君自身のせいではないのです。様々な心的要因が、そういう複雑な状況を作りだしたのだと理解してやってください」

浅間はため息をついた。理解してやれば事件が解決するのなら、いくらでも努力してやるさといいたいところだった。

「反転剤が効かなければ、リュウを呼び出すことはできないのでしょうか」白鳥里沙が質問した。

「催眠療法を使えば、もしかすると呼び出せるかもしれません。しかしいずれにせよ、彼をここに連れてくる必要があります」

「神楽がどこにいるか、心当たりはありませんか」浅間は水上に訊いた。

「わかりません。ここ最近の彼は、自宅と研究所を往復するだけで、もしほかに寄るとすれば、この病院ぐらいだったはずです」

「たしかに彼は、今朝、この病院の前まで来ているんです。ところがなぜか中へは入らず、どこかへ立ち去りました。どういうことだと思いますか」

水上は苦しげな表情で首を捻った。

「ここへ来たのは、反転剤が効かないことで私に相談したかったのかもしれませんね。しかしどうして途中で引き返したのかは見当もつきません」

浅間は唇を嚙んだ。その時、水上が手にしていた電話が着信を告げた。

失礼、といって浅間は電話を受け取った。ドアを開け、廊下に出ながら通話状態にした。

着信表示は木場になっていた。

「はい、浅間です」

俺だ、と木場はいった。「その後、何かわかったか」

「逃げているのはリュウのほうではなく、神楽のようです」

「何？　どういうことだ」

浅間は水上から聞いた話をそのまま伝えた。木場は意味がわかったのかどうかは不明だが、ふうん、とだけ答えた。

「神楽の逃走先を探っているところですが、これといった場所が見つかっていません。ホテルや旅館などを地道に当たるしかなさそうです」

「わかった。他府県の警察にも協力を仰ごう」

「お願いします。話というのは、それだけですか」

「いや、もっと大事な話がある。そっちの用事が終わったら、俺のところへ来てくれ」

「何ですか」

「それは後で話す。なるべく急いでくれ」一方的にそういうと木場は電話を切った。

26

マンションは川沿いに建っていた。窓を開けるとライトアップされた橋が、すぐそばに見えた。部屋は六畳ほどのワンルームで、毛布が二枚と小さな座卓、それからノート型パソコン一台が置いてあるだけだった。

コンビニの弁当で夕食を済ませた神楽は、パソコンを使って自分に関する情報を調べてみた。しかし蓼科兄妹殺害事件に関する記事自体が皆無だった。警察庁のシステムに侵入してみたが、結果は同じだった。

神楽は床に寝転がり、天井を見上げた。白鳥里沙とのやりとりを反芻《はんすう》した。

『モーグル』とは一体何なのか――。

不可解な点がいくつかあった。まず、DNA捜査システムが未完成だということを、なぜ蓼科兄妹は神楽たちに隠していたのか。システムが現在の形に仕上がったのは一年以上も前だ。その後、蓼科耕作は何度も、「システムは完璧で手を加えるところはない」と断言していた。彼等でさえ見落としていた欠陥がシステムにあったということか。ならば、それが見つかった時点で、なぜ報告してこなかったのか。

『モーグル』が、システムの不備を補う目的で開発されたプログラムだとする。ではなぜそれを神楽に渡さなかったのか。「安全な場所に保管」する必要があったのか。

そこまで考えた時、神楽の頭に閃《ひらめ》くことがあった。彼は身体を起こした。

事件の直前、蓼科耕作と交わした会話を思い出した。蓼科耕作は、システムのほうはどうかと尋ねてきた。順調だと神楽が答えると、本当に順調なのかと確認してきた。さらにNF13について話したいことがあるといった。

間違いない。あの時、蓼科耕作は、システムの不備と『モーグル』について打ち明けようとしていたのだ。

だとすれば、蓼科耕作は神楽に『モーグル』を見せる準備をしていたはずだ。当然、すぐそばに置いてあったということになる。それなのに発見されないというのはどういうことか。やはり兄妹を殺害した犯人が持ち去ったのか。

そこまで考えた時、インターホンのチャイムが鳴った。

ぎくりとして神楽は玄関のドアを見つめた。するともう一度チャイムが鳴った。

彼は足音を殺し、ゆっくりとドアに近づいた。物音をたてぬよう慎重にドアスコープを覗いた。次の瞬間、自分の目を疑っていた。

スズランが笑顔を浮かべているのが見えたからだ。

呆然《ぼうぜん》としたまま、鍵を外し、ドアを開けた。

スズランは笑顔のままで小さく首を傾けた。「こんにちは」

「どうして……」

何が、と訊きながら彼女は神楽の脇を抜け、部屋に入ってきた。

「ふうん、今度はこういう部屋なんだ。少し狭いけど、シンプルな生活をするなら、こういうふうなのがいいかも」窓際に立ち、外を見下ろした。「わあ、川が見えるんだね。橋がすごく奇麗」

神楽は彼女の細い後ろ姿を睨んだ。

「どういうことなんだ」

「だから、何が?」スズランは外を眺めたままだ。

「どうして僕がここにいるとわかった?」

「またその話? 前にも説明したと思うけど」

神楽は彼女に近づき、肩を摑んで強引に振り向かせた。

「テレパシーで感じたって? そんな話を僕が信用するとでも思ってるのか」

「痛い……」

彼女が辛《つら》そうに顔を歪めたので、神楽は手を離した。

「本当のことが知りたいだけなんだ。ごまかそうとしないでくれ」

「ごまかしてなんかいない。どうして信じてくれないの?」

悲しげな目を向けられ、神楽の心は揺れた。たしかに彼女が嘘をついている気配は感じられない。だがテレパシーなどというものを易々《やすやす》と信じるわけにはいかない。

「君は……何者なんだ」

「そのことも前に話したでしょ。あたしはリュウの恋人。だから彼の波長を感じ取れる。自分では気づいていないようだけど、あなたからはリュウのオーラが出ているのよ」

神楽は首を振り、彼女の顔を見つめた。

「悪いけど、信じられない」

「じゃあ、どうしてだと思う？　どうしてあたしにこの場所がわかったと思うわけ？　何事も論理的に説明できないと納得できないっていうんなら、あなたが推理してみたらいいじゃない」彼女は神楽を上目遣いに見た。その目には強い光が宿っていた。

「この場所を知っているのは、白鳥君だけだ。つまり君が彼女の仲間だと考えれば、疑問は解消される」

「シラトリ？　誰それ？　そんな人、あたしには関係ない」スズランは、ぶっきらぼうにいい放った。その態度からも演技の臭《にお》いは感じられなかった。

テレパシー、リュウの波長——そんなものが本当にあるのだろうか。

神楽が思考を巡らせていると、「座ってもいい？」と彼女が訊いてきた。いいよ、と彼は答えた。

スズランは床に腰を下ろすと、壁にもたれて膝《ひざ》を抱えた。神楽は彼女と向き合うように、反対側の壁にもたれて座った。

「質問を変えよう。じゃあ、君はここへ何をしに来たんだ？　目的は何だ」

スズランは顔を上げた。口元を少し緩めていった。

「そんなの決まってるじゃない。リュウに会うため。あたしは彼に会いたいの」

「それに関しては、僕たちの思惑は一致しているようだ。僕だって君と同じだ。リュウに用がある。彼に訊きたいことが山のようにある。ところが彼は出てこない。僕に殺人の容疑を着せたまま、殻の中に逃げ込んでしまっている。反転剤も役に立たない。一体どうすりゃいいのかと途方に暮れているところでね」彼女の顔を見ながらまくしたてた後、神楽は吐息をついた。「君に八つ当たりをする気はないんだけどさ」

「あなたに殺人の容疑を着せたって……彼だって無実よ。殺人なんか犯してない」

「どうしてそう断言できる？　あの日君は彼が眠るのを見届けてから部屋を出たといったけど、彼が眠ったふりをしていた可能性だってある」

「彼はそんなことしない」

「わかるもんか。僕は君と違って、彼のことを信用していない。信用する根拠がない」そういった後、神楽の頭に閃いたことがあった。「前に会った時、僕は君に質問した。脳神経科病棟の五階にある部屋で、どうやって防犯カメラを逃れてリュウと会っていたのか、とね。君の答えは、光学的にしか物を見られないカメラをごまかすのなんて簡単だ、というものだった。覚えてるか」

「覚えてる」

「あの時には君のいっている意味がわからなかったが、その後で判明した。防犯用のモニターに偽の映像を流す仕掛けが施されていたそうだ。その仕掛けが付けられていたのは蓼科兄妹の部屋があった七階と、君とリュウが会っていた五階だ。あの仕掛けはリュウの仕業だな」

　スズランは抱えてた膝を離し、両足をぴんと伸ばした。

「違うといっても、神楽君は信用しないよね」

「じゃあ誰が仕掛けたんだ？」

　スズランは目を伏せ、諦《あきら》めたように小さく頷いた。

「そうだよ。仕掛けたのはリュウ。あたしが自由に彼に会いに行けるようにしてくれたの。だって関係者以外立入禁止なんでしょ、あの建物」

「ようやく正直に話す気になったか。でもそれなら全部話してほしいもんだな。たしかに五階の仕掛けについては、そういうロマンチックな説明でもいい。だけど同じ仕掛けが七階にも施されていたことについては説明がつかない。犯人はそれを利用して警備の目をかいくぐり、蓼科兄妹を殺害したんだ。犯人は仕掛けの存在を知っていた人間、つまりリュウってことになる」

「違う、彼はそんなことしてないっ」スズランは勢いよく立ち上がり、神楽を見下ろしてきた。「お願いだから、彼のことを疑わないで。信用してあげて。だって、あなたの分身なんだよ」

「奴は分身なんかじゃない。病巣だ」

「病巣って……」スズランは眉間に皺を寄せた。

「この中に住みついた病巣なんだ」神楽は自分の頭を指差した。「いつかは追い出してやる。だがその前に、本当のことをしゃべらせるぞ。どんな手を使ってでも」

スズランはゆっくりと頭を振った。それから踵を返し、ドアに向かって歩きだした。

「どこへ行く気だ」

彼女は足を止めた。

「今夜は帰る。一緒にいても、あまりいいことはないみたいだから」

神楽は素早く立ち上がった。

「そうはいかない。話はまだ終わってない」彼はスズランの両肩を摑んだ。「何か知ってるんだろう？　隠してないで、白状したらどうなんだ」

「離して。どうしてすぐに乱暴するの？」彼女は彼を見上げた。その目は充血していた。涙がこぼれそうになっている。「それ以上乱暴すると、大きな声を出すから。騒ぎになって警察が来たりしたら、困るのはあなたのほうでしょ」

神楽は両手を引っ込めていた。

「君に痛い思いをさせたいわけじゃない。本当のことを知りたいだけなんだ」

「あたし、本当のことを話してる。何も隠してない」

「じゃあ、最後に一つだけ質問させてくれ。君はリュウから、『モーグル』という言葉を聞いたことはないか」

スズランの表情は殆ど変わらなかった。睫《まつげ》だけがぴくぴくと動いた。

「そんなもの知らない」

「本当か。『モーグル』というのはプログラムなんだ。蓼科早樹が作ったプログラムだ。僕はそれを何としてでも探し出さなきゃいけない。もし何か知っているのなら教えてほしい」

スズランの顔に、うっすらと笑みが浮かんだ。憐れむような表情に見えた。

「神楽君、あたしたちのことが何もわかってないね。あたしとリュウは、そんな話はしない。前にいったでしょ。彼は絵を描くだけ。あたしはそれを眺めてるだけ。二人で話すのは、彼が頭の中に作った世界のことだけ。その世界にはプログラムなんて存在しない」

神楽は太い息を吐いた。肩から力が抜けた。

「わかったよ。もういい。帰ってくれ」

スズランは靴を履き、ドアを開けた。だが振り返ると、神楽君、と呼びかけてきた。

「ごめんね、何の役にも立てなくて。もう会いに来ちゃだめ？」

「だめじゃないけど、いつリュウに会えるかはわからないぜ」

「それでもいいの。神楽君と一緒にいたら、リュウのことを感じられるから」

神楽は頷いた。

「そういうことなら、いつでもどうぞ」

「ありがとう。じゃあ、またね」

うん、と神楽は答えた。スズランは安心したように微笑み、部屋を出ていった。

神楽はドアに鍵をかけた。不思議だ、と思った。彼女が何者なのかは全くわからないのだが、怪しむ気になれない。それどころか、ふと気を許してしまいそうになる。

その時、電話が着信を告げた。表示を見ると、やはり白鳥里沙からだった。

「マンションの居心地はどうですか」いきなりそんなことを尋ねてきた。

「問題ない。それより確認だけど、この場所を知っている人間は、君のほかにはいないんだな」

「もちろんそうです。私の上の人間にも教えていません。それが何か？」

「いや、確かめたかっただけだ」

白鳥里沙が嘘をついているとは思えない。だとすると、やはりスズランはテレパシーによってこの場所を探し当てたということか。

「水上教授に会いました。反転剤が効かないこともあり得るそうです。原因は、あなた自身の中にある可能性が高いとのことでした。あなたの潜在意識がリュウの表出を抑制しているというわけです」

「僕の潜在意識が？　どうして急にそんなことになるんだ」

「そこまではわかりません。私があなたと連絡を取り合っていることは教授にも話せませんから、そこまで訊くのが精一杯でした」

「で、どうすればこの状況を解決できるんだ」

「リュウを呼び出すとすれば催眠療法しかないようです」

　神楽は電話を耳に当てたままで首を振った。

「催眠療法を受けるには、一旦警察に捕まらなきゃならない。それで無事にリュウを呼び出せればいいが、もしうまくいかなかったらどうするんだ」

「わかっています。私も催眠療法に賭《か》けるのはリスキーだと思っています。それにあなたにはやってもらわねばならないことがありますし」

「『モーグル』を探せ、だろ。だけど何ひとつ手がかりがないからな」

「それについて一つだけ、あなたに知らせておきたいことがあります。先月、蓼科兄妹は三日間だけ病院を抜け出しています。行き先について、あなたに心当たりはありませんか」

「それならわかっている。釜山《プサン》で開かれた数学者会議に出席したはずだ。大した会議じゃなくて、いつもなら欠席するんだけど、今回にかぎって蓼科早樹が行きたいといいだしたらしくて——」

「欠席です」白鳥里沙が言葉をかぶせてきた。

「えっ？」

「蓼科兄妹は会議には出席していないのです」

「そんなはずは……」

「たしかです。その会議で兄妹が誰かに『モーグル』のことを漏らしているかもしれないと思い、出席者を調べようとしたところ、肝心の二人が出席していないことが判明したのです」

「会議に出るふりをして、二人は別のところに行ったというのか」

「そういうことになります。だからあなたに心当たりはないかと尋ねているのです」白鳥里沙の声には焦りの響きが含まれていた。

いくつかの考えが、瞬間的に神楽の脳裏をかけめぐった。彼は深呼吸を一つしてからいった。

「わかった。今すぐには何ともいえないけど、考えてみる。何かわかったら連絡しよう」

「お願いします。こちらはあなただけが頼りですから」

「そんなプレッシャーをかけないでくれ」

電話を切った後、神楽は思わず頷いていた。

あの場所だ、と思った。蓼科兄妹が密《ひそ》かに向かうとしたら、あの場所しかない——。

27

浅間は頰の肉が強張《こわば》るのを感じた。全身が熱くなっていた。

「それ、どういうことですか」机に両腕をつき、椅子に座った木場を見下ろした。「もう一度いってください。意味がよくわかりません」

木場は苦々しい顔つきで舌打ちした。

「そう怒るな。俺だって、わけがわからんのだ。上からの命令なんだから仕方がない」

「この件から手を引けって、一体どういうことですか。俺たちに、もう捜査はするなってことですか」

「そういうことじゃない。捜査の指揮権が警察庁に移ったということだ。必要な場合には手を貸してほしいといってきている」

「今は必要じゃないとでもいわんばかりじゃないですか」

「そんなことはない。まずは神楽を探すことだけに全力を尽くしてほしいといわれている」

「で、神楽を見つけたら用済みですか。事の真相を教えてもらえるんですかね」

木場は困り果てたような顔で浅間を見上げた。

「蓼科兄妹殺害に使用された銃がNF13のものと同じっていうだけでも驚きなのに、特解研の主任解析員である神楽に容疑がかかっている。警察庁が浮き足立つのも無理ないだろ。少しは大人になれ」

「だけど神楽はNF13じゃないですよ。DNAが違っています」

「しかし何らかの繋がりがあるのは確実だ。これまでNF13は、単にシステムのデータ不足が原因で検索できないだけだと思われていたが、主任解析員と繋がりがあるってことだと、全く状況が違ってくる。犯人を特定できなかったのは、神楽がシステムに細工をしていたからかもしれない」

「係長、電話でもいいましたが、蓼科兄妹殺害に関わっているのは神楽ではなく、リュウというもう一つの人格なんです。そいつは特解研とは無関係です」

木場は不思議そうに眉根を寄せた。

「別人格だか何だか知らないが、身体は一つだろ。だったら、神楽と同じことができるんじゃないのか」

浅間は首を振った。

「神楽は反転剤を使って、リュウの出現をコントロールしています。神楽が自覚しないうちにリュウが出てきて、勝手にシステムをいじるなんてことはできないと思います」

木場は面倒臭そうに顔の前で手を振った。

「そんなことはどうでもいいんだよ。とにかくＮＦ13と蓼科兄妹殺害事件については警察庁が指揮を執るといってるんだ。とりあえず神楽を探せ。ほかのことは何も考えるな」

浅間はため息をつき、顔を横に振った。

「神楽の指名手配は？　その分だと無理みたいですね」

「秘密裏に探せ、というのが警察庁からの指示だ」

浅間は肩をすくめ、無言で木場に背中を向けた。そのままドアに進んだが、呼び止める声はかからなかった。

自分の席に戻ると、戸倉が何かの報告書を書いているところだった。

「おまえのパソコンにＮＦ13のデータは入ってるか」浅間は訊いた。

「入ってますよ。整理はしてないけど」

「じゃあ、それをメモリに入れて、この店に持ってきてくれ」浅間は一枚の名刺を机の上に置いた。

「警察のデータを外部に？　それ、完全にルール違反なんですけど」そういいながらも戸倉はにやにやしている。

「それがどうした。連中に都合のいいルールで試合をするほど、こっちはお人好しじゃない」

「連中って？」

「後で話す。待ってるぞ」浅間は戸倉の肩を叩き、そのまま出口に向かった。

バー『雲の糸』は、全席にインターネットの設備が用意されている。持参したプログラムを使用するのも自由だ。

浅間がギムレットを飲みながら速報ニュースを眺めていると、ショルダーバッグを提げた戸倉がやってきて、隣に座った。

「早かったな」

「パソコンごと持って来たんです」

「それはまた大胆な」

「どうせルール違反をするんなら、同じことです。それに、こんなところのわけのわかんないパソコンに捜査データを読み込ませて、万一店を出る前にハードディスクを洗濯できなかったらどうするんですか」

「NF13のデータを盗んで、どこの誰が喜ぶんだ」

「そんなことわかりません。今の世の中、データと聞けば何でもほしがる連中がいますから」戸倉はウェイターにビールを注文した後、バッグからノートパソコンを取り出し、起動させた。「係長から何をいわれたんですか」

「まあ、いろいろとね」

浅間は木場とのやりとりを戸倉に話した。戸倉はそれを聞きながら、パソコンの画面にNF13のデータを表示させた。

「今回の事件じゃ、警察庁が最初から出張《でば》ってたけど、とうとう指揮権を奪いに来ましたか。ここ何週間もNF13を追いかけてきたのは、こっちだってのに……」

「何か裏があるんだろうな。表沙汰《おもてざた》にできない何かが」浅間はパソコンの画面を見つめた。

NF13の仕業と思われる事件は、これまでに三件起きている。最初は八王子、次は千住新橋、そして三件目が北品川だ。被害者はいずれも若い女性で、頭部を銃で撃たれている。さらに暴行の跡があり、体内からは犯人のものと思われる精液が見つかっている。弾丸から銃はすべて一致する。精液の分析結果も同じだ。つまり三件は同一犯によるものと断定できる。

ＤＮＡプロファイリングの結果は、『血液型　Ａ　Ｒｈプラス、身長　百六十プラスマイナス五センチ、肥満傾向強』等となっている。特解研が自慢にしているモンタージュも作成済みだ。丸顔で瞼が厚く、唇の両端が下がっている。年齢によっては、額がやや後退している可能性が高いという。

これらの解析結果の信憑性《しんぴょうせい》が高いことは浅間も認めている。ＤＮＡ捜査システムに基づいた捜査ですでに何人も逮捕してきたが、例外なく犯人の容貌にせよ性格にせよ、解析結果と見事に一致していたのだ。

モンタージュ画像はマスコミにも公開されている。公共施設の目立つ場所に貼《は》られていたりもする。その甲斐《かい》あってというべきか、目撃証言が毎日のように寄せられてはくる。ところがこれまでのところ、それらはすべて単なる人違いだった。モンタージュ画像とまるで似ていないケースもあったりして、人間の目とはいい加減なものだと痛感させられる。

これほど証拠が揃っているのに、なぜ犯人逮捕に結びつけられないのか――。

「考えてみれば妙な話だよな」画面を見つめながら浅間は呟いた。

「何がですか」

「このモンタージュ画像が公開されたのは、千住新橋の事件が起きた後だ。で、北品川の事件は、その後に起こっている」

「そうでしたね。被害者の女性はモンタージュ画像を見てなかったのかと歯ぎしりしたものです。見ていたら、犯人が近づいてきた時点で気づいたと思いますから」

「いや、それをいうなら犯人のほうだ。犯人こそ、モンタージュ画像を見ていなかったのかと不思議に思う。もし見ていたら、ふつう次の犯行には及ばないだろう」

「見てなかった……ということですかね」

浅間は首を振った。

「そんなことはあり得ない。犯人の立場になってみろ。女を立て続けに襲ってるんだ。警察の捜査がどこまで進んでいるかを知りたくて、目を皿のようにしてテレビやネットを睨んでたに違いない。モンタージュ画像が出たってことも、当然知っていたはずだ」

「それなのに次の犯行を躊躇わなかった……。たしかに変ですね。どういうことでしょう」

「モンタージュ画像が、本人とは全く似ていないとしたらどうだ」

「えっ？」戸倉は眉をひそめた。

「まるっきりの別人の顔だとしたらどうだといってるんだ。それなら犯人としては何の心配もいらない。大威張りで出歩けるし、次の獲物を探すことだってできる」

「そりゃ、別人の顔ならそうでしょうけど、整形したって完全に変えるのは難しいですよ」

「自分の顔を変えるんじゃなくて、モンタージュのほうを変えるんだ。本人とは似ても似つかない顔にさ」

「そんなことができるんですか」

「わからんよ。できるとしたら、という話だ」浅間はウェイターを呼び、ギムレットのおかわりを注文した。「そう考えると、検索システムのほうも怪しくなってくるな」

「どう怪しいんですか」

「特解研の説明だと、本人ずばりのＤＮＡが登録されていなくても、血の繋がった家族や親戚が登録していたら、それらの名前が出力されるらしい。ところがＮＦ13に関しては、何も出てこない。犯人に血の繋がった人間が一人も登録していないんだろうと思われていたが、根本から違っている可能性もある」浅間はポケットから煙草を出し、この店がタール１ミリ以下の煙草なら喫煙可であることを確認してから口にくわえた。火をつけ、ろくに香りがしない煙を吐き出した。「じつは、犯人に繋がるものは何も出ないよう、システムに細工がされているとしたらどうだ。犯人は堂々と精液だろうと毛髪だろうと現場に残していける」

ギムレットが運ばれてきた。浅間はそれを受け取るなり、ごくりと飲んだ。身体が熱くなっていた。

「その仮説が正しいとすれば、犯人は明らかに内部の人間と繋がっていますね。やはり神楽が共犯者ってことですか」

「たしかに神楽が共犯なら辻褄が合う。システムを操作するのは、主にあいつだ。NF13の正体がばれないようにごまかそうと思えば、いくらでもできるだろう。しかしそれならば、どうして自分のことをごまかそうとしなかったんだ。馬鹿正直に自分のモンタージュ画像なんかを表示させたりしたんだ」

「その点はおかしいですね」戸倉は首を捻った。

浅間は神楽の顔を思い出していた。NF13を突き止められないことについて、彼は悔しそうにしていた。あの表情が芝居だとは思えなかった。

「もしかしたら、あいつは嵌められたのかもしれない」

「嵌められた？　誰にですか」

「それはわからん。とにかく、この事件の裏は、かなりややこしいことになっているような気がする。もしかするとDNA捜査システム自体が関わっているのかもしれない」

「そう考えると、警察庁が焦っているのもわかりますね」

「よし」浅間は立ち上がった。「想像ばっかりしていても仕方がない。直接当たって、確かめてみよう」

「どこに当たるんです？」戸倉はあわててパソコンを片づけながら訊いた。

「だから、DNA捜査システムに、だ」そういって浅間はにやりと笑った。

約三十分後、浅間たちは有明にいた。『警察庁東京倉庫』と書かれた看板を見ながら、警備員と掛け合っていた。

「どうしてだめなんだ？　今朝、俺たちはここにいたんだ。それなのになんで、今度は入れてくれないんだ」

浅間がまくしたてると警備員は弱ったように眉尻《まゆじり》を下げた。

「そういわれましても、誰も通すなといわれてるんです。どうしてもということなら、しかるべき手順を踏んでください」

「どうしろっていうんだ」

「ここは警察庁の管轄です。ですから、あそこの許可を取ってください」

浅間は戸倉と顔を見合わせた。どうやら警察庁は、大急ぎで浅間たちを事件から遠ざけることにしたようだ。

「わかった。じゃあ、所長を呼んでくれ。志賀所長だ。俺たちを中に入れてくれないというのなら、所長にここまで出てきてもらおう」浅間は地面を指差した。

警備員は渋面を作りながらも受話器を取り上げた。小声で何やらしゃべった後、浅間のほうを見た。

「所長が、この電話で話したいとおっしゃってます」

「俺は直接会って話したいんだがね」

「今、手が離せないということなんです。これ以上の便宜をはかるわけには……」

浅間は、ふんと鼻を鳴らし、警備員が差し出した受話器を握った。

「浅間です。志賀さん、これは一体どういうことですか。ほんの何時間か前まで、一緒にやっていた仲じゃないですか」

「あなたの上のほうから説明はありませんでしたか」志賀の声は冷めていた。抑揚もない。

「わけのわからない話なら聞かされました。蓼科兄妹が殺されるまで、NF13の捜査はずっと俺たちがやってきた。それなのに、突然手を引けといわれて納得できるはずがない。きちんと理由を聞かせてもらいたいものですね」

「あなたの気持ちもわかるが、今は一捜査員の感情を優先させている場合ではないんです。ですから、あなた方を無視するわけじゃない。やっていただくべきことはたくさんあります。こちらから指示を出すまでは待機していてください」

「システムですか」浅間はいった。

「何ですか？」志賀の口調が少しだけ乱れたように感じられた。

「今度の事件には、DNA捜査システムそのものが関係しているんじゃないんですか。もう少し踏み込んだ言い方をするなら、あのシステムには重大な秘密がある。違いますか」

「おかしなことをいいますね。想像するのは勝手ですが、妙ないいがかりをつけるのなら、こちらにも考えがあります」

「面白い。今度は俺をどうする気ですか。是非聞かせて――」

「仕事中なので、これで」電話が切れた。

浅間は受話器をしばらく眺めた後、警備員に手渡した。

「志賀所長は何と?」歩きながら戸倉が訊いてきた。

「午前中に会ってた時と態度が全然違う。俺たちが新世紀大学へ行っている間に、何かあったようだ」

「何があったんでしょうね」

「わからん。だけど、こうなったら、こっちのやるべきことは一つだ」

「どうする気ですか」

尋ねてくる戸倉の顔を見返し、浅間は足を止めた。振り返って、『警察庁東京倉庫』の建物を見上げた。

「DNA捜査システムや特解研が信用できないとなったら、それに頼らない捜査をするだけのことだ。昔ながらの、足で情報を稼ぐやり方だ。元々こっちは、そのほうが得意なんだ。

そのやり方で、ＮＦ13の正体を突き止めてやろうじゃねえか」

28

目深にかぶった帽子で目元を隠しながら、神楽は券売機に近づいていった。幸い、列はできていない。機械の前に立ち、電話を取り出した。白鳥里沙から与えられた電話だ。確認したところ、かなりの額の電子マネーが入っていた。現金と同様に逃走資金、いや『モーグル』の捜索資金ということだろう。遠慮なく使わせてもらうことにした。

彼は東京駅にいた。ある場所へ行くためだった。

北に向かう列車の乗車券と指定席特急券を購入した。すいているらしく、二人がけシートの窓際を確保できた。

腕時計を見た。午後五時を少し過ぎたところだった。列車が出るのは約二十分後だ。

弁当でも買おうかと売店に向かいかけたところ、すぐ前に誰かが立っていた。帽子の庇《ひさし》のせいで、神楽には相手の顔が見えなかった。だがその白いワンピースには見覚えがあった。

彼はゆっくりと視線を上げていった。

思った通りだった。スズランが険しい顔つきで神楽を睨みつけていた。

「まさに神出鬼没だな」ため息まじりに神楽はいった。

「どこへ行くの？」

「ある場所だ。昨日、話しただろ。僕は『モーグル』というものを探している。それを見つけられるかもしれないんだ」

「あたしも一緒に行く。連れてって」

神楽はかぶりを振った。

「それはできない。悪いけど、君のような女の子を連れていると動きが取りづらくなる。わかってないようだけど、僕は逃亡者なんだ」

「いやだ。一緒に行く」

「だめだ」神楽は改札口に足を向けた。

「連れてってくれないなら、みんなに告げ口しちゃうから」

神楽は足を止め、振り向いた。「告げ口？」

「神楽龍平はここにいますって、大きな声で叫んじゃう。それから警察とかに電話して、どういう列車に乗ったかってことを教えるから」

神楽は唇を嚙み、スズランの右手を摑んだ。そのまま柱の陰まで連れていった。

「痛いよ。乱暴しないでっていったでしょ」

「君がそうさせてるんじゃないか。どうして困らせるようなことばかりいうんだ」

「それがあなたのためになると思うから。お願い、一緒に連れてって。神楽君だって、後できっと、そうしてよかったと思うはずだから」

お願い、と彼女は繰り返した。神楽は帽子の上から頭を掻いた。

「遊びに行くんじゃない。探しに行くんだ。どれぐらい時間がかかるかもわからない」

「そんなの全然構わない。あたし、一緒にいられれば幸せだもの」

「僕とじゃなくて、リュウと一緒にいられればってことだろ」

「それじゃだめ？　それにあたし、神楽君のことも好きよ」

神楽は小さく頭を振った。これから何が起きるかわからない。一人のほうが動きやすいのは事実だ。しかし彼女を連れていきたい気持ちもあった。

「このまま出かけても平気なのか？　君にだって家族はいるだろ」

「大丈夫。心配しないで」

「独り暮らしってこと？」

「うん、あたしは一人。いつだって一人だった。リュウと出会うまでは」彼女は頷いた。

神楽は肩をすくめた。

「切符を買ってくる。ここで待っててくれ」

その言葉に、スズランの顔が明るくなった。「うんっ」

神楽は券売機のところへ戻り、改めて購入手続きを行った。指定席は彼の隣にした。

約二十分後、二人は北へ向かう列車の中にいた。車両はすいていた。東京駅を出る時点では、四分の一ほどの席が埋まっているだけだった。

スズランを窓側に座らせ、神楽は通路側に腰を下ろした。

「これから行く場所には何があるの？」スズランが訊いてきた。

「一言でいうと蓼科兄妹の生家があった。蓼科早樹は十一歳の時に新世紀大学の精神分析研究室に預けられたんだけど、それまで住んでいた家だ。ただし、その家は今は取り壊されている」

「そうなんだ。じゃあ、御両親はどこに？」

「両親は双方とも亡くなってるよ。そこで蓼科兄妹は、生家のあった場所から少し離れたところに家を買った。別荘として売り出されていた建物だった」

「何のために？」スズランは首を傾げた。

「自分たちの城がほしかったからだ。蓼科早樹の天才的な能力が認められた後も、彼等は新世紀大学病院の管理下で過ごすことを強要されていた。僕が彼等と出会ったのは、そんな頃だった。僕が蓼科早樹が作りあげた理論に感激して、ＤＮＡ捜査システムの構築に協力してほしいと頼んだ際、蓼科耕作は一つだけ条件を出してきた。それは、兄妹だけで過ごせる時間と空間を確保したいということだった。それほど彼等は精神的に疲れ果てていたんだ。僕は、場所を提供することはできないけど、時間を作ることには協力しようといってみた。適当な名目を作って、兄妹たちが病院を出られるように警察庁と病院に申請するだけのことだから難しくない。もっとも、このことは僕以外には誰も知らないけどね。志賀所長にさえも隠していたことだ。自由な時間を手に入れた蓼科兄妹は、密かに住処《すみか》を手に入れ、時折そこに籠もっては研究に没頭した。蓼科早樹が生み出した画期的な理論の殆どは、病院のＶＩＰルームなんかじゃなく、その隠れ家で作られたといっていい」

瞬きを繰り返したり、頷いたりするスズランを見つめながら、神楽は低い声で話した。志賀所長にさえも隠していたことを、素性が全くわからない少女に明かすことに、なぜかまるで抵抗を覚えなかった。何の根拠もないのに、彼女が裏切ることはないという確信だけはあった。

「そうかあ。誰だって、人に見張られながら生活するのなんて嫌だもんね」スズランがいった。「で、その隠れ家に行くわけね」

「そういうことだ」

神楽はシートにもたれ、正面を向いた。その時、前の背もたれの隙間から神楽たちを覗いている目に気づいた。前席の乗客だ。熱心に話しているうちに、神楽の声が大きくなっていたのかもしれない。

目が合ってしまったことで気まずくなったか、その乗客は立ち上がった。スーツを着た四十歳ぐらいの男性だった。何か文句をいってくるかなと神楽は思ったが、彼のほうには顔を向けず、そのまま通路を歩きだした。そして五つほど前にある席に腰を下ろした。

「あたしたちの話し声が気になったみたいだね」スズランが声を潜めていった。

「そんなに大きな声を出してたつもりはないんだけど」神楽は首を捻った。

「若い男女二人が後ろの席でひそひそ話してたら、声が大きくなくても気になるのかも。羨《うらや》ましいのよ、きっと」

「実際には、傍が思うような楽しい旅行じゃないんだがね」

「そう？　あたしは楽しいよ。二人で旅行ができて、すっごく浮き浮きしてる。せっかくなんだから楽しもうよ」スズランは声を弾ませた。

「まあ、陰気にしてると却《かえ》って目立つからな。小旅行を楽しむカップルに見える程度の演技は必要かもしれない」

車内販売の女性が、ワゴンを押しながら近づいてきた。ワゴンには弁当や飲み物が載せられている。

神楽は販売員を呼び止めた。

「腹ごしらえをしておこう。何がいい？」スズランに訊いた。

「あたしは何でもいい。神楽君に任せる」

じゃあと神楽はワゴンの中を覗き込んだ。

「釜飯《かまめし》弁当ってのがある。それでいいかい？」

いいよ、とスズランは答えた。

神楽は販売員に、釜飯弁当を二つとペットボトル入りの日本茶を注文した。女性販売員はスズランのほうをちらりと見た後、値段をいった。

釜飯弁当は、まだ温かかった。神楽は思わず小さな歓声をあげた。それは芝居ではなかった。自分が本心からこの旅行を楽しみつつあることに気づき、彼はこっそりと苦笑した。

29

空気清浄機と排煙装置がフル稼働していたが、狭い室内の空気は白く濁っていた。浄化される以上に浅間が煙を吐き出すからだ。

「そろそろ遠慮してくれない？　開店まで、あと三十分しかないのよね。空気が濁ったままだと煙草嫌いの客から叱られちゃう」丸沼玲子《まるぬまれいこ》がカウンターの中で腕組みした。黒のブラウスにジーンズという出《い》で立ちだ。

「開店したからって、すぐに客が来るわけじゃねえだろ。それどころか、一人も客が来ない日だってある」浅間は新たな煙草を箱から出し、くわえようとした。ところがその煙草を、素早く玲子に奪われた。「何するんだよ」

「何度もいってるでしょ。うちは喫煙店の認可を受けてないの。煙草の臭いがするって通報されたら、いろいろと面倒なわけ。どうしても煙草が吸いたいっていうんなら、ほかの店へ行って」

浅間は口元を曲げた。

「わかったよ。じゃあ、最後に一本だけ」

「だめ」玲子は吸い殻がぎっしりと詰まった灰皿を取り上げた。

浅間は舌打ちした。

「煙草がないと、頭が回らねえんだよな」

彼の前のカウンターには、ＮＦ13に関する資料が並んでいた。戸倉がプリントアウトしてくれたものだ。パソコンや電子書籍リーダーの小さな画面では、同時にいくつもの資料を並行して眺めることができない。紙の資料を並べ、それら全体を俯瞰《ふかん》することで、事件解決に繋がる鍵を見つけだす、というのが浅間の昔からのやり方だった。

その際によく使ったのが、この店――『ラウンド』だった。元々は丸沼玲子の母親が始めたカウンターバーで、彼女は時々手伝っていただけだ。だがその母親が十年前に倒れ、彼女が後を引き継ぐことになった。八人ほど入るのがやっとという小さな店だ。

「煙草がだめなら酒でも飲むしかねえな。何でもいいからバーボンをくれ。ロックでな」

「大丈夫？　この後、警視庁に戻るんじゃないの？」

「平気だ。酒臭い刑事なんていくらでもいる」

ふうん、といってから玲子は、棚にあったワイルドターキーのボトルに手を伸ばした。

「だけど何だか久しぶり。浅間さんがそんなふうにしているのなんて何年ぶりかな」

「このところ、俺は刑事じゃなかったからな」

「へえ、そうなの？　じゃあ、何だったわけ？」

「何だったんだろうね。強いていえば、コンピュータの手下ってところかな。コンピュータが出した指示通りに動き回って、コンピュータが予想した通りの人間を逮捕する。うちの上司なんかは、きっとこう思ってるよ。ロボットよりは経費が安いから人間を使ってるだけだってな」

玲子は噴き出した後、ロックグラスを浅間の前に置いた。

「ロボットなら酒を飲まないし、飲み屋で愚痴ることもないと思うけどねえ。で、どうして今になって、昔ながらのやり方をしているわけ？」

「いろいろと事情があるんだよ。詳しいことはいえないけどさ。ま、ささやかな反抗ってところかな」浅間はロックグラスを口元に運んだ。独特の香りを感じながら、バーボンを口に含んだ。体温が一気に上昇するような感覚がある。この刺激で脳細胞がもう少し活発に動いてくれたら、と思った。

『ラウンド』の開店時刻は午後八時だ。その五分前になったところで、浅間はカウンターに広げた資料を片づけ始めた。店の邪魔をする気はないし、突然入ってきた客に資料を見られたりしたらまずい。

彼が資料を鞄《かばん》にしまった直後、入り口のドアが開けられた。しかし入ってきたのは客ではなく戸倉だった。

どうも、といって戸倉は浅間の隣に腰を下ろした。

「どんな感じだ、上は。俺のことをなんかいってたか」

「浅間さんは単独で神楽の人間関係を探ってるようだと説明しておきましたから、今日の時点では係長たちも納得している様子でした。でも、いつまでも同じ調子でいけるかどうかはわかりません。神楽の行方を摑めないことで、上はかなり焦ってますからね」

「警察庁の動きについては、何かわかったか」

戸倉は渋い表情で首を横に振った。

「完全に情報をシャットアウトしています。NF13で設置された三つの合同捜査本部も、実質的に凍結状態です。異常ですよ、こんなのは」

「つまり警視庁の人間でNF13について捜査しているのは、俺たちだけってことか」

「そういうことのようです。——浅間さん、それウィスキーですか？」

「そうだ。おまえも何か飲めよ。今夜はもう戻らないんだろ」

「じゃあ、ギネスでも貰おうかな。で、浅間さんのほうはどうなんです。何か成果はありましたか」

浅間は下唇を突き出し、ロックグラスを振った。グラスの中で氷がからからと鳴った。

「穴があくほど資料を睨んでみたが、とっかかりらしきものも見つからない。俺にいわせれば、初動捜査が甘すぎる。周辺の聞き込みをろくにしてないから、目撃情報はないし、被害者の足取りすらよくわかってない。所轄や機捜の連中は一体何をしていたんだといいたくなる」

玲子が黒ビールの入ったグラスをカウンターに置いた。クリーミーな泡が程よく載っている。戸倉は旨《うま》そうに飲んだ後、口元に付いた泡を手の甲でぬぐった。

「それをいったらおしまいですよ。どの事件でも被害者の体内から精液が見つかっている。犯人のDNAを確保できたら、あとは特解研からの報告を待つだけ——それが最近の捜査方針じゃないですか。実際、そのやり方で実績を上げてきた。精液が残っていると聞けば、所轄や機捜が動かなくなるのは当然です」

「ところがその特解研が当てにならない。奴らご自慢のDNA捜査システムが逆手に取られているんだから世話はない」吐き捨てるようにいった後、浅間は小さく頷いた。「なるほどな。そういうことか」

「何ですか」

「犯人が精液を残していった理由だよ。それについて今まで俺は、DNA捜査システムの網に引っかからないとわかっている犯人が、単に欲望に任せてやっただけだと思っていた。だけど別の意味もあったのかもしれないな。精液を残しておけば、警察は安心して初動捜査に力を入れない。結果、DNA捜査システムだけでなく、従来型の捜査網からも逃れられるというわけだ」

戸倉はグラスを手にしたままで頷いた。

「悔しいですけど、その推理は当たっていそうですね」

「こうなったら、犯人が次の事件を起こしてくれるのを待つしかないか。とにかく役に立つ捜査資料が少なすぎる」浅間は傍らに置いた鞄を叩いた。

「そうだ、忘れてた」戸倉がスーツの内ポケットに手を入れ、四つに折り畳んだ紙を出してきた。「役に立つかどうかはわかりませんが、追加資料を見つけたので持ってきました。千住新橋の堤防で見つかった遺体に関することです」

浅間は受け取った書類を開いた。写真がコピーされていて、コメントが添えられている。

写真は遺体の耳を撮影したものだった。

「右側の耳に小さな火傷《やけど》の痕あり……か」浅間は呟いた。たしかに耳たぶの少し上が赤黒くなっている。

「死因がはっきりしていたし、被害者は髪が長かったので、検視や解剖の時には見落とされたようですね。遺体安置室に移した後、誰かが気づいたようです。左側の耳は損傷が激しくて、同様の火傷があったかどうかは不明です」

「耳を火傷か。どうやったら、そんなことになるかな」

「電トリじゃないかと思うんですが」戸倉がいった。「電気トリップです。ほら、あれは耳に電極を付けるでしょ」

浅間は首を捻った。「それはどうかな」

「違いますか」

「電トリに使われるのは極めて弱い電流だ。皮膚が焦げることはないと思うぜ」

「そうなんですか」

「前に、電トリにはまってた高校生から聞いたんだ。ぴりっと感電するけど、熱は感じないってね」

「じゃあ、違いますね」戸倉は落胆の声を漏らした。自分の着眼に自信を持っていたのだろう。

「ねえ、ちょっといい？」不意に玲子が問いかけてきた。

浅間は彼女の顔を見返した。「なんだ？」

「ごめんね。盗み聞きしてたわけじゃないんだけど、何となく話が耳に入ってきちゃって」

「それは別にいいよ。あんたに聞かれて困る話ならここではしないし、口が堅いってことはわかっている。どうした？」

するとと玲子は少し迷った表情を見せてから口を開いた。

「つい最近なんだけど、電トリで耳を火傷するって話を聞いたの」

浅間は彼女のほうに身体を向けた。

「本当か。いつのことだ」

「だからつい最近。ほんの二、三日前だったかな。若い子たちが話してた」

「そいつら、電トリで火傷をしたっていってたのか」

　玲子は首を振った。

「その子たちも詳しいことは知らないみたいだった。ただ、妙な噂が流れているらしいの」

「噂？」

「電トリをパワーアップする方法があるっていう噂。浅間さんがいったように、ふつうは弱い電流でやるんだけど、その方法だと結構強い電流を流すそうよ。これまでの電トリより何倍も刺激的で、トリップ感も半端じゃないって。もっとも、その話をしてた子たちも、自分が体験したわけではなさそうだったけどね。で、そのパワーアップした電トリで遊んだ時、耳を火傷しちゃうことがあるんだって」

　浅間は改めて写真を見つめた。そういわれれば、火傷の痕がクリップの形をしているように思える。

「パワーアップ電トリねえ」

「この被害者は真面目な専門学校生で、電トリなんかに手を出してたとは思えません。もしやったんだとしたら、犯人にそそのかされたか、無理やりやらされたかのどっちかだと思います」戸倉がいった。「つまり犯人自身が電トリにはまっている可能性が高いということです」

「そうだとして、そこからどうやって犯人を絞り込む？」

浅間の問いに、戸倉は顔をしかめた。

「そこなんですよね。電トリなんか、闇ネットでいくらでも買えるし、業者から購入者を突き止めることは殆ど不可能だし……」

浅間はグラスを手にした。だがそれを口に運ぶ前に玲子を見た。

「その話をしてた連中は、パワーアップ電トリの実物を見たことがあるのかな」

玲子は洗い物をしながら首を傾げた。

「あたしが聞いたかぎりでは、そういうふうじゃなかった。一人が、どこかで噂を仕入れてきたって感じだったけど」

「ということは、まだそんなには出回ってないのかもしれないな」

「ネットで調べてみます」戸倉が電話を操作し始めた。

慌ただしく指先を動かしていた戸倉だったが、やがては諦めたように吐息を漏らした。

「だめですね。いろんなサイトを調べてみましたが、まだその手の情報は流れてないようです」

「面白い」浅間はバーボンを飲み干し、空になったグラスをカウンターに置いた。「闇ルートでも出回ってない代物を犯人が使ったのだとしたら、そいつは大きな手がかりになる」

「秋葉原を当たってみますか」

「いや、浅草橋だ」浅間は勢いよく立ち上がっていた。

それから約三十分後、浅間たちは古びたビルの二階にいた。『東京都安心生活研究所』という、もっともらしい、それでいてどこか胡散臭《うさんくさ》い看板が出ている事務所だ。狭い室内には様々な電子機器や光学機器が並んでいる。

「浅間さんがハイデンのことを知っているとは驚きだな。まだ生活安全部や組織犯罪対策部の連中だって、具体的なことは何も摑んでないと思いますからね」

黄色い歯を剝《む》き出すようにして話すのは、所長の肩書きを持っている塩原《しおばら》という男だった。この事務所では、防犯グッズの販売のほか、盗聴器や盗撮カメラの発見といった仕事も請け負っている。ただし、裏では逆に、そうした黒い機械を販売していることも浅間は摑んでいた。

「ハイデンっていうのか、その機械」

「ハイパー電気トリップの略です。ベタなネーミングだ」

「そのハイデンっていう代物は、どこで扱っている？　あんたのところでも買えるのか」

浅間の質問に、塩原は大きく手を振った。

「やめてくださいよ。うちはまっとうな仕事しかしてません。それに、ハイデンという商品が存在するわけじゃないんです。ふつうの電トリを改造するんですよ」

「強い電流を流せるようにするわけか」

「一言でいうとそうなりますが、そんなに簡単な話じゃない。だって、電トリ自体、かなりやばい道具ですからね。何しろ脳を電気で刺激しようってんだから。パワーアップといったって、ただバッテリーをでかくするとか、電圧を上げるわけじゃない。相当なノウハウが必要なわけで、素人はもちろんのこと、電トリを扱っている業者にだって、そう簡単にはできません」

「じゃあ、誰なら改造できるんだ」

浅間が訊くと、塩原はにやにやしながら、やや薄くなった頭を掻いた。

「その質問に答えるのはなかなか難しいですな。誰にもできないといえるし、ある意味、誰でもできるといえる」

浅間は塩原の顔を睨みつけた。「俺をなめてるのか」

「本当のことを話してるんです。そもそもハイデンの噂が広がったのは、ある怪メールが発端なんです。そのメールというのは電トリを扱っている業者に届いたもので、現在の電トリをパワーアップさせる方法を知っているから、そのノウハウを買わないか、というものだったんです」

「メールの差出人は？」

「怪メールというぐらいですから、正体は一切不明です。そのメールが届いて程なく、ハイデンに関する噂が広がり始めました。耳を火傷するおそれがあるって話も聞きましたよ。つまりどこかの業者が、ノウハウを買ったということなんでしょう。電トリの改造は誰にでもできるというのは、そういうことです」

浅間は戸倉と顔を見合わせた後、再び塩原に目を戻した。

「どこの業者が買ったかは摑んでないのか」

塩原は身体を丸めるように腕組みをした。

「摑んでません。ハイデンはかなりやばい商品です。事故死する者が出てくるかもしれない。どの程度の影響があるかを見定めるまでは、自分のところで扱っていることは隠すんじゃないですかね」

浅間は頷いた。そうかもしれないと思った。

「ありがとう、参考になった。ハイデンを扱っている業者がわかったら、連絡してほしい」

塩原は舌なめずりした。

「だったら、こっちにも情報をくださいよ。浅間さんが動いてるってことは、ハイデンが殺人事件に関係してるってことなんでしょう？」

「それはまだわからん。ひと月ほど前に殺された女がハイデンを使った可能性がある、というだけの話だ」

途端に塩原が目を丸くした。

「ひと月？　そいつはおかしいな」

「どうして？」

「だって、その怪メールが届いてから、まだ三週間ほどしか経ってないんです。ひと月前にはハイデンは存在しなかったはずです。もし存在したのだとしたら、それは業者が作ったものじゃない。メールの差出人自らか、それに近い人物が作ったもの、ということになります」

30

駅からはバスが出ていた。最終バスだった。乗客は神楽とスズランのほかには、地元の人間と思われる中年の男女がいるだけだった。神楽たちは後方の席についた。例によってスズランを窓側に座らせた。だが外は真っ暗で、田舎の風景を楽しむことはできなかった。

約二十分でバスは目的の停留所に着いた。古いバスだが、運賃は電子マネーで払えるようになっている。二人分を支払い、神楽はバスを降りた。

道路は舗装されているが、街灯らしきものはなく、月明かりだけが頼りだった。スズランが神楽の腕にしがみついてきた。

「大丈夫だ。何度も来てるから、目をつぶってたって辿り着ける」神楽は彼女の背中に腕を回した。

実際それから間もなく、彼は脇に入る小さな階段を見つけていた。表札代わりに立てられた看板には何も記されていない。それが目印だった。

階段を上がっていくと、木造二階建ての家屋が現れた。ログハウスをイメージさせるデザインだが、丸太が使われているわけではない。中はごくふつうの洋風住宅だ。

郵便受けの下に、何も植えられていないプランターが置かれている。それを動かすと、土に埋まったプラスチック製の箱が見えた。蓋を開け、中に入れてあった鍵を取り出した。

「すごーい。本当に隠れ家って感じ」スズランが嬉しそうな声を出した。

その鍵を使い、神楽は玄関のドアを開けた。入ってすぐのところに配電盤があるので、ブレーカーを入れた。暖かい光が室内を満たした。

一階にリビングルームとダイニングキッチン、二階に二つの洋室があるだけの、こぢんまりとした家屋だ。しかし兄妹にとっては、この世で唯一の心静まる場所だった。神楽はこの家に来て初めて、蓼科早樹が笑う顔を見たのだ。

興味深そうにリビングルームを眺めているスズランを残し、神楽は二階に上がった。部屋は二つあるが、兄妹が個々に使っていたのではなく、一方が寝室で一方が研究室だった。神楽は研究室のドアを開け、明かりをつけた。

壁に沿って、巨大な机が置かれている。その上にはコンピュータの端末が並んでいた。その様子は新世紀大学病院における彼等の部屋と酷似している。

神楽は一台の端末に近づくと、コンピュータを起動させた。先月、こっそりと病院を抜け出した蓼科兄妹は、この部屋で何をしていたのか。それを突き止める必要があった。

それから小一時間、彼は端末機の前で格闘を続けた。しかし努力の甲斐もなく、兄妹がやっていたことの痕跡さえも見つけられなかった。唯一判明したのは、やはり先月このコンピュータが起動させられているということだけだった。

神楽は唸った。どうやらその時のデータはすべて消去されているようだ。これでは打つ手がない。

階下からは物音が聞こえてこなかった。スズランが上がってくる気配もない。仕事の邪魔をしてはいけないと思っているのかもしれない。

不意に白鳥里沙から聞いた話が蘇った。蓼科兄妹が、あるアメリカの数学者とメールのやりとりをしていたという話だ。そのメールについては、これまでのところ見つかっていない。

神楽はキーボードを操作した。もしかすると、蓼科兄妹はここでメールを打っていたのかもしれない。

あった——。

メールのファイルを探したところ、たしかに先月、メールが送信されていた。送信先はキール・ノイマンなる人物だ。もちろん文章は英文だった。それを読み、神楽は全身が熱くなるのを感じた。和訳すると、次のようになる。

『少し時間がかかりましたが、補完プログラムについて完成の目処《めど》が立ちました。これによって、「プラチナデータ」を取り出せるはずです。ようやく間違いを改めることができるのです。これは私たちの懺悔《ざんげ》の賜《たまもの》なのです。』

31

その店は薄汚れたビルの地下一階にあった。浅間は細くて暗い階段を下った。後ろから戸倉もついてくる。

突き当たりのドアを開けた。カウンターがあり、数名の客の背中が並んでいた。煙草の煙が充満している。健康基準に満たない空気清浄機を使っているのだろう。

派手な柄のシャツを着たバーテンが、鋭い視線を浅間たちに向けてきた。客を迎えるというより、見かけない人間を警戒しているという感じだ。バーテンの表情につられたか、カウンター客の何人かが振り返った。お世辞にも人相がいいとはいえない顔ばかりだ。

戸倉がカウンターに近づいた。

「勝山《かつやま》って奴が来てるだろ？　勝山悟郎《ごろう》だ」

バーテンの目つきが一層険しくなった。

「何、おたくら？」

戸倉は上着の内ポケットから警察手帳を取り出した。途端にバーテンは、うんざりしたように顔をしかめた。

「そんな人、来てませんよ」

浅間は大きな音をたてて舌打ちした。

「勝山が、この店に入ったたってことはわかってるんだ。お互い、無駄に時間を使うのはやめようじゃないか。どいつが勝山か教えてくれれば、こっちの手間は省けるし、この店に迷惑がかかることもない。どうだ、悪くない話だろ」

バーテンは肩をすくめた。

「生憎《あいにく》、客の名前なんていちいち聞かないし、聞いたとしても覚えちゃいないんでね。自分で探したらどうですか」

戸倉が振り返り、苦笑を浅間に向けた。

「じゃあ、そうさせてもらおうか」浅間はいった。

その時だ。奥のテーブルにいた、一人の若い男が立ち上がった。頭を掻きながら、だるそうに歩く。浅間と目が合うと、「便所だよ」と吐き捨てるようにいった。トイレのドアは、入り口のそばにある。

若い男はトイレのドアに手をかけた。だが次の瞬間、もう一方の手で入り口のドアを開け、素早く店を飛び出していった。

追え、と浅間が命じる前に戸倉が駆けだしていた。階段を上がる靴音が店内にまで聞こえる。

「刑事さん、追わなくていいんですか」バーテンが浅間に訊いてきた。

浅間は答えず、奥のテーブルに目を向けた。数名の若者がだらしなく座っている。一番端にいた一人が、ニット帽を深くかぶり直した。

浅間は大股でニット帽の男に近づいた。

「帽子をとってくれないか」

男は、じろりと浅間を見上げた。だが返事をする気はないようで、缶ビールの中身をグラスに注ぎ足した。ニット帽の下からは、長い髪がはみ出ている。

「聞こえないのか。帽子をとれといってるんだ」

「なんだよ、おっさん。俺、関係ねえぜ」

「関係ないかどうかは俺が判断する。さっさとしろ」

「なんだとこいつ」男は浅間の襟首に腕を伸ばしてきた。

だが浅間はその手首を掴むと、親指のほうに思い切り捻った。男は呻き声をあげ、身体をよじらせた。浅間はその頭からニット帽をむしりとった。長い髪の隙間から耳が現れた。耳たぶに小さなケロイドがあった。

「おまえが勝山だな」その耳にいった。「せこい真似をしやがって。手下を自分の代わりに走らせて、俺たちが追っている間に逃げようって魂胆か」

勝山は答えない。浅間は腕を掴んだまま、力ずくで立たせた。

「痛《い》てえな。俺は何もしちゃいねえぞ。刑事がこんなことをしてもいいのか」

「うるさい。つべこべいわずについてこい」

勝山の腕を引っ張り、浅間は店を出た。勝山は抵抗するが、上背があるわりに非力だ。腕が細く、身体も軽そうだ。階段を上がりきったところで床に転がした。

「ハイデンを持ってるだろ。どこで手に入れた？」

「何だよ、それ。知らねえよ」

浅間は勝山の火傷した耳を摘んだ。

「おまえが見せびらかしてたってことはわかってるんだ。さっさと白状しろ」

「店の名前なんか忘れた。アキバのどっかだ。適当に入った店で買った」

浅間は、勝山の耳を一層強く引っ張り上げた。ひいっ、と勝山は小さな悲鳴をあげた。

「正直にいわねえと耳を引きちぎるぞ」

「わかった。いうよ。『タイガー電気』って店だ。そこで電トリを買おうとしたら、もっとパワーアップしたのがあるっていわれて、それで買ったんだ。別に構わねえだろ。電子機器を買っただけだ。変なことはやってねえし、人にもやらせてねえよ」

『タイガー電気』――その店の名を聞いた途端、浅間の胸に失望感が広がった。

「今、持ってるか」

勝山はジャンパーのポケットに手を突っ込み、煙草ケースに似た金属製の箱を出してきた。二本のコードが付いている。

浅間は自分のポケットからビニール袋を出した。

「これに入れろ」

勝山がハイデンを入れるのを見て、浅間はビニール袋を奪い、耳から片手を離した。

そこへ戸倉が戻ってきた。浅間たちを見て、目を丸くした。

「偽者には逃げられたみたいだな」

戸倉は鼻の上に皺を寄せた。

「こいつが勝山ですか」

「そうだ。――もう行っていいぜ。ハイデンは、しばらく預かる」

勝山は耳をこすりながら立ち上がり、ビルを出ていった。バーに戻るのは体裁が悪いと思ったのだろう。

浅間はビニール袋の中を眺め、口元を歪めた。

「また空振りだ。やっぱり『タイガー電気』だってさ」

「勝山のいうことを信用していいんですか」

「嘘はいってないだろう。あんな奴に殺しは無理だ」

NF13の犯人とハイデンに繋がりがあるとみて、浅間は戸倉と二人で情報を集めている。『東京都安心生活研究所』の塩原からの連絡により、ハイデンを扱っている店は判明していた。それが『タイガー電気』だ。すでに浅間はその店に行き、店主から事情を聞いていた。

店主は最初否定していたが、令状を取って捜索することも可能だと脅したら、渋々ハイデンの販売を認めた。『タイガー電気』は電トリを闇ルートで仕入れ、それをハイデンに改造して販売していたようだ。

電トリにしろハイデンにしろ、名目上は単なるパルス発生器として売られている。電極を耳につけて脳を刺激するというのは客が勝手にやったこと、と主張できるので、販売や改造が罪に問われることはない。もちろん購入者にしても同じだ。罪になるのは、脳刺激を勧めたり、強要した場合だけだ。麻薬と似た作用があり、暴力団などの資金源になっているとわかっていながら、生活安全部にしろ組織犯罪対策部にしろ、なかなか思うような取締りができないでいる。

塩原がいったように、『タイガー電気』にも怪メールが来ていた。店主が差出人に、改造ノウハウを買う意思があるという返事を出したところ、数日後に現物と改造方法を書き込んだメモリが届いたという。現物を早速試してみると、たしかに効果がパワーアップされていた。詐欺ではないかという疑いは、これで晴れた。

だが奇妙なことに、荷物には代金の請求書が入っていなかった。それから二週間以上が経つが、今もまだ請求してこないらしい。

『タイガー電気』ではこれまでに、十人以上の客にハイデンを売っていた。改造自体は案外簡単で費用もかからないが、ノウハウを知らなければ無理だろう、というのが店主の意見だった。売った相手の氏名などは、もちろん店では控えていない。

その後、浅間と戸倉は繁華街を根城にしている情報屋に連絡を取り、ハイデンに関する噂を聞いたらすぐに教えてほしいと頼んでおいた。その結果、所持していた人間を何人か見つけることができた。その全員が『タイガー電気』から入手していた。

「浅間さん、やっぱり、現在出回っているハイデンは、『タイガー電気』のものだけと考えていいんじゃないですか」戸倉がいった。「ところがNF13事件でハイデンが使われたのは、『タイガー電気』が販売を始める前です。つまりハイデンを考案した人間が怪メールの送り主であり、同時にNF13の犯人だってことだ。違いますか」

浅間は頭を掻きむしった。

「だとして、そいつがどこの誰かってことをどうやって突き止める? 『タイガー電気』が返信メールを送った先は、すでに存在しない」

「そのことですがね。どうしてそいつは改造ノウハウの代金を請求しないんでしょうか」

浅間はため息をつき、頭を振った。

「わからん。そもそも改造ノウハウを売るという発想自体が無意味だ。ひとつの店に売ってしまえば、その情報が次々に広がるのは目に見えている。専門家が実物を見れば、どんなふうに改造してあるのかなんてことはすぐにわかるだろうからな」

「じゃあ、一体何のためにあんなメールを？」

「それがわかれば苦労しねえよ」

「浅間さん、そろそろこのことを上に報告したらどうでしょうか。ここから先は二人だけで捜査するのは無理です」

　戸倉の問いかけに浅間は答えない。ポケットを探り、煙草の箱を取り出した。

「浅間さん」

「無駄だよ」浅間はいった。「勝手に余計なことをするなと文句をいわれるだけだ。で、ハイデンの件からは手を引けといわれる。これまでの情報を警察庁の連中に渡して、それでおしまい。そうなることは目に見えている」

「それはそうかもしれませんけど……」

　戸倉がいい淀んだ時、彼の上着の内側で電話が鳴りだした。

「はい、戸倉です。……ええ、浅間さんも一緒です。聞き込みですよ。神楽の交友関係について。……えっ？……わかりました。すぐに戻ります」電話を切り、戸倉は驚いたような顔を浅間に向けた。「係長からです。至急、戻ってこいと。神楽に関する情報が入ったそうです」

「神楽の？」

浅間は煙草をくわえたままで、まだ火をつけていなかった。その煙草を近くのゴミ箱に投げ入れた。

32

会議室で待っていたのは、那須と木場、そして志賀の三人だけだった。

「ずいぶんと少数精鋭主義なんですね」浅間は皮肉をいいながら席についた。

那須がじろりと睨んできた。

「上層部での話し合いはすでに終わっている。あとは現場の人間が、指示通りに動けばいいだけのことだ」

「将棋の駒《こま》に、いちいち細かい説明は不要というわけですか」

「おまえのことは駒扱いしていない。その証拠に、こうして呼んでいる」

「じゃあ、何もかも説明してもらえるんですかね。突然、ＮＦ13の捜査権を奪われたことについてとか」

浅間っ、と横から声を荒らげたのは木場だ。

志賀が薄笑いを浮かべた。

「情報の共有は必要ですが、無秩序にそれをやると、却って混乱を招きます。前もいったでしょ。あなた方にやっていただくことはたくさんあると」

「その時には、そちらさんから指示が出されるんでしたね。なるほど、それで俺が呼ばれたわけだ。使い捨て部隊の出番が来たということですか」

「いい加減にしろ」再び木場の声が飛んできた。「俺だって、詳しいことは知らされてないんだ。与えられた任務を遂行することだけ考えろ」

浅間は木場の垂れた頬を見つめた。腑抜《ふぬ》けのあんたはそれでいいのだろうが、といいたいのを我慢し、志賀と那須に視線を戻した。

「で、今回俺にはどういう任務が与えられるわけですか」

「その前に重要なことを話しておこう」那須がいった。「神楽の逃走先が判明した」

浅間は思わず目を見張っていた。「どこです？」

「北だ」

「北？」

那須は志賀に頷きかけた。すると志賀は傍らに置いてあったノートパソコンの液晶モニターを浅間のほうに向けた。やがてそこに、帽子をかぶった男の静止画が映し出された。俯き、何かの操作をしている途中らしい。

「これは？」

「東京駅の券売機に取り付けられた防犯カメラの映像です」志賀がいった。「現在、全国の主要駅では、いくつかの券売機に防犯カメラが取り付けられています。逃走中の犯人の行方を追うのが主な狙いです。参考までにいっておきますと、ネットワークを全国に展開しなければならないという性格上、この映像の管理は警察庁に任されています」

「その話は知ってますがね、この帽子の男が神楽だとでも？」

「おそらくそうです」

浅間は画面を凝視した。

「だけどこの静止画じゃ、帽子で顔が全く見えてない。それとも、映像を動かしたら何かわかるのかな」

「いえ、この人物は最後まで帽子をとりません。たぶん防犯カメラを意識しているんでしょう」志賀が淡泊な口調でいう。

「それでどうして神楽だと？」

「耳です」志賀は画像の男の耳を指した。「御存じかもしれませんが、人間の耳の形は各自違っており、個人識別に応用が可能です。我々は主な駅に取り付けられた防犯カメラの映像をコンピュータ解析し、神楽と耳の形状が一致する人物を探すことにしました。その結果、この人物が見つかったのです」

「いつの映像ですか」

「五日前の午後五時三分です」

「五日も経ってるのか」浅間は苦笑した。「日本一周して、東京に戻ってこれる」

志賀が冷めた目を浅間に向けてきた。

「東京の主要駅で、一日にどれだけの数の人間が券売機を利用するかを想像してみてください。コンピュータをフル稼働させた結果なのです。これでも早いほうだと思います」

「努力を認めろってことですか。科警研や特解研には、俺たちの想像を超える予算が投入されてるって話だけど、防犯カメラの解析に五日もかかるんじゃねえ」

「我々は券売機のパネルに静脈認証システムを導入することを提案しています。それが実現すれば、逃亡者がタッチパネルに触れた瞬間に自動通報することが可能になります。しかしプライバシーの保護がネックになり、計画が進んでいません。予算ではなく、法律の問題なのです」

浅間は下唇を突き出した。

「ＤＮＡの次は静脈パターンを登録しろ……か。あんたたちは、俺とは全く人種が違うようだ。まあいいや。で、神楽がどこへ行く切符を購入したのかは、わかってるんですか」

「判明しています。モニターに神楽らしき人物が映っていたのが午後五時三分ですから、その時刻にこの券売機から発券された切符を調べればいいのです。それによれば北に向かう列車の切符を購入しています」

「どこの駅に向かったんです」

「路線をいくつか乗り換えて最終的な目的地は――」

志賀が口にしたのは、暮礼路という駅名だった。ぼれろ、と読む。

「くそ田舎ですね。どうしてそんなところへ?」

「その理由について、あなたが考える必要はありません。とにかく神楽が暮礼路市にいることは確かなのです」

「これでわかっただろ? おまえの任務は、暮礼路へ行って、神楽を捕まえてくることだ」

那須がいった。

浅間は上司の顔を見返した。「一人だけで?」

「俺も一緒に行く。おまえ一人だと、勝手な真似をしそうだからな」木場がいった。

「俺と係長の二人ですか。暮礼路市はいくつかの市町村が合併してできたので、かなり広いと聞きましたが」

「あなたに見つけてくれとはいってません」志賀がいった。「すでに警察庁から現地の警察に連絡が入っているはずです。今頃は人海戦術を使った捜索が行われていることでしょう。神楽が見つかるのは時間の問題だと思われます」

「向こうの警察には、神楽のことをどんなふうに説明してあるんですか」

「科警研の職員で、殺人事件に関する重要なデータを持ったまま失踪《しっそう》中、ということになっています。全くの嘘ではないでしょう？」

浅間はため息をついた。

「俺が神楽の身柄を引き取った後は、何の取り調べもしないまま警察庁に引き渡せ、そういうことですか」

「神楽は警察庁の人間です。警察庁の問題は警察庁で解決する、これは当然のことでしょう。もちろん、すべて解決した後は、開示できる情報については開示します」淡々とした口調で志賀はいった。

浅間は机を叩き、勢いよく立ち上がった。志賀を睨みつけた後、くるりと踵を返した。

「任務拒否か。浅間」那須が尋ねてきた。

浅間は、ふっと息を吐いてから振り返った。

「やりますよ。暮礼路市に向かえばいいんでしょ？　すぐに準備をします」

「待ってください、浅間さん」志賀がそういって、パソコンのキーボードを操作した。

液晶画面の映像が動き始めた。大勢の客が切符を買う様子が早送りで流されていく。やがて、ある画面で映像が止められた。そこに映っている人物を見て、浅間は、はっとした。先程の人物——帽子をかぶった神楽らしき人物だ。

「これは……どういうことだ」

「御覧のように、神楽が再び現れました。券売機の記録を調べたところ、先程買ったのと全く同じ行き先の切符を購入しています。しかも席は隣同士です」

「連れがいるということか」

「そう考えるのが妥当でしょうね。ただ、予め同行が決まっていたわけではなさそうです。もしそうなら、最初に切符を購入した時に、その相手の分も買っていたでしょうから」

「それが誰なのか……まあ、あんたらにはわかっていたとしても、俺には教えてくれないんだろうな」

志賀はゆっくりと首を横に振った。

「それならば、わざわざあなたにこんな映像を見せたりはしません。神楽の連れが誰なのか、我々にも全く見当がつかないのです。場合によっては、その相手も連れてきてもらうことになるかもしれません」

浅間は腰に手を当てて那須を見下ろした。

「誰を連れ帰ろうが、俺たちに取り調べをする権利はない――それでいいんですか、課長」

那須は黙っている。代わりに木場が立ち上がった。

「行くぞ、もう列車の手配は済ませてあるんだ。三十分で支度をしろ」そういうと那須たちに一礼し、そのまま会議室を出ていった。

浅間も志賀と那須を一瞥した後、木場を追った。

「係長」廊下で木場に追いついた。「どういうことです。どうして俺たちが特解研の使いっ走りをしなきゃいけないんですか」

木場は足を止めた。会議室のほうを振り返った後、浅間を見て、ゆっくりとかぶりを振った。

「わからんよ。おそらく課長は事情を知っていると思うが、俺たちに話すわけにはいかないんだろう」

「納得いきません」

「俺だってそうだ。だけどどうしようもない。俺たちは操られる側なんだ。もし操る側に回りたいなら、もっと偉くなることだ。そのためには、手柄を立てなきゃな」木場は浅間の肩を叩き、再び歩きだした。

33

神楽がリターンキーを押して間もなく、画面上を数字が埋め尽くし始めた。脈絡が全く不明の膨大な数字列は、彼を嘲笑《あざわら》うように通り過ぎていく。

参った、またコンピュータが狂いだしやがった——。

神楽は頭を抱えた。これで何十回目のトライになるだろうか。蓼科早樹が、この家でどんなプログラムを作っていたのかをコンピュータに残された痕跡から調べようとしているが、まるでうまくいかない。

これまでに得た情報と照らし合わせて考えると、蓼科兄妹がキール・ノイマンという数学者に出したメールに出てくる補完プログラムというのが、どうやら『モーグル』のようだ。だがメールの文面から察すると、大事なのは『モーグル』自体ではなく、それによって取り出せる『プラチナデータ』というもののほうらしい。ということは白鳥里沙も、それが欲しくて『モーグル』を探しているのかもしれない。

神楽は無意味な数字を排出し続けるモニターに背を向け、床を見回した。書物、ノート、ファイル類が散乱している。この家にある、文字が書き込まれているすべてのものに目を通した結果だ。天才数学者の蓼科早樹がどんな研究をしていたのかを理解しようとしたのだが、全くの無駄骨だった。彼には十分の一も理解できなかった。

　気配を感じて神楽は部屋の入り口を見た。ドアが開いたままになっている。やがてそこにスズランが現れた。

「少し休憩したら？　お茶でも飲もうよ」

「ああ、そうだな」神楽は腰を上げた。

「数字がいっぱい流れてるよ。そのままにしておいていいの？」スズランがコンピュータの画面を見て訊いた。

「いいんだ。この状態になったら、僕にはどうすることもできない。数字を吐き出し終わったら勝手に止まる」

　五時間ほどかかるけどね、と胸の内で続けた。

　一階に下りると湯を沸かし、紅茶を淹《い》れた。リビングルームにある花柄のソファに並んで座り、ガラス戸越しに少し曇った空を見上げた。

　この家に来て、五日が経っている。保存のきく食料が備蓄してあったが、それもいよいよ残り少なくなってきた。

「ここ、すごくいいところね。さっき、近くを散歩してきたの。赤とか白とかのチューリップがいっぱい咲いているところがあって、夢みたいに奇麗だった」スズランが嬉しそうにいった。

「そのチューリップ畑なら見たことがある。遠くから写真を撮りに来る人もいるそうだ」

「自然が豊かで、空気も水もおいしくて、ずっとここに住んでいたいぐらい」

「同感だけど、そういうわけにはいかない。一刻も早く『モーグル』を見つけないと」神楽はティーカップを傾けた。葉が多すぎたのか、紅茶は少し苦かった。

　ここに来ていることは、まだ白鳥里沙にも伝えていない。電話の電源は、ずっと切ったままだ。もしこの家のことを彼女が知れば、すぐに飛んできて、蓼科早樹が『モーグル』作成に使ったコンピュータの解析を自分たちでやろうとするに違いない。その場合には、おそらく神楽は除《の》け者にされるだろう。『モーグル』のことも、『プラチナデータ』についても、何ひとつ教えてはくれまい。

　だがこのままではどうしようもない、と考え始めている。『モーグル』とは何かを知らない自分には、蓼科早樹の研究内容をコンピュータから解析するのは不可能だと思えてきた。それならば白鳥里沙の力を借りたほうがいいのではないか。

　気がつくと、スズランが悲しげな表情で、じっと彼の顔を見つめていた。

「どうしたんだ」

彼女は目を瞬《しばたた》いた。

「何でもない。ただ、ちょっとかわいそうになっただけ」

「かわいそう？　何が？」

「だって神楽君、人生が楽しそうじゃないんだもの。せっかくこんな素敵なところに来たのに、全然外にも出ないで、コンピュータばかりを睨んでいる。そんな人生、楽しくないよ。かわいそうだよ」

神楽はティーカップをテーブルに置いた。

「僕だって、いつもこんなふうに生活しているわけじゃない。今は特別なんだ」

「そうかな」

「当たり前だろ。殺人の容疑がかかって逃げ回っている。そんな中で『モーグル』を見つけださなきゃいけない。人生を楽しんでる場合じゃない」

「でも神楽君は犯人じゃないんでしょ。だったら、逃げ回らなくてもいいじゃない」

「僕は犯人じゃない。少なくとも人を殺した記憶なんてない。だけど――」そこまでしゃべったところで神楽は口をつぐんだ。

スズランの瞼がぴくりと動いた。

「リュウがやったっていうの？　神楽君、まだ彼を疑ってるの？」

「疑いたくはない。だけど論理的に考えた場合、どうしても——」

神楽が話し終える前にスズランは立ち上がった。そのまま足早にドアに向かう。

「待てよ。どこへ行くんだ」

問いかけに応じず、彼女は部屋を出ていった。ばたん、とドアが閉じられ、かすかに埃《ほこり》が舞った。

神楽は腰を上げ、ゆっくりドアに近づいた。スズランが、まだ廊下にいると思ったからだ。だがドアを開けると、すでに彼女の姿はなかった。外に出ていってしまったようだ。

頭を掻き、神楽はソファに戻った。傍らに置いてある電話を手に取った。

このままじゃ、八方塞がりだな——口の中で呟き、電源を入れた。案の定、白鳥里沙から何度も電話があったようだ。深呼吸をひとつした後、彼のほうからかけてみた。

電話の繋がる気配はあったが、相手はしばらく沈黙していた。やがて、ふうと息を吐く音が聞こえた。

「どうして電源を切っていたのですか。連絡を絶やさないように、とお願いしたはずです」

案の定、尖った声で詰問してきた。

「すまない。一人で考えたいことがあったんだ。もちろん、『モーグル』のことで」

「それで何かわかりましたか」

「だめだった。ギブアップだ。君の力を借りるしかない。とはいえ、君にもどうすることもできないかもしれないけれど。何しろ、相手は蓼科早樹が扱っていたコンピュータだからな」

「蓼科早樹の……やはりあなたのいる場所は暮礼路市なのですね」

ぎくりとした。「どうしてそれを?」

「警察が動き始めています。そこにいると危険です。すぐに移動しなさい」

神楽は電話を耳に当てたままで首を振っていた。

「この家のことは誰も知らないはずだ」

「あなたが暮礼路市に向かったことも判明しているのです。そして暮礼路市が蓼科兄妹の生まれ故郷だということを警察は摑んでいるようです」

神楽は跳ねるように立った。

「どこでばれたんだろう。何かへマをしたのか」

「科学警察の力を侮ってはいけません。そのことはあなたが一番よく知っているはずです。幸い、詳しい場所までは警察も把握していないようです。蓼科兄妹の生家は、すでに取り壊されているそうですから」

「密かに購入しておいた別荘なんだ。名義も別人になっている」

「それでも安心してはいけません。すでに警察庁から地元の県警に連絡が入っているはずです。大量に動員された警察官が、すべての家屋を調べるでしょう」

神楽は口の中が急速に渇くのを感じた。

「それはまずいな」

「すぐに移動してください。『モーグル』はその家にあるコンピュータで作られたのかもしれませんが、すでに消されているでしょうし、おそらく復元も不可能だと思います。蓼科兄妹が、迂闊《うかつ》なことをするはずがありませんから」

「そういわれても、ほかに手がかりはない」

「まずは逃げることを優先してください。それから、あなたに教えてほしいことがあります。NF13で採取されたサンプルはどこに保管してありますか」

「サンプル？　犯人の体液のことかい」

「そうです。あなたがDNAを解析したものです」

「Dプレートなら研究所にある」

「DプレートはDNA情報を電子化させたものですよね。そうではなく、サンプルそのものが必要なのです。保管室を調べましたが、あそこにはありませんでした」

「それなら志賀所長に――」

「所長には内緒で持ち出したいのです。保管場所を教えてください」白鳥里沙は早口で詰問してくる。

「目的を聞きたい」

「それを話している余裕はありません。早く教えてください」

神楽は唇を舐めた。

「未解決事件のサンプルは、分析室の冷凍保管庫に入っている。扉を開けるパスワードはデスティニー。D、E、S、T、I、N、Y」

「運命ですか。わかりました。私もあなたの幸運を祈っています。何としてでも逃げ続けて、『モーグル』を見つけだすのです」

「そのことだが、僕からも質問がある。『プラチナデータ』とは何だ」

またしても白鳥里沙が黙り込んだ。だが今回は思わず言葉を失ったように感じられた。

「あなたはまだそのことを考える段階ではありません」彼女の声は動揺していた。「まずは逃げること。安全な場所に辿り着いたら連絡をください。それでは」

「ちょっと待ってくれ」

「もう一度いいます。幸運を祈っています」白鳥里沙は一方的にいい、電話を切った。

神楽は電話を握りしめ、部屋を出た。そのまま玄関に向かった。

靴を履き、家から飛び出した。スズランの姿はなかった。名前を大声で呼んだが、返事がない。

　彼は屋敷の隣にある小さな車庫に入った。そこには蓼科耕作のバイクがある。食料品の買い出しなどに使っていたのだ。キーは、そばの空き缶に入れてあった。

　バイクに跨り、ガソリンが入っていることを確認するとエンジンをかけた。

34

　暮礼路駅で降りたのは、浅間と木場の二人だけだった。小さな改札口をくぐり、階段を下りて駅舎を出た。駅の周辺には街灯が並んでいるが、遠くに目をやると、深い闇がどこまでも続いている。

「なんだ、ここは。本当に日本か」浅間の横で木場が呟いた。

　駅前にはロータリーらしきものがあり、バス停が並んでいる。だがいずれも最終バスは出てしまったようだ。タクシー乗り場も見当たらない。

　その場で佇《たたず》んでいると、どこからか一台のセダンが現れた。二人の前で止まり、ひょろりとした若い男が降りてきた。

「警視庁の方ですか」二人を見比べながら訊いてきた。

「そうです」浅間たちは警察のバッジを示した。

相手の男も身分証を出してきた。玉原《たまはら》と名乗った。暮礼路署の刑事課所属だという。

「お待ちしておりました。これから署に御案内いたします」

「それはどうも」

木場を後部座席に座らせ、浅間は助手席に乗り込んだ。

「ひどい田舎なので驚かれたでしょう」車を動かしてすぐに玉原がいった。

「そんなことはありませんが、思ったよりも遠かったですね」

「自分も、配属された当初は参りました。何しろ、陸の孤島みたいなところですから。でもそれがいいのか、都会からの移住者は結構多いんです。あちらこちらに、ちょっとしたコミューンができています。とにかく、面積だけはやたらに広いですから」

「犯罪の数はどうですか」特に関心があるわけでもなかったが、浅間は訊いてみた。

「以前は大した事件は起きませんでしたが、最近は時折凶悪なケースも出てきましたね。今はどこもそうじゃないですか」そういってから玉原は、「でも今回みたいなことは初めてだなあ」と続けた。「何しろ、県警本部から百人以上が応援に来てますからね。明日はヘリも飛ばすっていうし、まるでハリウッド映画みたいだなって仲間と話してたんです」

浅間は玉原の細い横顔を見た。神楽の捜索のことらしい。

「捜索はかなり進んでいるんですか」

玉原はハンドルを操作しながら首を捻った。

「詳しいことはわかりません。何しろ我々は単なる兵隊ですから。しかも所轄となれば、指示通りに走り回るのが関の山でして。でも今日一日で、かなりの範囲まで聞き込みは終わったと思いますよ。明日には、何か摑めるんじゃないでしょうかね」

「指揮はどなたがお執りになってるんですか」

「それがねえ、驚いたことに本部長が自ら乗り込んできておられます」

「本部長？」後ろの木場が身を乗り出してきた。「北峰《きたみね》本部長が指揮を執ってるんですか」

県警本部長が北峰という人物だということは、ここへ来る前に調べてあった。

「そうなんです。刑事部長や警備部長も来てるし、うちの署長なんかパニック状態ですよ」

嬉しそうにいった後、玉原は声を潜めた。「こんなこと、お訊きしていいのかどうかはわからないんですけど、失踪中の人物って一体何者なんですか。科警研の職員らしいってこと以外、我々は何も教えられてないんです。でも、指名手配中の容疑者でもないのに、この大がかりな捜索は何なのかなと思いましてね」

浅間は、木場のほうにちらりと視線を走らせた後、首を横に振った。

「自分たちも、詳しい事情は聞かされておりません。とにかくその職員を連行しろといわれてるだけでしてね」

「そうなんですか？　ふうん。まあ、何か御存じだとしても、自分みたいなヒラ刑事に話すわけにはいかないでしょうからねえ」玉原は卑屈な笑みを浮かべていった。

浅間は口を閉じたまま、前に目を向けた。間もなく、闇の先に明かりが見えてきた。

暮礼路警察署はこぢんまりとした建物だったが、その周囲には大小様々な警察車両が何十台も集結していた。おそらくすべて県警本部からやってきたのだろう。少し眺めている間にも、何台か出ていったかと思うと、戻ってくる車両があり、慌ただしい雰囲気に包まれていた。

浅間と木場は玉原に、警察署内の大会議室に案内された。入り口には、『K関連特別捜索対策室』という表示が出ている。

会議室内には人の熱気と煙草の煙が充満していた。中央に置かれた巨大な机を十数人の男たちが囲んで、何やら話し合っている。

玉原が、制服を着た年配の男に近づいた。

「署長、警視庁の方をお連れいたしました」

署長と呼ばれた男は、浅間たちのほうを向き、おうそれは、といった。

「遠いところを御苦労様です」

「御面倒をおかけしております」木場が頭を下げた。

「ちょっと待ってください。——本部長」署長は会議机を見下ろしている男たちの一人に声をかけた。「本部長。今よろしいでしょうか」

なんだ、と署長に顔を向けたのは、小柄だが目つきに迫力のある男だった。口元が、わずかに歪んでいる。この人物が県警本部長の北峰らしい。

「警視庁の方が、今、到着されました」

署長の言葉を受け、木場が一歩前に出た。

「警視庁捜査一課から来ました木場です。こっちは部下の浅間です」

よろしくお願いします、と浅間がいったが、北峰は面倒臭そうに手を横に振った。

「問題の人物は、まだ見つかっていない。発見し、確保したら連絡する。それまでは、どこかで待機していてくれればいい。——誰か、二人を宿に案内するように」

はい、と答えて玉原が近づいてきた。浅間はそれを手で制した。

「待ってください。現在の状況を教えていただけますか。上に報告したいので」北峰に向かっていった。

北峰は右側の眉だけを動かした。

「東京へは私が直接連絡を入れているから大丈夫だ。君たちは問題の人物を無事に連行することだけを考えていればいい。今夜はゆっくり休みたまえ」

「しかし」

「すまないが、我々は今も捜索中だ。部下からの報告を待っている。暮礼路の町は広大で、山もあれば川もある。もちろん住宅地もある。一人や二人の人間が潜伏できる場所など、いくらでもあるんだよ。君たちの相手をしている時間はないんだ。――早く二人を宿へ案内するように」そういうと北峰はくるりと踵を返した。

浅間はその背中に詰め寄ろうとした。だがそれを木場が腕を伸ばして止めた。「やめておけ」小さく囁いた。

玉原が浅間の前に立った。「御案内します。こちらへどうぞ」

浅間は玉原と木場の顔を交互に見つめ、大きくため息をついた。

玉原に連れていかれた宿は、駅のそばにある小さなビジネスホテルだった。警察署の敷地内にも宿泊施設はあるはずだが、そちらは県警本部から来ている捜査員たちが使うのだろう。無論、浅間と木場が寝泊まりする程度のスペースはあるのだろうが、北峰は二人が部下たちと接触するのを嫌ったに違いない。

「あの本部長は知ってますね。自分たちが、どういう人間を探しているのかを」玉原がいなくなってから浅間はいった。

「そりゃそうだろう。でなきゃ、自ら捜索の指揮を執ったりしないさ」

「しかも、たぶん俺たちが知らないことまで知ってますよ。だから俺たちに情報を与えないようにしている。おそらく警察庁から指示が出てるんでしょう」

木場は肩をすくめた。

「そうかもな。何しろ、キャリアだ。元々、警察庁の人間だからな」

「だけど妙ですよね。神楽を捕まえたら、俺たちに引き渡してくれるわけでしょ？　それならどうして、その途中の情報を教えてくれないんですか」

「知らんよ、そんなことは」木場は幅の狭いベッドに身体を投げ出した。

浅間は上司の太った身体から目をそらし、窓の外を見た。レースのカーテンの向こうは、漆黒の闇だった。

この町に秘密があるのだろうか、と考えた。神楽がこんなところを目指した理由を、志賀は明らかに知っている様子だった。もしかするとこの町は神楽にとって重要な意味のある場所なのかもしれない。彼を探す過程で、それが表沙汰になることを、警察庁にしろ志賀にしろ、そして北峰にしろ、恐れているのではないか。

木場が鼾《いびき》をかき始めた。浅間は服のポケットから煙草とライターを取り出した。部屋に灰皿はなく、全室禁煙だということも知っていたが、煙草をくわえて火をつけると、深々と吸ってから木場の顔に向かって煙を吐き出した。

35

神楽が蓼科兄妹の家に戻ったのは、日付が変わってからだった。それまで彼はバイクを駆り、スズランを探し回っていたのだ。だがどこにも彼女はいなかった。徒歩だからそれほど遠くに行っているはずはないのに見つけられなかった。その代わりに彼が目にしたのは、民家を訪問する胡散臭い連中の姿だ。彼等は明らかに誰かを探している様子だった。

どうやら白鳥里沙のいっていたことは本当らしい。警察の捜査の網は、たしかにこの町にまで伸びてきている。

本来ならば、白鳥里沙がいったように、今すぐにでもこの町を脱出すべきなのかもしれなかった。明日になれば、おそらくもっと多くの捜査員が動員され、絨毯《じゅうたん》爆撃のような捜索が実施されるに違いない。

しかしスズランを置いていくわけにはいかなかった。彼女は自分の意思で勝手についてきただけだし、神楽に無断でいなくなったのだから、気にする必要はないのかもしれない。だが警察が彼女を発見したら、きっと拘束するだろう。そして何らかの尋問をするに違いない。何も知らず、事件とは無関係の彼女がそんな目に遭うことを考えると、どうしても一人では逃げ出せなかった。

兄妹の家は神楽が出ていった時のままで、明かりも消され、ひっそりと静まりかえっていた。スズランが帰っているかもしれないという期待は、もろくも崩れた。ただし、警察に嗅《か》ぎつけられた気配もなさそうだ。

それでも捜査員が潜んでいる可能性を考え、神楽は息を殺し、慎重に家屋に近づいた。玄関からは入らず、車庫に回った。そちらにも出入口があるからだ。

音をたてぬように鍵を外し、ドアを開いた。どうやら人の気配はないようだ。ほっと息をつき、中に入った。しかし明かりのスイッチを入れるのはやめた。深夜に明かりがついていれば、捜査員が訪ねてくるおそれがある。

もしスズランが警察に捕まっているのなら、すでにこの家のこともばれているはずだ。だがどうやらそうではないようだから、彼女は捕まっていないということか。いや、警察は彼女からこの場所を聞き出しており、今まさに踏み込むタイミングを計っているところかもしれない。そう思うと、すぐにでも出ていきたい衝動に駆られるが、神楽は奥に進んだ。このまま自分がいなくなれば、仮にスズランが戻ってきた場合、途方に暮れるだろう。

それに、と彼は思った。万一スズランが警察に捕まったとしても、この場所のことを話すとはかぎらない。むしろ、これまでの彼女の言動から想像すると、頑《かたく》なに沈黙を続ける可能性のほうが高いように思えた。

リビングルームに行き、ソファに腰を下ろした。ティーカップがテーブルに載ったままだ。中には冷えた紅茶が三分の一ほど残っている。

スズランとのやりとりを思い出した。彼女は神楽のことをかわいそうだといった。せっかくこんな素敵なところに来ながら、コンピュータばかりを睨んでいるような人生はかわいそうだと。

自分で自分のことを憐れんだことはないが、傍から見ればそうかもしれないと神楽は思った。たしかにもう長い間、自然というものに接した記憶がない。季節の移り変わりを感じたこともなければ、空気の匂いの違いを気にしたこともない。だがそれはそれでいいと思っていた。人間の生活を豊かにするために最も必要なのは科学文明で、それを発展させる仕事に就いていることを誇らしく感じてきた。自然の保護が必要なのは、人間が生きていくのに最適な環境を維持しなければならないために過ぎず、自然に親しんだり心を奪われたりするのは人生にとって無駄なことだと決めつけていた。

不意に神楽の脳裏に一枚の絵が浮かんだ。それは二つの手を描いたものだった。リュウによるものだ。彼は頻繁に手を描いた。それらの絵が、次々と蘇ってきた。

あれは……何の手だ？　どういうことを意味しているのか——。

これまでに味わったことのない感覚が神楽の胸に広がった。懐かしいような、それでいて切ないような感情がこみあげてきた。あの絵に対して、こんなふうに感じたことは一度もなかった。

神楽の網膜の裏で、描かれた二つの手が動き始めた。少しずつ形を変えた手の絵が、ものすごいスピードで入れ替わっていくので、動いているように見えるのだ。アニメーションの原理だ。

見つめているうちに、絵だったはずの手が、いつの間にか本物の手に変わっていた。その手はますます複雑な動きを始めた。だが突然止まったかと思うと、次の瞬間、神楽のほうに向かってきた。

悲鳴をあげ、彼は瞼を開いた。身体を痙攣させていた。

薄い闇の向こうに、ぼんやりと壁が見えた。壁には時計が掛かっている。丸い時計は夜中の三時過ぎを指していた。

神楽は瞬きし、深呼吸を繰り返した。ひどく寝汗をかいていた。首筋を手の甲でぬぐおうとした時、右側に人の気配を感じた。ぎくりとしてそちらを見た。

スズランが立っていた。何事もなかったかのように笑っている。

「何してるんだ。そんなところで」ひどくかすれた声が出た。

「神楽君を見てたの。気持ちよさそうに眠ってたから」

神楽は眉をひそめた。

「とんでもない。最悪の気分だよ。ひどい夢を見た。それはともかく――」神楽はスズランの顔を見つめた。「どこへ行ってたんだ。探したんだぞ」

かなりきつい口調でいったつもりだったが、スズランは少しも応《こた》えた様子がなく、にこにこと笑ったままだった。

「どこにも行ってないよ。近くを歩き回ってただけ。いったでしょ。この周りには素敵な場所がたくさんあるの」

「こんな夜中までかい？」

「だって夜にならないと見えないものもあるから」

彼女が何のことをいっているのか、すぐにわかった。「星のことか」

「オリオン座、カシオペア座、双子座、あんなにくっきりと見たのなんて初めて。神楽君も来ればよかったのに」

「だから君を探してたといってるだろ」神楽は立ち上がった。「まあ何はともあれ、無事でよかったよ。警察官には出くわさなかったか」

「警察？　何それ」スズランは首を傾げた。

呑気《のんき》なものだな、と苦笑したいところだった。

「詳しい話は後でする。とにかく、一刻も早くここを出なきゃいけない」

「今すぐに出かけるの？」

「そうだ。何か持っていきたいものがあるなら、五分以内にまとめてくれ」

「あれがいいな。窓辺においてあるロッキングチェア」

神楽は大きく首を横に振った。「あんなものは持ち運べない」

「だったら、何もいらない」

「よし。じゃあ、すぐに出かけよう」神楽は自分のリュックサックに手を伸ばした。

懐中電灯を手にし、裏口から外に出た。後からスズランもついてくる。玄関前の階段をゆっくりと下り、道の様子を窺った。真っ暗で、殆ど何も見えない。

「懐中電灯を使うけど、足元しか照らさない。下手に光を漏らしたら、ここに不審者がいますよって知らせているようなものだからな。暗くて歩きにくいだろうけど、僕の手をしっかり摑んで、足元に気をつけながら歩くんだ。わかったね」

わかった、とスズランは答えた。その声に悲愴《ひそう》感は殆どない。自分たちの置かれている状況を理解していないからだろう。

　舗装されているとはいえ、真っ暗な中で山道を歩くのは、簡単なことではなかった。懐中電灯がなければ、一メートル先ですら見えないのだ。スズランの手を引いているので、余計に歩きにくい。

「ねえ、一体どこまで歩けばいいの？」スズランが不安そうな声で尋ねてきた。

「この先にバイクを隠してある。そこまでの辛抱だ」

「どうして家までバイクで帰らなかったの？」

「夜中にエンジン音を響かせて、誰かに不審に思われたらまずいだろ。ヘッドライトの光が警官に見つかるかもしれないしさ」

　ふうん、と答えた後、急にスズランが立ち止まった。「そうだ」

「何だよ」

「あたし、いい隠れ家を見つけたの。この近くのはず。そこで夜明けまで待っていようよ」

「隠れ家？　どういうところだ」

「教会」

「教会？　なんでこんな山の中に教会があるんだ」

「そんなこと、あたしは知らない。どんなところにだって、クリスチャンはいるものよ。知ってる？　イタリアとかスペインには、クリスチャンたちが地下に造った教会の跡が、今もたくさん残ってるんだって」

「そういう話は聞いたことがあるけど、君のいってる教会は地下にあるわけじゃないだろ。人が住んでるんだろ。見つかったら、通報されるぞ」

「それがね、今はもう誰も住んでないみたいなの。ガラスは割れたままだし、入り口の扉に鍵はかかってない。たぶん廃墟《はいきょ》になってるんだと思う。廃墟といっても、中は結構奇麗よ。あたしとしては、嫌いな感じじゃないの」

神楽は懐中電灯で照らした足元に目を落とし、彼女の提案について考えた。バイクを隠してある場所まで、まだ少し歩かねばならない。そこまで辿り着いたとしても、この時間帯に逃走するのが得策かどうかはわからなかった。警察側も、神楽たちが夜中に移動することは考慮しているだろう。深夜、町が寝静まっている中でバイク音を響かせるのは、あるいは自滅行為かもしれない。

「その教会、近いのか」

「近いよ。すぐそこだから」スズランが一方向を指差した。

そんなところに教会なんてあったかな、と思いながら神楽は歩きだした。この土地には何度も来ているし、周辺を歩いたこともあったが、そういう建物を見た覚えはなかった。

だがスズランの話は本当だった。二、三分歩いた先に、木々に囲まれるように建っている小さな教会があったのだ。屋根の上には十字架が立てられていた。

「ほらね。嘘じゃなかったでしょ」スズランが楽しそうにいった。

「本当に人は住んでないのかな」

壊れた門をくぐり、短いアプローチを通って正面玄関に近づいた。扉に取り付けられた錆《さ》びた把手を摑み、ゆっくりと引いてみると、低い軋《きし》み音をたてながら開いた。たしかに鍵はかかっていない。

神楽は慎重に足を踏み入れ、懐中電灯で室内を照らした。長椅子が並んでいて、その奥には講壇があった。正面の壁には大きな十字架が据えられ、それを取り巻くように壁には植物の彫刻が施されていた。

「たしかに廃墟のようだな。そんなに荒れてないところを見ると、使われなくなってから、まだそれほど日が経ってないのかもしれない」

「いい感じでしょ」スズランはそばの長椅子に腰を下ろした。「神楽君も座ったら？　そんなに汚れてないよ」

神楽は頷き、彼女とは別の椅子に座った。

「どうしてそんなに離れたところに座るの？」

「どうしてって……特に理由はないけど」

「じゃあ、こっちに来ればいいじゃない。身体をくっつけたほうが暖かいよ」

「……わかった」

神楽は立ち上がり、スズランの隣に座り直した。少し間隔を空けたが、彼女のほうから身体を寄せてきた。

「ほら、あったかいでしょ」

そうだね、と神楽は答えた。彼女の無邪気さに、思わず笑みを漏らしていた。

外から見られてはまずいと思い、懐中電灯を消した。途端に漆黒の闇が二人を包んだ。スズランがさらに強く身体をすり寄せてきた。さらに彼の右腕に自分の腕を絡め、手を握ってきた。冷たく乾いた手だった。

「大丈夫だ」神楽はいった。「君のことは僕が必ず守る」

うん、と彼女は答えた。「そんなこと、わかってるよ」

神楽は瞼を閉じた。眠気が襲ってきたわけではない。目を開けていても、どうせ何も見えないからだ。

視界が遮断されたせいか、ほかの感覚が鋭敏になったような気がした。埃の臭いが強くなったように感じられるし、かすかな風の音が耳に届くようになった。虫の声も聞こえる。そしてスズランの身体のぬくもり――。

　自然と同化するとはこういうことかもしれないと神楽は思った。ふだんはあまりに多くの情報に取り囲まれているため、自分の周りで自然がどのように変化しているのか、気づくことさえなかった。見えるのに見ていないもの、聞こえるのに聞いていないもの、触れるのに触っていないものが、おそらくたくさんあったのだろうと思った。

　そういえばスズランがリュウの絵についていっていた。彼が描いた手は、神楽も見ているものだという。だが同時に見えていない。だから重要な意味がわからないのだと。

　あの絵が見たいと思った。今なら、その意味がわかりそうな気がするからだ。

　どれぐらいそうしていたのだろうか。山鳩《やまばと》の声で神楽は我に返った。どうやら少し微睡《まどろ》んでいたようだ。彼はゆっくりと瞼を開いた。ガラスの割れた窓から、白い光が射《さ》し込んでいた。光の中では埃が舞っている。

　神楽は改めて教会の中を見渡した。闇の中で見た時にはもう少し広い感じがしたが、実際には小学校の教室程度だった。懐中電灯を照らした時には荘厳な雰囲気を醸し出していた祭壇も、太陽光の下では色あせて見えた。

　しかも――。

　この光景をどこかで見たことがあると神楽は思った。これと同じような教会に入ったような気がするのだ。単なるデジャビュなのか――。

「おはよう」

背後から声をかけられ、彼は振り向いた。スズランが笑いながら立っていた。

「君は眠らなかったのか」

「眠ったよ。少しだけ。でもこんなに気持ちの良い朝に、いつまでも眠ってるのは勿体ないでしょ」

彼女は手に花を持っていた。外で摘んできたものらしい。祭壇まで進むと、それを台の上に置き、両手を組んで跪《ひざまず》いた。

「クリスチャンかい」神楽は訊いた。

「今はね」祈りの姿勢を保ったままで彼女は答えた。「神楽君も一緒に祈らない？」

「何を？」

「何でもいいじゃない。健康でも幸せでも世界平和でも」

神楽は祭壇に近づき、十字架を見上げた。

「神頼みなんて、これまでの人生で一度もしたことがない」

「祈りを捧《ささ》げるのは、神様に頼み事をすることじゃないよ」スズランが彼を見上げていった。

「自分自身を浄化するために祈るの。見返りは求めちゃだめ」

「ふうん」

以前の神楽ならば、こんな時には反論していたに違いなかった。宗教や信仰といったものには全く興味がなく、それらに心酔する人間のことを馬鹿にしていた。だが今は不思議に素直に聞き入れることができた。

スズランが立ち上がった。

「ねえ、お願いがあるんだけど」

「何？」

「リュウと話したことがあるの。いつか結婚式を挙げたいねって。人里離れた教会で、二人っきりで。素敵だと思わない？」

「メルヘンの世界だね」神楽は小首を傾げた。「で、何が願いなんだ」

彼女はにっこりと笑いながら右手を出した。てのひらの上には、草で編んだ指輪が二つ載っていた。

「まさか……」

スズランは頷いた。

「リュウの代わりに、あたしと指輪の交換をして」

「僕が？」

「だって、こんなチャンスは二度と来ないと思うから。大丈夫。神楽君に結婚してっていってるんじゃない。あくまでも代理だから」

「代理ね」神楽は鼻の横を掻き、首を縦に振った。「いいよ。どうすればいいんだ」

「まず、神楽君はこっちを持ってて」スズランは小さいほうの指輪を差し出した。「それから向き合って立つの。いい？　始めるよ」

祭壇の正面で向き合うと、彼女は小さな咳払いをした。

「リュウ、汝《なんじ》はスズランを一生の伴侶《はんりょ》として愛し続けることを誓いますか」

えっ、と神楽は漏らした。

スズランは口を尖らせた。「えっ、じゃないでしょ。誓いを交わしてるんだから、誓いますっていってくれなきゃ」

「ああ、そうか。わかった」

「もう一度やるからね。リュウ、汝はスズランを一生の伴侶として愛し続けることを誓いますか」

「誓います」

「次は神楽君の番。同じように尋ねて」

「ええと、スズラン、汝はリュウを一生の伴侶として愛し続けることを誓いますか」

「はい、誓います。——じゃ、次は指輪の交換ね。まずは新郎から新婦へ。さっきの指輪をあたしの薬指にはめて」

　彼女が左手を出してきたので、神楽は草の指輪に薬指を通した。

「次は新婦から新郎への指輪のプレゼントです。左手を出して」

　いわれた通りに神楽が左手を出した時だった。話し声が窓から聞こえてきた。誰かがやってきたのだ。神楽はスズランと顔を見合わせた。

「隠れよう」

　神楽はスズランを抱えるようにして、講壇の後ろに身を潜めた。ドアが乱暴に開けられたのは、その直後だった。

「ここは、もう使われてないだろう」男の声がいった。

「いや、でも一応は見ておかないと」もう一人が応じている。中に入ってくる靴音が聞こえた。「おい、見ろよ。ここだけ埃がこすれたようになっている。最近、誰かが入ったらしいぞ」

「だからといって、手配中の人間だとはかぎらんだろ」

「それはそうだけど、とりあえず本部に報告しておこう」

　会話から察すると、やはり男たちは警官らしい。やがて彼等は、ばたばたと出ていった。

神楽は講壇の後ろから顔を出し、様子を窺った。ドアが開いたままになっている。外にはまだ彼等がいるかもしれない。

彼はリュックサックを担ぎ、スズランの手を引いた。

「結婚式は中止だ。窓から出よう」

錆びついた窓を、音をたてないよう慎重にこじ開け、神楽は外に出た。スズランも意外な身軽さで後からついてきた。

教会の裏は林で、緩やかな下り坂になっていた。神楽はスズランの手を取り、周囲の様子を探りながら進んだ。

間もなく細い道に出た。見覚えのある道だった。

「この先の廃屋にバイクを隠してあるんだ。急ごう」

神楽は小走りになっていた。スズランは踵《かかと》の高いサンダルを履いていたが、泣き言はいわなかった。

道の脇に空き地があり、その隅に古い小屋が建っていた。土産物屋か何かだったのかもしれない。看板の文字は剝《は》げ落ち、まるで読めなかった。

神楽は小屋の裏側に回った。そこにバイクを隠してあるのだ。上から葦簀《よしず》をかけてある。

バイクを押しながら、小屋の前に戻った。スズランの前で跨ってみせた。

「後ろに乗って」

「すごーい。どきどきする」スズランは後部席に座ると、神楽の身体に抱きついてきた。

その時だった。おーい、と声が聞こえた。見ると自転車に乗った制服警官が近づいてくるところだった。

「まずい。しっかり摑まってろ」神楽はエンジンをかけ、急発進した。警官が何かを叫ぶのが耳に届いた。

走りだして五分もしないうちに、サイレン音が遠くで響き始めた。神楽はアクセルを強めた。だがやがて前方にパトカーが止まっているのが見えた。検問を行っているらしい。

神楽は素早く周囲に視線を走らせた。ガードレールの切れ目があり、そこから細い農道が延びている。彼はバイクをターンさせ、その道に突っ込んでいった。

検問中の警官が気づいたらしく、パトカーがサイレン音を鳴らして追いかけてきた。神楽はバイクを飛ばした。

「スズラン、絶対に手を離すなよっ」

「うん、死んだって離れないっ」

スズランの細い腕が神楽の身体にしっかりと巻き付いてきた。彼女の身体の柔らかい感触が背中から伝わってくる。それを感じながら、バイクを操った。二人の身体が風を切り裂いていく。

サイレンが少し遠のいたようだ。しかも農道は山道に繋がっていて、道幅は急に狭くなっている。これならパトカーは通れないだろう。

逃げきれる、と安心した時だった。細い山道の先は急カーブになっていた。猛スピードで飛ばしていた神楽は、バイクを操作しきれなくなった。しまったと思った直後、神楽とスズランはバイクと共に空中に投げ出されていた。

36

目を覚ました時、自分がどこにいるのか一瞬わからなかった。頬にあたるシーツの感触が、いつもの湿ったものとは違っていた。ベッドのクッションがずいぶんと硬い。

浅間は俯《うつぶ》せの状態で、顔を横に捻るようにして寝ていた。それが眠る時の癖なのだ。

瞬きし、ゆっくりと目の焦点を合わせていった。誰かが隣のベッドで寝ている。背中に無駄肉のついた後ろ姿から、木場だということを思い出した。そうだ、ここはホテルなのだ。自分たちは神楽の身柄を引き取るため、暮礼路市に来ている。

浅間は身体を起こした。ナイトテーブルに据え付けられた目覚まし時計は、午前七時五分前を示していた。アラームは七時ちょうどにセットしてある。彼は一人で苦笑した。目覚まし時計が鳴る直前に目を覚ますのは、自宅にいる時でもよくあることだ。体内時計が正確なのだろうと自惚《うぬぼ》れていたが、知り合いの医師に話したところ、ストレスのせいだと指摘された。要するに、神経が少しも休んでいないのだ。

木場は浅間がベッドに入る前と同様に、低い鼾をかいている。余程悩みが少ないのだろうと浅間は腹の中で毒づいた。もう少し寝かせておいたほうが面倒がないと思い、アラームは解除した。

ベッドから出て、バスルームで小便をし、シャワーを浴びた。上司より先に使うことに、特に抵抗はない。木場も文句はいわないだろう。濡《ぬ》れた身体のままで歯を磨き、下着姿でバスルームを出た。

タオルで髪を拭《ふ》きながら、窓に近づいた。カーテンは開いたままで、薄い陽光が入ってくる。今日は曇天のようだ。

窓のそばに立ち、外の景色を眺めてみた。すぐそばに暮礼路の駅舎がある。ロータリーには路線バスが止まっている。

次の瞬間、浅間は目を見開いていた。タクシー乗り場の脇に三台のパトカーが止まっていたからだ。うち一台はワゴン車だった。よく目を凝らしてみると、あちらこちらに制服警官の姿がある。表情まではわからないが、何やら切迫した雰囲気が漂っていた。

「係長っ」浅間は後ろを振り返り、呼びかけた。しかし木場の丸い背中は規則正しく上下動を繰り返すだけだ。

浅間はベッドに駆け寄り、上司の身体を揺すった。「係長、起きてください」

ようやく木場が一重の腫れぼったい瞼を開いた。はあ、と間の抜けた声を出した。

「目を覚ましてください。様子がおかしいんです」

「何が」木場は顔をしかめ、目を擦っている。口元に涎《よだれ》の跡があった。

「動きがあったようなんです。駅前にパトカーが止まっていて、警官が走り回っています」

「そりゃ、神楽の捜索が続いてるってことだろう」

浅間は苛々し、木場の二の腕を摑んだ。「とにかく見てください」

「痛てえな。引っ張るなよ」

木場を窓際に立たせ、浅間はレースのカーテンを大きく開いた。

「考えてみてください。駅で神楽を待ち伏せするつもりなら、あんなふうにパトカーを止めておかないでしょう。ここに警官が張り込んでますよって宣伝しているようなものだ」

木場の細い目が、ようやく少し開いた。

「そういえばそうだな……」

浅間は椅子にかけてあった自分のズボンに手を伸ばした。

「暮礼路署に行ってみましょう。きっと、何かあったんですよ」

「待ってくれ。まずは小便だ。それからシャワーも浴びたい」

「十分で支度をしてください。できなかったら、俺は先に行きます」

「わかったよ。そう怒鳴るな」木場は頭を掻きながらバスルームに向かった。

実際それから約十分後、二人は部屋を出ていた。駅前まで歩いてタクシーに乗り、暮礼路署を目指した。

「お客さん、警察の人？」白髪頭の運転手が問いかけてきた。

浅間は隣の木場をちらりと見た後、「違うよ。知り合いが交通事故を起こしちゃってね、そのことで警察に行くんだ」と運転席に向かって答えた。

「ああ、そうか。それは大変だね」

「俺たちが警察官だったら、何か問題なわけ？」

「いやそういうわけじゃなくて、訊きたいことがあったんだ。というのは、さっき会社から連絡があって、リュックを背負った男を見かけたら知らせろってことなんだ。そういう時は大抵、警察から依頼が来てるんだよね。だから、どういう事件なのかなと思ってさ」

浅間は木場と目を合わせた。県警がタクシー会社に協力を求めたということは、神楽はどこかに潜伏しているのではなく、逃走中だと判断したことになる。

「それ、何時頃の話？」

「そうだなあ。六時になるかならないかって頃じゃなかったかなあ」

浅間は腕時計を見た。それからまだ二時間も経っていない。

暮礼路署に着くと、小走りで大会議室に向かった。扉は開けっぱなしで、多くの捜査員が、慌ただしく出入りをしていた。

「浅間さんっ」どこからか声がした。玉原が頬を紅潮させ、二人に駆け寄ってきた。「どうしたんですか。お二人は宿で待機ってことになってたじゃないですか」

浅間は玉原を無視し、中央の会議机に近づいていった。昨夜と同じように、北峰たちが険しい顔で囲んでいる。机の上には巨大な地図が広げられていた。

「本部長」浅間は北峰の横顔に向かっていった。「神楽が見つかったんですね」

酷薄さを隠さない北峰の顔が、ぐるりと巡らされた。だが彼の視線は浅間には向けられず、玉原で止まった。

「おい、どういうことだ」

「すみません。待機しててくださいって、お願いしたんですけど」

本部長、と浅間は再度呼びかけた。

「教えてください。神楽は今、どこにいるんですか。それとも、逃げているところなんですか」

だが北峰は浅間の顔を見ようとしない。くるりと背中を向けた。

「昨日もいったはずだ。見つけて、確保したら君たちに引き渡す。それまではおとなしくしていろ。我々のやることに口を出すな」

「それはわかっていますから、せめて状況だけでも教えてください」

「おい、誰かっ」北峰が叫んだ。

そばにいた二、三人の部下たちが浅間たちの前に立ちはだかった。そのうちの一人がいった。「どうか、宿で待機を」

浅間は唇を嚙み、横にいる木場を見た。

「ここにいちゃいけませんか。決して邪魔はしませんから」木場が訊いた。

部下たちは北峰のほうを振り返った。だが北峰は無言のままだ。

木場は浅間のほうを向いた。「どうやら、いる分には構わないらしいぞ」

「そうらしいですね」

浅間は素早く周囲を見回し、壁際にパイプ椅子が並んでいるのを見つけると、大股で歩み寄り、腰を下ろした。木場も同じように横に座った。

「どうぞ、仕事を続けてください」当惑した様子でいる北峰の部下たちに浅間はいった。

その時だった。電話に出ていた制服警官が、本部長、と北峰を呼んだ。

「潜伏していたと思われる住居が見つかったようです」

「なに？」北峰の顔つきが一層険しくなった。制服警官から受話器を奪い取り、「北峰だ。間違いないのか」と怒鳴るように訊いた。「……そうか、場所はどこだ。いや、ちょっと待て——おい誰か、地図を持ってこい」

北峰の前で地図が広げられた。十人以上の部下が彼を取り囲んだ。浅間も覗き込みたいところだったが、すぐそばに大柄な男がいて、少しでも近づく素振りを見せたら摘み出すぞ、とばかりに威圧的に睨んできた。

「わかった。出入口を中心に見張りを立たせ、絶対に誰も中へは入れるな。おまえたちも入ってはならない。いいな」そういい放つと北峰は受話器を乱暴に置いた。さらにそばにいる部下に、「応援を何人か差し向けてくれ。見張りと周辺の聞き込みだ」と命じた。

すぐに数名の捜査員が集められた。彼等は手短にやりとりを交わし、部屋を出ていった。

北峰は再び会議机のそばに立ち、地図を指して部下たちと話し合っている。浅間たちのことは完全に無視だ。

玉原が出ていくのが見えた。浅間は立ち上がり、彼の後を追った。

「玉原さん」廊下に出たところで声をかけた。「ちょっといいですか」

「何ですか。自分は何も——」

玉原がいい終わらぬうちに浅間は彼の肩を摑み、階段まで連れていった。

「教えてください。今、どういう状況かということぐらいは知っているはずだ」

「昨日もいいましたけど、自分は単なる兵隊なんです」玉原は眉を八の字にした。

「じゃあ、これだけでも教えてください。神楽はまだこの町にいるんですか。それとも逃げたんですか」

玉原はうんざりしたように首を振った。

「早朝、それらしき人物がバイクで逃走するのを検問中の警官が発見したんです。すぐにパトカーで追跡したそうですが、幅の狭い山道に逃げ込まれたため、見失ったということです」

「神楽に間違いないんですか」

「おそらく……という話です」

「その後の行方は全く摑めてないということですね」

玉原は苦しげな表情で小さく頷いた。

北峰たちの顔つきが昨日以上に厳しいはずだと合点した。発見したのに捕まえられなかったとなれば、大失態だ。詳しいことを浅間たちに話したくない気持ちもわかる。

「神楽の潜伏先が判明したようですが、どういうところなんですか」

「そんなこと、自分らは知りません。そもそも、その神楽という人がどうして暮礼路なんかに来たのかも聞かされてないんですから。本部長が電話でやりとりしていたのを聞いてたでしょ。潜伏先を見つけても、中を調べることは禁じられてるんです」

「禁じられてる？　誰にですか。警察庁ですか」

「知りません。自分のような下っ端に訊かないでください」さすがに玉原の口調が尖ってきた。

浅間は礼をいい、玉原を解放した。会議室に戻ってから、木場に事情を伝えた。

「逃げられたのか。そいつは厄介だな」木場は他人事《ひとごと》のような口調で呟いた。

「潜伏先を調べることが禁じられてるって、どういうことでしょうね。そこに何かあるんでしょうか」

「たぶんそうなんだろうな。神楽がこの町に来た理由も、その『何か』が目当てだったんじゃないか」

囁くようにいった木場の言葉に、浅間も同感だった。

その後、北峰たちの動きに大きな変化はなかった。頻繁に警官が出入りし、北峰たちに何やら報告しているが、大した成果が得られていないことは、彼等の表情から明白だった。

そんなふうにして二時間以上が経った頃、気になる会話が浅間の耳に入ってきた。何者かが暮礼路駅に到着し、この警察署に向かっているらしいという話だった。北峰の口ぶりから察すると、どうやら大事な客らしい。

「来客室で会う。到着したら、案内してくれ」北峰は部下にいい、会議室を出ていった。刑事部長や警備部長も後に続いた。

浅間は少し時間を置いてから、目立たぬように席を立った。さりげなく来客室に近づき、電話を使うふりなどをしながら様子を窺った。

間もなく、そばのエレベータが到着を告げ、扉がゆっくりと開いた。数名の男たちが降りてくる。浅間は電話を耳に当て、窓の外に顔を向けた。無論、横目で来客室を視界に捉えている。

だがそんな芝居も、すぐに中止することになった。エレベータから降りてきた男の中に、よく知っている顔があったからだ。

相手も浅間に気づいたらしく、その場で立ち止まった。

「やあどうも」志賀は、やけにのんびりした声で挨拶《あいさつ》してきた。「御苦労様です」

「驚いたな。誰が来るのかと思ったら……」

でね」

「だから、こんなところでぶらぶらしているんですよ。神楽はまだ見つからないようですね」

「時間の問題で見つかるでしょう。腰を据えて待っていればいいんです」

「どういうことなのかな。志賀さんたちがこっちに来たからには、俺たちが留まっている理由はないように思うんですがね」

「神楽は殺人事件の重要参考人だから、捜査一課のあなた方が連行するのが筋でしょう。我々がこっちに来たのは、別の用件があるからです」

「へえ。どういう用件ですか」

浅間が訊いた時、所長、と横にいた若い男が志賀に声をかけた。「そろそろ行きませんと。本部長たちが待っておられます」

わかった、と答えた後、志賀は無表情な顔を浅間に向けてきた。

「前にもいったと思いますが、あなた方は上の指示に従っていればいいんです」くるりと踵を返し、歩き始めた。

「神楽に用がないとすれば、目的は奴の潜伏先ですね。県警の捜査員でさえ立ち入れないようにして、一体何を調べようっていうんですか」

「期待を裏切ったのなら謝りましょう。ところで、神楽はまだ見つからないようですね。俺たちは手出ししちゃいけないそう

志賀は立ち止まった。

「いろいろと複雑な事情があるらしいってことは、あなただっておわかりでしょ。末端の刑事が首を突っ込んだって、ろくなことにはなりませんよ」振り返ることなくそういうと、ほかの者を引き連れ、来客室へと消えていった。

37

瞼を開けると、灰色の壁が目の前にあった。だが視界がかすんでいて、よくわからない。右手で目を擦った。その手は濡れていた。

目から手を離し、瞬きを繰り返した。ようやくはっきりと見えるようになった。同時に、自分が仰向けになっていることに気づいた。壁だと思ったものは、じつは天井だったのだ。濡れているのは手だけではなく、全身がずぶ濡れだということにも気がついた。だがそのわりにはあまり寒くはない。何かで身体を包まれている。いや、覆われているというべきか。

神楽はゆっくりと首を起こした。彼の身体にかけられているのは段ボールだった。何かの箱を潰《つぶ》したものらしい。

さらに身体を起こそうとした時、咳《せき》が出た。同時に、激しい痛みが背中に走った。

「おっ、ようやく気がついたか」横から男のしわがれた声が聞こえた。

野良着のようなものを纏《まと》った中年の痩せた男が、神楽のリュックサックを手にしていた。そのリュックサックも濡れている。

「あんた、誰だ」神楽は横になったままで訊いた。

男は白髪混じりの頭を掻いた。

「命の恩人に対して、誰だ、はないだろう。せめて、誰ですか、といえないか」

「恩人？」

神楽は自分の記憶を辿った。パトカーに追われ、バイクで懸命に逃走したことは覚えている。さらにカーブで曲がり損ね、空中に飛び出したことも蘇ってきた。

「そうだ……川に落ちたんだ」

「どこで落ちたんだい？　魚を釣ろうとしていたら、河原《かわら》に人が倒れてたんで、びっくりしちまったよ」

「落ちた場所はわからない。あんたが……あなたが助けてくれたんですか」

「まあね。といっても、ここに運んだだけだけどさ」男は鼻の下を擦った。

神楽はぐるりと周りを見回した。部屋の広さは三畳ほどで、膨らんだ麻袋などが隅に積まれている。

「ここはどこですか？」神楽は訊いた。

「納屋だよ。収穫したものを保存しておくんだ」

「収穫？　ああ、農家……」

「農家とはちょっと違うんだけど、それでもいいや。やってることは変わらないし」

神楽は痛みに耐えながら、徐々に上半身を起こしていった。打撲がひどい。関節にも痛みがある。だが幸い骨折のような大きな傷は負っていないようだ。

「大丈夫かい？　自力で泳いだみたいだから、たぶん大怪我《おおけが》はしてないと思うけどさ」

「泳いだ？」

「自分でそういったんだよ。俺が見つけた時、意識はあったんだけど、朦朧としてた。で、俺が大声で呼びかけたら、もう泳げないとかいって、そのままのびちまったんだ」

「覚えがない」

「無我夢中だったんだろうなあ」

神楽は記憶の断片を拾い集めようとした。しかし頭の隅から隅まで探ってみても、泳いだ覚えはなかった。そのかわりに、もっと大事なことを思い出した。

「女の子はいませんでしたか？」

「女の子？」男は眉間に皺を寄せた。

「髪が長くて、白い服を着た女の子です。歳は十代後半」

男は首を振った。

「いなかったよ。少なくとも、あんたのそばにはいなかった。一緒だったのか」

神楽は立ち上がろうとした。だが全身が痛み、到底動けない。顔をしかめ、元の姿勢に戻った。

「もうちょっと寝てたほうがいいんじゃないか」

神楽は唇を嚙み、頭を振った。

「彼女を探さなきゃいけない。どこか別の場所に流れついたのかな」

「どうかね。あんたみたいに泳いだんなら、その可能性もあるだろうけど」

身体がぶるぶると震えた。冷たさのせいだけではなかった。もしやスズランは命を落としたのではないかという不吉な想像が頭をよぎり、その恐怖のあまり震えたのだ。

その時、引き戸が開き、顔中に髭を生やした男が顔を覗かせた。おい、と白髪頭の男に声をかけた。

白髪頭の男は神楽の横にリュックサックを置くと、部屋を出ていった。だがすぐ外で何か話しているらしく、ぼそぼそと低い声が聞こえてきた。

神楽はリュックサックを引き寄せた。濡れてはいたが、着替えや生活用品、現金などは無事だった。電話も残っていたが、全く機能しなくなっていた。これでは白鳥里沙に連絡を取れない。

白髪頭の男が戻ってきて、神楽の横で胡座《あぐら》をかいた。

「あんた、警察が探してる人かい」

ぎくりとした。どう答えればいいのかわからず黙っていると、男は顔をしかめた。

「やっぱりそうか。面倒なことになっちまったなあ」

「お願いです。警察には知らせないでください。犯人じゃないんです。これは冤罪《えんざい》で――」

神楽の言葉を制するように男は顔の前で手を振った。

「いいんだよ、そういう話は。あんたが何かの犯人であろうとなかろうと、そんなことはどうでもいいんだ。大事なのは、俺たちは警察とは関わり合いになりたくないってことだ。奴らにここまで押しかけてこられちゃ迷惑なんだよ」

「ここって、どういうところなんですか」

「別に変わったところじゃないよ。俺たちの住処だ。ただし暮礼路の中でも、とびきりの僻《へき》地《ち》だ。町からだと細い私道が一本あるだけで、交通機関は何もない。あんたみたいに、どこかで川に飛び込んだりしないかぎり、ふつうなら辿り着けない場所だ」

「そんなところであなたたちは何を？」

男は無精髭で囲まれた唇を緩めた。

「特別なことはしてない。人間本来の生活を送っているだけだ。畑を耕して野菜を作ったり、川で魚を釣ったりする。基本は自給自足だ。とはいえ、金がないとどうしようもないことも多いから、たまに町へ野菜を売りに行ったりするけどね。漬け物や薫製なんか、結構人気があるんだぜ」

「ナチュラリストというわけですか」

神楽の言葉に、男はおかしそうに身体を揺すった。

「そんな大層なものじゃないよ。まともな生活を送りたいっていう人間が、何となく集まっただけだ。元々は、全員都会の人間だった。俺だって、こう見えても建築士の資格を持ってるんだぜ」

「へえ」神楽は男の顔を見返した。日焼けのせいで肌が荒れていて、おまけに白髪頭なので老けた印象だが、まだ五十歳前後かもしれなかった。

「だけど参ったな。仲間たちはさ、あんたのことを追い出せといってるんだ。万一警察がやってきて、あんたのことを見つけたら厄介だからね。だけどあんたその身体だし、今すぐに動けといったって無理だよなあ」

「いや、あなた方に迷惑はかけられない。骨は無事みたいだから、何とか動けます」

「無理すんなって。ここを出た後、あんたがすぐに捕まったんじゃあ、こっちも困るんだ。俺たちが匿《かくま》ってたってことで、警察はここも調べるに違いないからさ」

「ずいぶんと警察を嫌ってるんですね」

「管理されるのが嫌なんだよ。奴ら、俺たち全員の指紋を採るかもしれない。下手すりゃあ、DNAのデータだって集めようとするかもしれない。そんなの、絶対にお断りだからさ。そういうふうに管理されるのが嫌で、俺たちは都会から逃げてきたんだよ」

真剣な顔つきで吐き出された言葉を聞き、神楽はつい視線を落とした。彼等が忌み嫌う管理社会の中枢に、彼はつい先日まで身を置いていたのだ。

男は腕組みをして考え込んだ後、よし、と小さく呟いた。

「あんたは夜までここにいろ。暗くなったら、何とかしてあんたを外に連れ出す。なるべく遠いところまで運んだ後、そこで解放する。あんたは警察に捕まりたくないだろうから、そこからがんばって逃げてくれ。できるだけ遠くまで逃げるんだ。それでどうだ」

「逃がしてくれるんですか」

「逃げてくれなきゃ困るんだよ。どうだ、悪い話じゃないだろ」

神楽は頷いた。「たしかに」

「ただしだ」男は人差し指を立てた。「この先、どこかで捕まることがあっても、絶対に俺たちのことを警察に話さないでくれ。それを約束できるか。できないというなら、別の方法を考えなきゃならない」

「わかりました。約束します。ここのことは誰にも話しません」

「頼むぜ。もし約束を破ったら、こっちだって黙っちゃいないからな。俺たちはあんたを匿ってたんじゃなくて、人質を取られて居座られただけだっていうからな。そんなことになったら、罪が増えるだけだぜ」

「大丈夫。約束は破りません」

よし、と答えて男は立ち上がった。

「あなたのことは何と呼べばいいですか？」神楽は訊いた。「呼び名がないと不便だから」

男は入り口に立ち、肩をすくめてから答えた。「じゃあ、チクシと呼んでくれ」

「チクシ？　それが名字ですか」

「違うよ。さっきいっただろ。元建築士なんだよ。ケンチクシ。だから略してチクシだ。ここじゃあ本名を使う奴なんかいない」そういうと男は再び納屋を出ていった。

腕時計が壊れていなかったので、時刻を知ることはできた。身体の痛みは時間の経過と共に多少和らいだ。濡れた衣服は不快だし、地面に段ボールを敷いただけの寝床は硬く、とても安眠できる環境ではなかったが、とりあえず居場所を得られたことは幸運というべきだった。しかもチクシは食事まで用意してくれたのだ。味の薄い雑炊に、ニンジンと大根の漬け物という質素なメニューではあったが、まともなものを殆ど口にしていない神楽にとっては、思いも寄らぬ御馳走だった。

最後の一粒まで食べ終えた後、神楽は自分が手にしている器が、機械で量産されたものではなく、誰かの手作り品であることに気づいた。裏返してみると、糸底の中央に『滋』という文字が彫られていた。

「それがどうかしたのかい」横から声がした。チクシが入ってくるところだった。手に紙袋を提げている。

「これ、誰が作ったんですか」

チクシは、ふんと鼻を鳴らした。

「俺だよ。見よう見まねでね。恥ずかしいから、あんまり見ないでくれ」

「ここで作ったんですか」

「そうだ。仲間に専門家がいてさ、かなり本格的な窯《かま》があるんだ」

「それはすごい」

「あんた、陶芸に興味があるのか」

「父親が陶芸家だったんです」

「へえ、それは奇遇だな。じゃあ、もっとまともな作品を見せてやろうか。ここで使ってる食器は、全部手作りなんだ」

是非、と神楽は答えた。陶器だけでなく、彼等の暮らしぶりを見たいと思った。

チクシが紙袋を置いた。

「その前に着替えなよ。リュックに入ってた着替えを乾かしてやったからさ」

「いろいろとすみません」

「靴、これでいいかな。ぼろいけど、ないよりましだろ」そういってチクシが紙袋から出してきたのは、古びた運動靴だった。それを見てはじめて、神楽は自分が靴をなくしていることに気づいた。

ありがとうございます、と彼は礼をいった。

チクシに続いて納屋を出た。目の前には畑が広がっていた。畑を取り囲むように木造の小屋が何軒か建っていて、さらにその周りには深い森があった。たしかにこれなら人里からは隔離されているだろう。

「昔、ここには集落があったらしい。過疎化が進んで、無人になったって話だ。そこに俺たちが来て、住みついたってわけさ」歩きながらチクシが説明した。

「家は誰が建てたんですか」

「俺たちが自分たちで建てたんだ。ここでは基本的に、何でも自分でやるんだよ。みんなで力を合わせりゃ、家なんて簡単に建てられる」

「だけど、台風がきたら、すぐに壊れそうに見えますけど」材木を組み合わせただけのような小屋を見て、神楽は正直な感想を述べた。

「壊れたら、また建てればいいんだ。どうってことない」

一軒の小屋の前で、大柄な男が薪《まき》を割っていた。剝き出しになった太い二の腕には、サソリの入れ墨が入っている。

サソリ、とチクシは呼びかけた。「この兄さんに、焼き物を見せてやってもいいか」

「勝手にしなよ」サソリと呼ばれた男は無愛想な口調でいった。

チクシは小屋の戸を開けた。作業台があり、隅にはろくろが置いてあった。壁には棚が作られていて、大小様々な陶器が数えきれないほどに並んでいる。

すごいな、と神楽は呟いていた。

「あの男はね、以前は暴力団が経営するバーでバーテンをしていたんだ。その店じゃ、いろんな個人情報が取引されてたそうだよ。住所、氏名、年齢、職業、学歴、本籍、家族構成、そういったものがどんどん裏社会に流れていってる。役人たちは、自分たちが仕事をやりやすくするために、国民たちの情報を集めようとするだろ。ところがそうやって集めた情報を厳重に管理するっていう発想がない。結局、悪い奴らの手に渡って、最後に痛い目に遭うのは庶民なんだ。そういうのを何度も目にしているうちに、そんな中で暮らしているのが嫌になったんだそうだ」

「それでここに来て陶芸を……」

「土をこねまわしていると人間に戻った気がするってよくいってるよ。昔の自分は人間じゃなかったってね」

神楽は棚の茶碗を手に取った。赤土に白い化粧土を載せた粉引《こび》きという手法が使われている。ほどよいざらつきが柔らかさを感じさせる。

「見事な出来だ」

「すごいよね。だけどさ、作品の出来は関係ないってサソリはいってる。大事なことは思いを込めるってことらしい」

「思い？　そんなもの、どうやって込めるんですか」

「心を無にするんだよ」突然、後ろから声が聞こえた。サソリが入り口に立っていた。

「薪割りは終わったのかい」

チクシの問いかけには答えず、サソリは中に入ってきた。

「いいものを作ろうとか、誰かの真似をしようとか考えないことだ。思いは必ず手に伝わる。

その手が土を形作る」

「手が……」神楽は茶碗を棚に戻した。ほかの作品にも目を向けた。

その瞬間、彼の頭の中で二本の手が動きだした。リュウが描いた手だ。

息を呑んだ。突然、その手の正体がわかったからだ。

同時に、意識が急速に遠のくのを感じた。

38

目を覚ますと、神楽は板の間で横たわっていた。誰かが毛布をかけてくれたようだ。見回したところ、チクシの納屋ではない。板を貼り合わせた天井が、薄い闇の向こうに見えた。

ぐおんぐおんぐおん、という何かが回転しているような音が聞こえる。あの音で目を覚ましたようだ。神楽は身体を起こした。太い息を一つ吐いた。

ああそうだ、と記憶を取り戻した。自分は気を失ったのだ。チクシたちに焼き物を見せてもらっている最中のことだ。しかしなぜそんなことになったのか。いくら考えても、その部分の記憶は蘇ってこない。

すぐ横に木の引き戸がある。音はその向こうから聞こえてきたようだ。だが今は止まっている。神楽は、そっと戸を開けてみた。

「目を覚ましたのか」

声をかけてきたのはサソリだった。彼はランプの下で椅子に座っていた。前にはろくろがあり、その上には成形中の土が載っていた。

どうも、と神楽は答えた。我ながら間抜けな受け答えだと思った。

「よかった。頭をどうかしたんならどうしようかと思ってたんだ。あんたを病院に連れていったら、厄介なことになりそうだしな」

「御迷惑をかけてすみません」

「そう思うんなら、さっさと出ていってくれ」

「そのつもりです。チクシさんからは、深夜になったら連れ出してもらえると聞いています」

「わかっている。奴は今、その準備中だ」サソリはいい、ろくろを回し始めた。しかもどうやら電動ではない。彼は足踏みをしていた。ペダルを踏んで、ターンテーブルを回転させる方式なのだ。

引き戸のすぐ下に、チクシから貰った運動靴が置いてあった。神楽は足を下ろし、靴を履いた。ゆっくりとサソリに近づいた。

「足踏み式のろくろなんて、初めて見ました」

サソリは、ふんと鼻を鳴らした。

「だろうな。こいつは明治時代のものだ。壊れてたのを、俺が修理して使っている」

「ここにある焼き物は、全部これを使って作ったんですか」

「そうだ。昔は電動ろくろなんてなかったんだ。皆、こうやって作った。土を回転させる速度や強さを足で感じながら回してやる。それが本来のろくろだ」

サソリはゆっくりと両手を器に近づけていった。左手で外側を支え、右手で内側から広げていく。今はまだ縦長の形をしているが、最終的には丸い碗《わん》に仕上げようとしているようだ。

不意に、リュウの描いた絵が神楽の脳裏に浮かんだ。様々な手を描いたものが、コマ送りされたアニメーションのように次々と現れる。気を失う直前にも、同じようなことがあった。だが今回は平気だった。彼は、動く絵を思い浮かべている自分のことを、冷静に受け止めていた。

あれは父の手だ。土をこね、ひとつの作品に仕上げていくまでの父の手の動きを、リュウはキャンバスの上に再現させようとしていたのだ。

「思いは必ず手に伝わる……」

神楽の呟きが耳に入ったらしく、サソリが顔を上げた。「何だって？」

「思いは必ず手に伝わる。その手が土を形作る……そうおっしゃいましたよね」

「ああ、いったよ。俺の信念だ。手先だけでいいものを作ろうとしたって意味がない。それで見てくれのいい焼き物ができたとしても、ただそれだけのことだ。焼き物は鏡だ。自分の心を映す鏡だ。雑念を捨てて、自分の心を素直にさらけだせば、たとえ他人には不格好に見えようとも、それは立派な作品なんだ。俺はそう思うぜ」

しゃべりすぎたと思ったのか、サソリは洟《はな》を啜るような音をたてた後、再びろくろを回し始めた。碗はかなり完成に近づきつつあるように見える。

リュウは――。

父の手を見ていたのだ、と神楽は思った。そこにこそ価値があることを知っていたのだ。作品は父の思いの結晶だが、それは結果でしかない。その形だけを真似たとしても、何の意味もない。

「芸術とは作者が意識して生み出せるものではない。その逆だ。それは作者を操り、作品としてこの世に生まれる。作者は奴隷なのだ」

これは父である神楽昭吾の言葉だ。それほどの境地に達していながら、彼はコンピュータによる贋作を見抜けなかった自分に失望し、命を絶った。その死に直面し、神楽も何かを失った。所詮、人間の心など脆《もろ》いものだと思い込むようになった。データこそがすべてだと確信してしまった。父の作品でさえ、結局はデータの集積に過ぎなかったと失望した。

しかしリュウは、神楽が失った「何か」を手放してはいなかった。むしろ彼はそれを自らの最大の宝物だと思っていた。だからこそ手の絵を描き続けた。たぶん彼は、それが父の手であることを、それこそが貴重だということを神楽に知らせようとしていたのだ。

どんな芸術作品でもデータ化は可能かもしれない。事実、神楽昭吾の作品はコンピュータとロボットによって再現された。だがそんなことに大した意味はない。作品もデータに過ぎないということなら、そのデータを生み出したものは何かということこそが重要だったのだ。

突然、胸にこみあげてくるものがあった。それは父の偉大さを再確認できた歓《よろこ》びであり、だからこそあの時に父を救えたのは自分しかいなかったのだという後悔の念だった。リュウのように、父の作品ではなくその手を見つめ続けていたなら、コンピュータとの戦いに敗れたことに大した意味などはない、と堂々と父に教えてやれたはずなのだ。

「どうした？」サソリが手を止め、神楽に訊いてきた。

神楽はあわてて目を擦った。自分でも気づかないうちに涙が溢れていた。

すみません、と呟き神楽は後ろを向いた。部屋に入り、引き戸を閉めた。

自分は間違っていたのかもしれないと思った。遺伝子は人生を決めるプログラムだ、というのが持論だった。人の心も遺伝子という初期プログラムによって決まると信じていた。

今、その考えが激しく揺れていた。

チクシがやってきたのは、それから小一時間後だった。時計の針は零時十三分を指していた。

「何とか工夫してみた。少々狭いけど、警察に見つからないためには我慢してもらうしかない」チクシは神楽を見ていった。

「工夫って？」

「まあ、見ればわかるよ」

チクシに続いて外に出た。一台の軽トラックが止められていた。荷台にはドラム缶のほか、材木や金属製の廃材などが積まれている。

「もし検問に引っかかったら、廃棄物を処理場に持っていくところだと答える。許可証もあるし、疑われることはないはずだ。市の役人は、この地域のゴミ処理を放棄している。住みたいなら、自分たちで処理しろってことだ。文句をいわれる筋合いはない」

チクシは荷台に上がり、ドラム缶の上部を両手で持ち、回した。するとその蓋はあっさりと外れた。

「ただ回しただけじゃ開かないようになっている。まさか中に人が隠れてるとは思わないだろ」チクシは、にやりと笑った。

「その中に入れと？」

「文句をいう資格があんたにあるかい？」

「いえ、喜んで」

神楽は荷台に上がり、チクシの横に立ってドラム缶の中を覗き込んだ。灯油の臭いがかすかにした。そのことをいうと、そうだよ、とチクシは頷いた。

「軽く洗ったんだけど、臭いはなかなかとれないな。大丈夫だと思うが、中ではあんまり動かないでくれ。摩擦とかで、万一火花でも出たら大変だからさ」

「気をつけます」

神楽は慎重にドラム缶の中に入った。チクシが蓋を取り上げた時、サソリが出てきた。彼は錆びた自転車を押していた。軽トラックの後ろまで来ると、自転車を荷台に載せた。

「何の真似だい」チクシが訊いた。

「こいつも持っていけ。夜中に徒歩じゃ、いつ職務質問を受けるかわからんぞ」

「いえ、朝まではどこかに身を潜めているつもりです」

サソリはかぶりを振った。

「なるべく遠くまで逃げてくれなきゃ、こっちが困るんだ。鉄道や飛行機は使えないんだろ？　ヒッチハイクなんてこともやめておいたほうがいい」

チクシが神楽を見た。「あんた、自転車は乗れる?」

「一応」

「じゃあ、乗っていきなよ。自転車があるとなれば、そんなに遠くまであんたを運ばなくて済むし」

ありがとうございます、と神楽はサソリに頭を下げた。サソリは返事をせず、家の中に消えた。

神楽がドラム缶の中に身を沈めると、チクシが蓋を閉めた。完全なる闇が神楽を包んだ。間もなくエンジンの振動が身体に伝わってきた。走りだしたということを、上下の激しい揺れで実感した。チクシからは中であまり動くなといわれたが、勝手に尻がバウンドするのだからどうしようもない。

やがてその振動も収まった。山道から舗装路に出たらしい。闇の中では時間の流れがよくわからない。ずいぶん長い間走っているように思うが、じつはそれほどでもないのかもしれなかった。

まだ安心するわけにはいかないが、この分だと何とか脱出はできそうだ。問題はその後だった。蓼科兄妹の家では、『モーグル』の手がかりは得られなかった。ではどうするか。

とりあえず白鳥里沙に連絡をするのが先決だろう。唯一の連絡手段である携帯電話は壊れてしまったから、公衆電話を使うしかない。幸い、番号は控えてある。

もう一つ気になっていることがある。いや、一番気になっているといったほうがいい。スズランのことだ。彼女は一体どうなってしまったのか。一緒に川に落ちたが、彼女は別の場所に流れていったようだ。誰かに助けられただろうか。そうでないとすれば、生きている可能性はかぎりなく低い。

彼女が何者なのか、結局神楽は知らないままだった。何のために彼の前に現れたのかも不明だ。じつのところ、敵か味方なのかもわかっていない。だが彼女が死んだかもしれないと思うと、激しい焦燥感と喪失感で、身体が震えた。なぜかはわからない。リュウの代わりに結婚式を挙げたからだろうか。

身体が大きく揺れ、肩がドラム缶にぶつかった。それで神楽は、はっとして目を開けた。どうやら少し微睡んでいたようだ。

揺れが全くないことに神楽は気づいた。かすかに振動音がするから、エンジンを切ったわけではなさそうだ。車が止まった拍子に身体が揺れたらしいが、問題はなぜ止まったのかということだ。信号待ちならいいのだが――。

人の話し声が聞こえた。何をしゃべっているのかは聞き取れないが、一方はチクシのようだ。この時間帯に、偶然知り合いに会ったとは思えない。

そんなふうに考えていると、荷台の後部が開けられる音が聞こえた。さらに、すぐそばで物音がする。誰かが近づいてくる気配があった。

神楽は身体を硬くした。どうやら検問に引っかかったようだ。荷台に上がってきたのは警官だろう。少しでも物音をたてたなら、忽ち疑われてしまう。

こんこん、とドラム缶を叩く音がした。神楽は全身から汗が噴き出しそうになった。

それからの時間は、恐ろしく長く感じられた。警官らしき人物は、いつまでもドラム缶の周りを歩き回っていた。神楽が中に潜んでいることに気づいていて、わざとじらしているのではないかとさえ思った。

だがそんな恐怖の時間も、やがて終了を告げた。足音は消え、続いて車が走りだしたからだ。神楽は灯油臭い空気を思いきり吸い、そして吐き出した。

時間の感覚が狂っていたし、時折うつらうつらしてしまったので、出発からどれぐらい走っているのか、まるでわからなくなってしまった。しかし一時間以上は走っているのではないかと思われた。出発前に用便を済ませておいたのだが、そろそろ尿意を催してきたからだ。同じ姿勢を続けているのが辛くなり、狭いドラム缶の中でもぞもぞと動いていたら、再び車が停止するのを感じた。しかも今回はエンジン音も止まった。

しばらくすると、またしても誰かが近づいてくる気配があった。さらには、さっきと同じように、こんこんと叩かれた。神楽は息を殺した。

不意に周囲が明るくなった。冷たい空気が一斉に流れ込んでくる。神楽は顔を上げた。蓋が外され、チクシが覗き込んできた。

「お疲れ。着いたぜ」

神楽は頷き、ゆっくりと立ち上がった。関節が少し痛む。チクシの手を借り、ドラム缶から出た。

明るくなったと感じたのは完璧な闇の中にいたせいに過ぎず、実際にはまだ深夜だった。時計を見ると午前二時近くだ。思ったよりも長く走っていたのだなと思った。

「検問に引っかかったみたいですね」

神楽の問いに、まあな、とチクシは答えた。

「やる気がなさそうな警官で助かった。荷台を調べもしなかった」

「調べてない？　だけど、誰かがドラム缶を叩きましたよ」

チクシは肩をすくめた。

「それは俺だよ。検問で止められたついでに、荷崩れがないかどうか確かめたんだ」

「そうだったんだ……」

神楽は周囲を見回した。何もない平原の先に、派手な装飾を施した建物が何軒か建っている。地方には、まだこうしたラブホテル街がたくさんある。

「あのあたりまで行けば、すぐに幹線道路に出られる」チクシがいった。「気をつけるんだぜ。この時間帯は、トラックが半端じゃないスピードで飛ばしてるからな」

「わかっています」

チクシに手伝ってもらい、サソリの自転車を荷台から下ろした。錆びだらけではあったが、乗るには全く問題がなく、タイヤの空気も十分に入れられていた。

「これは別に答えなくてもいいんだけどさ、あんたこれからどうするつもりだい？　ただひたすら逃げ回るのかい」チクシが尋ねてきた。

神楽は首を振った。

「最初にいったように、これは冤罪なんです。何としてでも、疑惑を晴らします。同時に、真実を突き止めるつもりです」

「そうか。詳しいことは聞かなかったけど、いろいろと事情がありそうだな。まあ、気をつけてがんばってくれ」

「ありがとうございます。本当にお世話になりました。もし警察に捕まったとしても、あなた方のことは決して話しません」

「それについては、よろしく頼むといっておくよ」

チクシは軽トラックに乗り込んだ。エンジンをかけた後、窓を開けた。

「じゃあ、達者でな」

「チクシさんもお元気で」

チクシは頷き、サイドブレーキを外した。だが発進させる前に、もう一度神楽を見た。

「どうしたんですか」

「いや、大したことじゃないんだけどさ。あんたとは、どこかでもう一度会いそうな気がするんだよ」

神楽は口元を緩めた。「会えるといいですね」

「その時まで、お互い身体には気をつけようぜ」チクシは車を動かした。

細い道を軽トラックが遠ざかっていくのを、神楽は見送った。完全に見えなくなってから、自転車に跨り、ゆっくりとこぎだした。

39

浅間は木場と共に、ホームで上り列車を待っていた。着替えなどが入った旅行鞄のほかに、虚《むな》しい気分という手荷物があった。こっちに来てから、仕事らしいことは何もしていない。

したがって大して疲れているはずはなかったが、身体は心と同じぐらいに重たかった。

東京に戻ってくるように、という指示を那須から受けたのは今朝のことだ。理由は告げられていない。だが浅間や木場には、どういう事情なのかはすでにわかっていた。

神楽がバイクで逃走した、という話を玉原から聞いたのは三日前だ。その後、北峰県警本部長が指揮を執る『K関連特別捜索対策室』は、神楽を確保するどころか、目撃情報すら得ることができなかった。成果が上がっていないことは、暮礼路署に顔を出すだけですぐにわかった。北峰が苛々して部下たちを叱りとばすという光景は、この三日間、変わることがなかった。

神楽が県外への脱出に成功したことは明白だった。自らの失態を周囲に知られたくない北峰は、当初、近辺の県警に協力を要請するのを躊躇っていた。だがもはやどうにもならないと観念し、あわてて各県警本部長に連絡したのが昨日のことだ。二日あれば、検問を避けて徒歩で移動するだけでもかなりの距離を稼げる。当然のことながら、昨日丸一日をかけた一斉検問でも、神楽を見つけることはできなかった。

要するに、これ以上暮礼路市に残っていても神楽を連行できる可能性はゼロだから、さっさと東京に帰ってこい——那須の指示の意味はそういうことなのだ。

「それにしても神楽の奴、うまく逃げたもんだよな。一体、どんなルートを使ったのかな」

木場は首を捻る。

「やっぱり徒歩だと思います。バイクで逃走するところを見つかっていますが、そのまま乗り続けていたなら、必ずどこかの検問で引っかかっていたはずです。目撃情報もありませんし、パトカーを振り切った直後、バイクは乗り捨てたんでしょうね」

「公共交通機関を使ったはずはないしな」

「あれだけ厳重に警備していて、見逃したとは思えませんからね。神楽にしても、警戒するでしょう」

「そこなんだが、なぜ神楽は、自分の居場所がばれたことに気づいたんだろうな」

「それは俺も疑問に思っていることです」浅間はいった。「東京駅で切符を買った時点では、殆ど警戒していません。そのせいで目的地が志賀たちに割りだされてしまったわけです。ところが捜索が開始されて間もなく、奴は逃走を始めています。たまたまではなく、明らかに警察の動きに気づいた上でのタイミングです。そこで思い出されるのが、俺たちが最初に神楽の身柄を確保しようとした時のことです。病院の防犯カメラに細工をした疑いがあるということで、奴を捕まえようとしました。俺たちは研究所へ行き、ほかの連中には自宅と病院に向かわせたわけです。ところが、一足違いで奴は逃走していました。後で病院の防犯カメラの映像を見たところ、奴はすぐ前まで来ながら、なぜか突然立ち去っているんです。まるでこっちの動きを読んだようにね。奴が自宅のマンションを出る時の映像も見ましたが、その時点では逃走の気配なんか全くなかった。明らかに、急遽行動を変えているんです」

木場は唸った。「どういうことかな」

「考えられることは一つです。何者かが神楽に情報を流しているんです。警察の捜査状況をかなり詳しく把握できて、しかも自由に動ける人間だと考えられます。神楽に連絡しているところを、人に気づかれてはいけませんからね」

「そんな人間、いるかな」木場は腕組みをし、首を捻った。

浅間には一人だけ心当たりがあった。捜査会議に出席していて、その後の行動が不明、さらに神楽と個人的な繋がりがある――条件はぴったりだ。しかし口には出さなかった。東京に戻ってから、自分の手で突き止めようと思った。

列車がホームに滑り込んできた。降りる客は少ない。木場に続いて浅間も乗り込んだ。

自由席車両は半分ほどが埋まっていた。三人掛けのシートが空いていたので、空席を挟むようにして二人で座った。混んできたら詰めればいい。

「ところで、連れについては誰も何もいってませんでしたね」

「連れ？」

「神楽の連れです。ほら、東京駅で奴は自分の切符を買った後、隣の席の切符も買ったじゃないですか。だから連れがいるんだろうと思われたわけですが、県警じゃ、それについて何かを調べたふうではありませんでした」

「何も手がかりが得られなかったからだろう」

「でも、列車での目撃証言ぐらいは集めたんじゃないですか。たとえば、車掌とか」

「どうかな。今は車掌が車内を見回ることなんか殆どないから、神楽のことも覚えてなかったんじゃないか」

「一応、確認してみませんか」

「わかった。問い合わせてみよう。それぐらいのことなら教えてくれるだろう」木場は懐から電話を取り出しながら立ち上がり、デッキに出ていった。

浅間はぼんやりと窓の外を眺めた。といっても、防音壁に阻まれて、景色などろくに見えない。だが考え事をするには、ちょうどよかった。

神楽に連れがいたとすれば、それはどういう人物だろうか。東京駅の防犯カメラの映像を見るかぎりでは、神楽は最初、一人で暮礼路に向かうつもりだったようだ。ところが急遽、連れができたという感じだった。一体、誰が彼の前に現れたのか。

木場がデッキから戻ってきた。釈然としない表情をしている。

「どうでしたか」

　木場は首を捻りながらシートに腰を下ろした。

「目撃者が一名いるそうだ。車内販売をしていた女性だってさ。神楽が弁当を買ったらしい。一応、県警の捜査員が話を聞いている」

「なるほど。で、その女性はどんなふうに話しているんですか」

「いやあ、それがさ」木場は頭を掻いた。「今ひとつ要領を得ないんだ。報告書を読むかぎりでは、大した話は聞けなかったらしい。連れに関することもわからんままだ」

「何ですか、それ。どんな新米刑事が話を聞きに行ったんですかね」

「いや、電話で聞いたかぎりでは、結構なベテラン刑事が行ったらしい。とりあえず、その車内販売員の連絡先は聞いておいた。東京駅の構内に事務所があるそうだ」木場はメモ帳を破り、浅間に寄越した。

「それは都合がいい。東京駅に着いたら、早速会いに行ってみましょう」メモを受け取ると、今度は浅間が電話を取り出しながら立ち上がった。

　それから約二時間後、二人は東京駅のホームに降り立っていた。時刻は午後三時を回ったところだ。

　件《くだん》の車内販売員は現在勤務中で、四時過ぎには東京駅に戻ってくるという話だった。警視庁に顔を出すという木場と別れ、浅間は喫茶店に入った。無論、コーヒーを飲むのが目的ではない。電話を取り出し、戸倉にかけた。今まではずっと木場が一緒にいたので、連絡を取りづらかったのだ。

「東京に戻ってきたんですか。どうも、お疲れ様です」のんびりした声で戸倉はいった。

「嫌味かい。あんなくそ田舎まで行って、土産は何もなしだ」

「らしいですね。課長たち、かなりカリカリしてますよ」

「もうすぐ係長が、そっちに着くはずだ。まあ報告を聞いたところで、課長の血圧が下がるとは思えないけどな。ところでハイデンのことで何かわかったか」

戸倉の吐息が聞こえた。

「残念ながら収穫なしです。強いていえば、『タイガー電気』がハイデンの販売を当面自粛するらしいってことぐらいです。俺たちが聞き込みに行ったことで、厄介な事件に関わりそうだと警戒したんじゃないですか。おかげで電トリにはまってる連中からは、失望の声が出てるみたいですよ。ハイデンの凄さに関する噂だけは、結構広まっていたみたいですからね」

「なるほどな。いや、ちょっと待てよ」浅間は電話機を握り直した。「そうか。そういう可能性があるわけか」

「何ですか。一人だけで納得しないでくださいよ」

「いや、ふと思ったんだ。『タイガー電気』のおかげでハイデンの噂が広まった。これまで電トリで満足していた連中が、新たな刺激を求めるきっかけになった。つまり、じつに見事にハイデンの宣伝ができたってわけだ」

あっ、と戸倉が発した。「たしかにそうですね」

「ハイデンの考案者は『タイガー電気』に代金の請求をしていない。元々、金が目的じゃなかったんだ。ハイデンを広めることこそが狙いだったと考えたらどうだ」

「筋は通ります。ではハイデンを広める目的は何ですか。人間全体を狂わせることですか。それとも治安の乱れを誘発することですか」

「それはわからない。だけどハイデンの考案者がＮＦ13の犯人だった場合、ハイデンが広まれば一つだけ確実に都合のいいことがある。犯行にハイデンを使用しても、そのこと自体は手がかりになりにくいということだ」

「あ、そうか……」

「引き続き、ハイデンに関する情報に注意しておけ。どんな小さなことでも、何かあったら知らせてくれ」

「わかりました」

電話を切り、時計を睨みながら冷めたコーヒーを飲んだ。四時十分になったところで、車内販売員の職場に電話をかけた。件の販売員はまだ戻っておらず、上司が電話に出た。これから職場に行ってもいいかと浅間が訊くと、本人をそちらに向かわせるといって、彼の居場所を尋ねてきた。どうやら職場はかなりごった返しており、部外者に来られると邪魔らしい。

それから十分ほど待っていると、白いブラウスの上にピンクのベストを着た若い女性が入ってきた。それが車内販売員の制服だということは、ついさっきまで列車に乗っていた浅間にはすぐにわかった。

声をかけ、名刺を出しながら自己紹介した。

「先日あなたが車内でこの男性を目撃したという件について、もう一度お話を伺いたいんです」そういって浅間は神楽の顔写真を出した。

「それは構いませんけど、前に話したこと以外、特に何もないんですけど」

「ええ、それで結構です。同じ話をしてくだされぱいいんです」浅間はメモを取る準備をした。「あなたが見たままを話してください。この男性が弁当を買ったそうですね」

「そうです。ワゴンを押していたら、この人から声をかけられました。弁当を二つとペットボトルのお茶です。たしか、釜飯弁当だったと思います」

よく覚えているものだな、と浅間は感心した。しかも彼女の発言の中には、重大な情報が含まれていた。

「弁当を二つ、とおっしゃいましたよね。するとつまり、この男性には連れがいたということですか」

彼女は困惑したように眉をひそめた。

「前に来られた刑事さんにもそのことを訊かれましたけど、あたしにはわかりません」

「どうしてですか」

「だって、見てませんから」

「見てない？　何を？」

「だからお連れの方をです。この男性は二人掛けのシートの通路側に座っておられたんですけど、窓側の席は空いていました。誰もいらっしゃらなかったんです」

「ははあ……」浅間は相手の女性を眺めた。「トイレに立っていた、ということかな」

「そうかもしれません」

「荷物はありましたか」

「いえ、何もなかったと思います」

「そうですか。前に刑事が来た時も同じ話を？」

「そうです。話したのは、このことだけです」彼女は答えた。

これで腑に落ちた、と浅間は思った。神楽にはどうやら連れがいたようだが、販売員が姿を見ていないというのでは、報告書には何とも書きようがない。

「車内販売というのは、何度か往復しますよね。この男性から声をかけられたのは、その時だけですか」

「そうです」

それでは神楽の同行者が席に戻ってきても気づかなかっただろうな、と浅間は想像した。彼女たちは何百人もの客の間を移動しているのだ。

「お忙しいところを申し訳ございませんでした。御協力に感謝します」浅間は頭を下げた。

「もういいんですか」

「結構です。参考になりました」

彼女は小さく頷き、立ち上がった。だが出口に向かいかけて、すぐに戻ってきた。

何か、と浅間は訊いた。

「これ、前に来た刑事さんには話さなかったんですけど、ちょっと気になっていることがあるんです」

「何でしょうか」浅間は手で前の椅子を勧めた。

彼女は再び腰を下ろし、やや躊躇いがちに口を開いた。

「あたしがそのお客さんのことをよく覚えているのには理由があるんです。じつをいうと、お弁当を注文された時に、変だなと思うことがありました」

「どういうことですか」

「それが……あのお客さん、独り言をいったんです」

「独り言？」

「弁当は何にしようか、みたいなことです。しかもそれを隣の席に向かって。まるで、そこに誰か別の人がいるように。あたし、精神的に少しおかしい人なのかなと思いました」

思いもよらない話で、浅間は当惑した。メモを取るのも忘れていた。

「以前刑事から話を聞かれた時には、そのことはいわなかったわけですね」

「ごめんなさい。だって、知らない人のことをおかしいと思ったなんてこと、いいにくいじゃないですか」

浅間は頷いた。「そうかもしれないな」

「あたしが話せるのはそれで全部です。ほかには何もありません」

「わかりました。どうもありがとう」

車内販売員の女性は胸のつかえがおりたような顔をして立ち上がると、深々と頭を下げ、店を出ていった。

浅間はテーブルに肘をつき、顔を擦った。彼女の話を頭の中でリピートし、その時の模様を想像してみた。神楽のことはよく知らないが、奇妙な独り言をいう癖には気がつかなかった。

あるいは二重人格の別人格が現れたのか――。

新世紀大学の水上に相談してみようと思った。彼なら何かわかるかもしれない。

浅間が席を立った時、電話が着信を告げた。木場からだった。

「課長への報告は終わったんですか」電話を繋ぐなり、浅間は訊いた。

「それどころじゃない。えらいことになったぞ」木場の声は切迫感に包まれていた。

「どうしたんです」

「殺しだ。新たに殺人事件が起きた。しかも被害者は関係者だ」

「関係者？　誰ですか」

一呼吸置いてから木場は答えた。

「白鳥里沙だ」

40

白鳥里沙は日本橋のそばにあるマンションを借りていた。四十階以上もあるタワーマンションの十三階だ。だがタクシーで駆けつけた浅間は、エントランスのある一階ではなく、地下へのスロープを下っていった。殺害現場は地下の駐車場だと知らされていたからだ。

地下にもマンションの出入口があったが、その前には警備員ではなく制服警官がいた。出入りする人間をチェックしているらしい。

駐車場に向かおうとした浅間を見て、一人の若い警官が駆け寄ってきた。だが浅間がバッジを提示すると、ぴたりと足を止めて敬礼した。

「御苦労様です」

「捜査一課の浅間だ。現場は？」

「ゲートをくぐって、左側に進んだところです」

「ほかの連中は？」

「警視庁からは機捜と鑑識の方々が到着しておられますが……」若い警官は、なぜか口籠もった。

「どうした？　何かあるのか」

「いえ、そういうことではなく……いらっしゃればわかると思います」

「ふうん、そうか」浅間は警官に背中を向け、歩きだした。

駐車場へのゲートの横を抜け、左手に進んだ。現場はすぐにわかった。鑑識課員たちの姿があったからだ。すでにテープは張られていて、その前にたむろしている。所轄の捜査員らしき男たちもいる。

おかしいな、と浅間は思った。ふつうならば、鑑識はテープの内側で作業に当たっているはずだからだ。彼等が作業を終えないことには、原則として誰も現場には立ち入れない。それともすでに作業は終了しているのか。

鑑識の責任者である田代が、浅間に気づいて小さく手を挙げた。

「早かったな。木場さんのところじゃ、おたくが一番だ」

「東京駅にいましたからね。それより、作業のほうは？」

田代は唇を尖らせ、肩をすくめた。

「俺たちが到着するなり連絡が入ったんだよ。科警研のスタッフが到着するまで、現場には立ち入らぬことってね。つまり作業もするなってことだ」

「科警研が？」

「一体どういうことなんだろうな。例の新世紀大学での殺人を思い出す。あの時も俺たちは追い返された。噂じゃ、科警研が鑑識を担当したってことだったが」田代はそこまでしゃべってから浅間をじっと見つめてきた。「おたく、何か知ってるんじゃないのかい？　科警研の連中と組んで、課長らと何かこそこそやってるって噂だぜ」

「俺は上からいわれたことをやってるだけの駒です」

「そうかい。まあ、あまり余計なことはいわないでおこう」田代は腕時計を見た。「それにしても、科警研の連中、遅いな。少し時間がかかるようなことはいってたが、一体いつまで待たせる気だ」

「時間がかかるといってたんですか」

「ああ。なんか、専任のスタッフが何人か東京を離れてて、それで人集めに時間がかかるってことだった」

専任のスタッフとは暮礼路市にいる連中のことだな、と浅間は察した。彼が木場と一緒に向こうを出た時点では、志賀たちはまだ残っていたはずだ。神楽が潜伏していた家を調べているということだが、その目的についてはまるでわからない。

「遺体は?」浅間は田代に訊いた。

「そのままにしてある。触るなっていわれてるんだから仕方がない」

「見つけたのは誰なのかな」

「それを知りたいなら、所轄に尋ねてくれ。一応、発見者から詳しいことを聞いてたみたいだから」田代が顎でしゃくった先に、灰色の背広を着た男が立っていた。

浅間は男に近づき、挨拶した。やはり男は所轄の刑事だった。

「発見したのはマンションの警備員です。午後四時頃だそうです。見回っていて、たまたま被害者の車に気づいたようです」所轄の刑事はいった。

「どういう状態だったんですか」

「運転席に腰掛けて、助手席のほうに身体を倒していました。前から見ただけでは、誰も乗っていないように見えます」さらに刑事は続けた。「背後から銃で撃たれています」

「後ろから？　つまり犯人は後ろのシートに乗っていたということかな」

「だと思います」

「車はどれですか」

「あれです」刑事が指差した先には、白い国産のセダンが止められている。たしかにこの場所からだと遺体は見えない。

浅間は駐車場内を見回した。

「防犯カメラが取り付けてあるようですけど、何か写ってないのかな」

「昨夜午後十時頃に、被害者の車が戻ってきた様子が記録されています。それ以後、車は動いていません」

「乗り降りした人物は？」

それが、と刑事は渋面を作った。

「後方のドアから出た後、居住者用の出入口を使ってマンション内に入ったようですが、身体をかがめて移動したらしく、姿は写ってないんです」

「なんだそれは。それじゃあ防犯カメラの意味がない」

「警備員の説明だと、車上荒らし対策が目的なので、外から入ってきた人間が車に近づくのはチェックできるけど、居住者はなるべく写らないで済むように配慮してあるそうです」

浅間はため息をつき、礼をいってから田代たちのところに戻った。

「ちょっとお願いがあるんですがね」浅間はいった。「これから先、五分ばかり目をつぶってもらえませんか」

田代は大きくのけぞった。

「おいおい、俺たちの立場も考えろ」

「何も見なかったことにすればいいじゃないですか。ちょっと目を離した隙に、いかれた刑事が勝手に踏み込んだ——そういうことにしてくれればいいんです。だって悔しいじゃないですか。科警研なんかに好き放題にやられて平気なんですか」

「無茶苦茶をいいやがる」そういいながらも田代は腕時計を見た。「本当に五分で済むんだろうな」

「約束します。迷惑はかけません」

「わかったよ。さっさと済ませろ」

すみません、といって浅間は手袋を嵌めた。テープを跨《また》ごうとした時、「おい、これを」といって田代が靴カバーを差し出してきた。

車に近づくと、状況がよくわかった。所轄の刑事のいう通りだった。白鳥里沙の青白い横顔がフロントガラス越しに見える。彼女は薄いブルーのスーツを着ていたが、胸のあたりがどす黒く染まっていた。銃弾が貫通したのだろう。

浅間は運転席側のドアを慎重に開いた。かすかに生臭い空気が鼻腔《びこう》を刺激した。死体をつま先からじっくりと観察する。銃創以外に外傷はないように思われたが、横顔まで視線を上げたところで異変に気づいた。耳の後ろに火傷の痕があるのだ。間違いなく、ハイデンによるものだ。

浅間は車内を見回した。後部シートにハンドバッグが投げ捨てられていた。蓋は開いたままで、中身がシートに散乱している。犯人が物色したということだろう。

浅間は運転席のドアを閉め、後部ドアを開けた。電話、コンパクト、口紅、ピルケース、財布、パスポートといったものが目についた。

まずは電話を調べた。着信、発信を確認したが、英語名ばかりが並んでいる。白鳥里沙が日系米国人であることを思い出した。

次に財布を調べたところ、現金だけが抜き取られていた。だが浅間はこの事実には関心を示さなかった。単に強盗の仕業に見せかけたつもりだろう。

彼は車内に乗り込み、さらに細かく点検した。やがて白鳥里沙のスーツのポケットに目を留めた。さっきは気づかなかったが、少し膨らんでいるのだ。彼は手を伸ばし、中を探った。そこに入っていたのは、別の電話だった。

早速着信と発信を調べる。すると『モーグルK』という文字が出てきた。白鳥里沙は、『モーグルK』という人物と連絡を取り合っているようだ。

当たりだな——浅間は、あることを確信した。

彼は車から出て、電話を自分のポケットに入れようとした。だがその時、電話を持った腕を摑まれた。

ぎくりとして振り返った。木場が三白眼で睨みつけてきた。

「何の真似だ」

「係長……」

浅間は遠くに目を向けた。田代がお手上げのポーズを作っている。

「電話を元の場所に戻しておけ」木場がいった。

「係長、お願いします。三日だけ、俺に時間をください。この電話を預からせてください」

「馬鹿なことというな。一体、何をしようっていうんだ」

「これ以上、志賀たちの好きにさせていいんですか。真相を知りたいとは思いませんか。暮礼路じゃ、係長だって悔しい思いをしたはずです」

「いったはずだぞ。俺たちは操られる側で、もし操る側に回りたいんなら偉くなれって」

「俺は偉くならなくてもいいから真相を突き止めたいんです。責任は全部俺がとります。警察をクビになったっていい」

依然として木場は浅間を睨みつけていた。だが吐息と共に、その目から力が消えた。浅間の腕から手を離した。

「部下の不始末は俺の責任だ。何かあったら、俺が辞める」さらに木場は舌打ちをして続けた。「ただし、一日だ。一日経って、何も手がかりが摑めないようなら、その電話は科警研に渡せ」

「せめて二日」浅間は粘ろうとしたが、木場の目に再び険しさが蘇りそうになるのを認め、諦めて頷いた。「わかりました。一日で結果を出します」

よし、と木場は顎を引いた。

志賀が十数名のスタッフを引き連れて現れたのは、それから少ししてからだった。すでにテープの外に出ていた浅間を見つけ、志賀は嫌味な笑いを投げてきた。

「暮礼路に行っても東京に戻っても、あなたとは常に顔を合わせてしまう。相性がいいというのか、悪いというべきか」

その言葉を無視して浅間は訊いた。「今回も、俺たちには手を出させない気ですか」

志賀は口元を曲げ、首を小さく横に振った。

「そんなつもりはありませんよ。今までだってそうだ。必要な時には相談するし、手伝ってもらうこともあるといったでしょ。事実、暮礼路まで神楽を引き取りに行ってもらいました」

「無駄足でしたがね」

「あんなに向こうの警察が無能だとは思いませんでした。失望しましたよ」

「神楽が潜伏していた建物を調べたみたいですけど、何か見つかったんですか」

この質問に、志賀は小さな痛みが走ったような表情を浮かべた。どうやら成果はなかったらしい、と浅間は察した。

志賀は答えず、木場のほうを向いた。

「あなた方は警視庁に戻って待機していてください。機捜が初動捜査を始めているようですが、その情報は直接こちらに報告してもらえるよう手配してあります」

木場が返事をするより先に、志賀は田代に顔を向けた。

「これから我々が作業に入ります。こちらから指示するまで、車内で待っていてください」

田代が頷くのを見て、志賀は部下のところへ戻った。作業を始めるよう声をかけている。

「すまんな」木場が田代にいった。

「木場さんが謝ることはない」田代は浅間を見て、「たしかにおたくは、ただの兵隊らしいな」といった。「何とか、一泡吹かせてやれよ」

彼も、浅間が白鳥里沙の電話をポケットに入れるのを見ていたらしい。浅間は口元を緩めて小さく頷いた。

マンションを出た後、浅間は一旦自分の部屋に寄るといって、タクシーに乗った。服を着替えるのが目的だが、一人になりたい理由がほかにもあった。

タクシーが動きだすと同時に、彼はポケットから白鳥里沙の電話を取り出した。『モーグルK』という名称で登録してある番号を表示させ、発信してみた。

だが電話は繋がらなかった。今時、電波の繋がらない場所など殆どない。電源を切っているということだろう。

浅間は着信と発信の履歴を調べてみた。それによれば、白鳥里沙のほうからかなり頻繁に発信している。何度も連絡を取っているというより、繋がらなかった可能性のほうが高い。なぜなら相手からの着信が殆どないからだ。だが最近になって着信が一度だけある。

浅間は、ここ数日間の出来事を振り返った。やがて、その着信のあったのは、自分たちが暮礼路に到着した夜だと気づいた。

どんぴしゃだ――彼は自分の膝を叩いた。

この『モーグルK』とは、やはり神楽のことなのだ。最後の着信があった時、白鳥里沙は神楽に、暮礼路で大がかりな捜査が行われることを教えたのだろう。だからこそ彼は、その前に隠れ家から逃げ出すことに成功したのだ。

それまでにも何度か、神楽は絶妙のタイミングで警察の手から逃れている。その理由について浅間は、何者かが彼に情報を漏らしているのではないか、そして様々な状況を鑑《かんが》みて、それは白鳥里沙ではないかと推理していたのだが、どうやら当たっていたようだ。

なぜ彼女がそんなことをしていたのかはわからない。以前からの知り合いではなかったようだから、個人的な事情があるとは思えない。彼女はDNA捜査システムを学ぶために来日したという話だった。もしかすると、その研究内容に秘密があるのかもしれない。神楽が暮礼路に行った理由も、それと関係があるのではないだろうか――。

浅間は自分のマンションの前でタクシーから降りた。白鳥里沙の住まいと比べると、同じマンションという名称を使うのは気が引けるほど老朽化した建物だ。おまけに四階までしかなく、呆れることにエレベータが付いていない。

階段を使って三階まで上がり、部屋のドアを開けた。煙草のヤニと黴臭《かびくさ》さが混ざり合った臭いに、思わず顔をしかめた。

洗面所で服を脱ぎ捨て、バスルームに入った。風呂に浸《つ》かりたかったが、湯をはる時間が惜しかった。何しろ木場から与えられた時間は二十四時間しかない。ドアを開けたまま、熱いシャワーを頭から浴びた。

白鳥里沙を殺したのは何者か――髪を洗いながら考えを巡らせた。

銃弾を調べなければ何ともいえないが、おそらく蓼科兄妹を殺した犯人と同一だろう。あの事件については神楽が疑われているが、状況から考えて、今の段階で彼が白鳥里沙を殺すことはあり得ない。彼にとって彼女は貴重な情報提供者だし、そもそも彼は逃走で精一杯のはずだ。

髪についたシャンプーをすべて洗い流した時、聞き慣れないメロディが耳に飛び込んできた。洗面所から聞こえてくる。

何の音だろう、と考える以前に浅間はバスルームを飛び出していた。足の指先をドアの縁にぶつけたが、痛みに構っている暇はない。脱ぎ捨てた服のポケットを探り、白鳥里沙の電話を取り出した。着信表示は『public telephone』になっている。

通話ボタンを押し、はい、と応じた。さらに、「これは白鳥さんの電話だ」と続けた。

相手は沈黙している。誰が電話に出たのかを考えているのだろう。

「神楽か？」浅間は訊いてみた。相手が息を呑む気配があった。当たりだ。「待て、切るな。俺の話を聞け——」

だが次の瞬間、電話はぷつんと切られた。浅間は吐息をつき、電話を洗面台に置いた。

落胆はしていなかった。今のが神楽ならば、必ずもう一度かけてくるという確信があった。彼は白鳥里沙に何が起きたのかをまだ知らないだろう。ならば、なぜこの電話に彼女以外の人間が出たのかを、はっきりさせたいはずだ。

濡れた身体をタオルで拭き、新しい下着を身に着けた。クロゼットを開け、クリーニング済みのシャツを探していると、先程と同じ着信音が鳴りだした。予想通りだ。

電話を繋ぎ、はい、といってみた。

「おたく、誰？」神楽の声だ。間違いない。

「俺だよ。わからないか」

しばしの沈黙の後、「浅間刑事？」と探るように尋ねてきた。

「正解。念のためにもう一度確認するけど、神楽だな」

だが相手はこの問いには答えず、「どうしてあんたがこの電話に出るんだ」と訊いてきた。やはりその点が一番気になるのだろう。

「いろいろと事情があるんだ。会って話がしたい。今、どこにいる？」

電話に息のぶつかる音が聞こえた。

「ふざけてもらっちゃ困るな。こっちが逃亡者だってことは、おたくが一番よくわかっているはずだ。時間稼ぎしても無駄だから、さっさと白鳥さんに代わってもらえないかな」

「時間稼ぎ？」

「こっちの場所を割りだそうとしてるんでしょ。いや、もう割りだせてるだろうな。だけど今もいったように、そんなことをしても無駄だ。警察が駆けつける頃には、僕はもうここにはいない。そう簡単には駆けつけられない場所だからね。さあ、早く白鳥さんに代わってくれ。それができないというなら電話を切る。僕は彼女にしか用がない。おたくと話してる暇はないんだよ」

どうやら、このままだと本当に電話を切りそうだ。そして、二度とかけてはこないだろう。浅間は仕方なくいった。「殺されたんだよ」

「……えっ？」

「白鳥里沙は殺された。ついさっき、マンションの駐車場で死体が発見されたんだ。背中から銃で撃たれてね」

神楽が沈黙した。すると、ざわめきのようなものがかすかに聞こえてきた。彼は人混みの中にいるらしい。

電話は切るな、と浅間は念じた。

41

溜《た》めていた息を吐き出した。公衆電話の受話器を握り直す。落ち着け、騙されるな、冷静に判断しろ——神楽は自分自身にいい聞かせた。

浅間の話を信じていいのか。だが白鳥里沙に何かが起きたのはたしかだろう。そうでなければ、この刑事が彼女の電話に出たことの説明がつかない。

神楽は周囲に目をやった。大勢の人々が行き来している。当然だった。ここは県内で最も乗降客の多い駅なのだ。

仮に逆探知でこの場所を突き止められたとしても、警視庁から県警本部、さらには地元の警察署へと連絡するには何分かかかるはずだ。電話を切った後、すぐに駅の構内から出さえすれば、警察に見つかる可能性は低いと神楽は踏んでいた。警察は彼が自転車で移動していることは知らない。おそらく電車に乗ったと考えるだろう。

息を整え、気持ちを落ち着かせた。とにかく事実確認が先決だ。

「神楽、聞こえてるか」浅間が訊いてきた。

「聞こえている。白鳥さんは誰に殺されたんだ」

「わからん。蓼科兄妹を殺した犯人じゃないかと俺は思っている」

「それで、おたくが捜査の指揮を執ってるってわけか」

「指揮を執ってるのは志賀だよ。あんたは知らないだろうが、捜査の実権はとっくの昔に警察庁に移っているし、俺たちは兵隊以下の歯車扱いを受けている」

「歯車が被害者の電話に出ているのか。そこに志賀さんがいるのなら、代わってくれ」

「志賀はいない。ここは俺の部屋だ。この電話の存在は、俺と係長しか知らない。志賀にも教えていない」

「いい加減なことをいうな」

「嘘じゃない。この電話は、白鳥里沙があんたと連絡を取るために使っていたものだと睨んで、俺がこっそりと隠し持ったんだ。いずれあんたが連絡してくるだろうと思ってたな」

「警察庁や科警研を出し抜いて、僕を捕まえようってわけか」

「誤解するな。俺はあんたのことを犯人だとは思っちゃいない。あんたは誰かに、たぶん真犯人に嵌められた、そういうことだと思っている」

「それはどうかな」

「今もいったように、蓼科兄妹を殺した犯人と白鳥里沙を殺した犯人は同一人物だと俺は考えている。あんたが犯人なら、この電話にかけてくるわけがない。そもそもこの電話を回収しないわけがない。違うか？」

神楽は受話器を握る手に力を込めた。この刑事のいっていることは本当だろうか。信用してもいいものだろうか。

ふふっと薄く笑う声が聞こえた。

「あんた、今どこにいるんだ？」浅間が訊いた。

今度は神楽が鼻で笑う番だった。

「答えると思うかい。それより逆探知はどうなった？」

「そんなことはしてないって。まあいいんだよ、あんたがどこにいようと。どっちみち、暮礼路から東京に帰ってくる途中なんだろ。それにしても、よく逃げきったよな。じつは俺たちも今朝まではあっちに行ってたんだ。あんたに逃げられて、県警本部長は青くなってたぜ」

神楽は受話器を耳に当てたままで周囲を見回した。警官が現れる気配はない。

「どうして僕からの電話を待ってたんだ」

「そんなことは決まってるだろ。真相が知りたいからだ。事件の裏に何があるのか、俺なりにはっきりさせたい。ところが肝心な部分となると、全部志賀たちに隠されてしまう。警視庁の上の人間だって、下っ端には何も教えちゃくれない。だけど俺にだって薄々わかっていることはある。今度の事件には、DNA捜査システムそのものが関わってるんだろ？　となれば、あんたから話を聞くしかない。あんたの力が必要なんだよ」

「そんなことを一方的にいわれてもどうしようもない。こっちだって、何が何だかわからないまま逃げてるんだから」

「だから手を組まないかっていってるんだ。あんただって、いつまでも逃げ続けられるとは思わないだろ？　しかも白鳥里沙っていう仲間も失った。彼女からの情報なしに、どうやって自分の身を守るつもりだ」

「それはこれから考えるよ」

「悪いことはいわない。俺の言葉を信用しろ。あんたが助かる道はそれしかない」

「タイムオーバーだ」神楽は受話器を置いた。

　駅を出て、歩道に止めてあった自転車に跨った。駅の前には幹線道路が走っている。その向こうには賑《にぎ》やかな繁華街だ。信号が青になるのを見て、ゆっくりとペダルをこぎだした。道路を渡ったところでブレーキをかけ、駅のほうを向いた。自転車には跨ったままだ。もし警察が来るようなら、即座に走りださねばならない。

チクシたちの助けを借りて暮礼路から脱出した後は、ただひたすらにペダルをこぎ続けた。移動距離は、おそらく百キロを超えているだろう。このまま進めば、明日にでも東京に戻れるはずだった。

問題は、戻ってからどうするかだ。浅間に指摘されたように、頼りにできるのは白鳥里沙だけだった。彼女とコンタクトを取ることだけを目標に、空腹に耐えながらペダルをこぎ続けてきたのだ。

しかし、その白鳥里沙が殺されたという。

無論、浅間が嘘をついている可能性はある。彼女が死んだことにして、神楽を懐柔しようという魂胆かもしれない。だがそうだとすると、彼女は何をしているのか。

もし白鳥里沙が殺されたというのが事実なら、一体どうすればいいだろうか。一か八か、浅間と組んでみるか。ほかにはもう、味方はいない。志賀や水上も、神楽のことを犯人だと思っているだろう。

彼女もいない——。

スズランのことだ。彼女だけは神楽のことを信じてくれた。いや、彼女が信じたのはリュウのほうだったか。

彼女は一体何者だったのか。蓼科兄妹が殺された日、スズランはリュウと一緒にいたはずだ。なぜならキャンバスに彼女の肖像画が描かれていたからだ。

信号が何度か変わり、そのたびに大勢の人々が交差点を通過した。誰も神楽には見向きもしない。

彼は、そばの建物に付けられているデジタル時計を見た。この場所に立ってから、すでに十分近くが経っている。もし逆探知されていたなら、とうの昔に警察車両が集まっているはずだ。

浅間は嘘をついていないのか。少なくとも逆探知に関しては――。

神楽はハンドルを握り、ペダルをこぎだした。公衆電話を探しながら、歩道を走った。十年前に比べて、公衆電話の数は五分の一に減った。それでも完全になくなりはしない。

十分ほど走ったところで電話ボックスを見つけた。中に入り、白鳥里沙の番号にかけた。万一のことを考えて、彼女の番号をメモしておいたのは正解だった。

呼び出し音が鳴るや否や、電話は繋がった。

「警察は来ないだろ？」浅間がいった。

「逆探知してないってのは本当らしいね。だけど、全面的に信用しているわけじゃない」

「じゃあ、どうすればあんたの信用を得られる？」

「おたくにやってもらいたいことがある。信用するかどうかは、それから考えよう」

「いいだろう。何をすればいい」

「まずは新世紀大学病院に行くんだ。脳神経科の病棟の五階に、僕が使っていた部屋がある。鍵は水上教授が管理しているけど、警備員室にもあるはずだ。なるべく誰にも見つからないように行ってほしい。その部屋に入ったら、連絡してくれ」

「ちょっと待てよ。連絡といったって、どこへすりゃあいいんだ。あんた、電話は持ってないのか」

「いろいろと事情があって、電話は使えない。連絡はメールでもらうよ。今からいうアドレスをメモするように」

神楽はそれを口にした。仕事で使うアドレスの一つだ。

「病院まで、時間はどれぐらいかかる?」

「急げば三十分はかからないだろうな」

「じゃあ、三十分経ったら、メールのチェックを始める。おたくからの連絡を受け取ったら、こちらから電話をかける」

「わかった」

「じゃ、よろしく」神楽は電話を切り、外に出た。改めて、ぐるりと周りを見渡した。警官もパトカーも駆けつけては来ない。

自転車に乗り、店の看板を眺めながら移動を始めた。やがて一軒の大型書店の前で止まった。看板の隅に、『ＰＣＳ』の表示があったからだ。パーソナル・コンピュータ・サービスの略で、金を払えばコンピュータを貸してくれるという意味だ。

自転車を止め、店に入った。書籍やコンピュータの記憶媒体を収めた棚がずらりと並んでいる。紙に印刷された本はいずれ廃れるといわれつつ、この十年間、少しも減らない。

奥にコンピュータ・コーナーがあった。神楽はカウンターにいる若い女性に近づき、利用を申し出た。店員の女性は、希望するソフトを尋ねてきた。犯罪防止の観点から、利用するソフトによっては身分証を提示しなければならない。

電子メールソフトと電話ソフトの利用を神楽は希望した。これだけなら身分証の提示は必要ない。電子メールはウェブメールでなければ匿名性はないし、電話ソフトは公衆電話のようなものだ。

コンピュータ・コーナーはすいていた。一番端の席につき、神楽はコンピュータを立ち上げた。電子メールソフトに必要事項を打ち込んだ後、時計を見た。浅間との電話を終えてから、ちょうど三十分が経っていた。

試しにメールをチェックしてみた。すると早速手応えがあった。『ただ今到着』というタイトルで届いていたのだ。本文を見ると、『絵の前にいる。連絡を待つ。ＡＳＡＭＡ』とあった。たしかにあの部屋にいるらしい。

　神楽はイヤホンとマイクを装着し、電話ソフトを立ち上げた。白鳥里沙の電話番号を打ち込む。呼び出し音が鳴ると同時に繋がった。

「恋人からの電話を待つ気分だったぜ」浅間が臭いことをいった。

「鍵は誰から借りた？」

「警備員の富山さんからだ。俺が来たってことは口止めしておいた。あの人は信用できると思うぜ」

「結構。誰にも見られなかっただろうね」

「そのはずだ。さあ、次は何をすればいい？　さっさといってくれ」

「難しいことじゃない。そこに置いてある絵を撮影するんだ」

「白い服を着た女の子の絵か」

「そうだ。撮ったら、メールで送ってくれ。受け取ったら、またこっちから連絡する」

「オーケー」

　浅間の返事を聞き、神楽は一旦電話を切った。この段階で逆探知でもされていたら逃げようがないが、あの刑事を信用してもいいのではないかという気になっていた。それに、ほかに道はないのだ。

一分後、彼は再びメールを確認した。期待通りにファイルが届いている。開いてみると、液晶画面に懐かしい絵が現れた。

いや、懐かしいと思ったのは絵ではなく、スズランのことだ。彼女と離ればなれになってから数日しか経っていないが、もうずいぶんと会っていないような気がした。

絵の中のスズランは、神楽の思い出にある通りだった。心の裏側には何も隠しておらず、画家を信頼しきったように、純真な笑みを弾《はじ》けさせている。白いワンピースさえ、記憶のままだった。

なぜ彼女は——。

いつも白いワンピースだったのだろうと神楽は思った。いつ会った時でも、彼女は同じ服を着ていた。しかも、少しも汚れていない。

絵の中の白いワンピースを見つめているうちに、ふと気づいたことがあった。ワンピースにはポケットがついているのだが、そこに何かが入っているのだ。神楽は画面を拡大させた。やがてそれが何であるのかがわかった。青と白のストライプ柄の袋だ。それがポケットから覗いている。

あの袋は——神楽は記憶を掘り起こした。間もなく、それと同じものを自分が目撃していることを思い出した。

生きている蓼科兄妹と最後にあった日だ。彼等の部屋で、その袋を見たのだ。

42

神楽が何のためにこんなことをさせるのか、浅間にはさっぱりわからなかった。わからなかったが、意味のあることだろうという確信はあった。

やはり思った通りだった。神楽も事件の真相を知らない。何者かに陥れられ、逃げ回らざるをえなくなっただけだ。

電話が着信を告げた。間髪を入れず、浅間は繋いだ。

「絵の写真は届いたよ」神楽がいった。

「どういうことなんだ。この絵が何だっていうんだ。まさか俺にこんなことをさせておいて、何も教えないっていうんじゃないだろうな」

ふふっと低く笑うのが聞こえた。

「何度もいってるだろ。僕だって、わけがわからないんだ。だから手がかりを得ようとしている」

「この絵が手がかりになりそうなのか」浅間は胡座をかいた姿勢で、目の前にあるキャンバスを見上げた。白いワンピースを着た少女が描かれている。どこの誰なのか、全くわからない。これまでの捜査の過程では出会うことのなかった人物だ。「そもそも誰なんだ、この女の子」

「へええ」神楽がおどけた声を出した。「全然わからないのか？　素性や名前は知らないだろうけど、彼女の存在自体は摑んでると思ってたんだけどな。おたくらの捜査能力、案外大したことないんだね」

浅間はむっとして改めてキャンバスを睨むが、だからといって思い出せることはない。

「勿体つけるなよ。誰なんだ」

くすくす笑ってから神楽は答えた。「名前はスズラン」

「スズラン？」

「本名かどうかはわからないけどね。つい最近まで、一緒に行動していた。東京駅を出て、二人で暮礼路に向かった」

「暮礼路にって、列車でか」

「そうだよ。決まってるだろ」

浅間は当惑した。

神楽が二人分の切符を買って乗車したことは、東京駅の防犯カメラによって確認されている。だが車内販売員の話によれば、神楽の隣には誰もいなかったという。しかも神楽は隣の席に向かって、何やら独り言を呟いていたらしいのだ。

「警察のことだから、あの列車の車掌なり車内販売員なりに話を聞いて、僕と一緒に行動している女の子のことも摑んでると思ったんだけどな」神楽は少し見下げるようにいった。

浅間は頭の中で言葉を探してから口を開いた。

「車内販売員から話は聞いたよ。あんた、弁当を二つ買っただろ」

「なんだ、やっぱりそうなのか。買ったよ、二人分。それなのに、スズランのことは知らないんだな」

「隣に人がいたかどうかは……」浅間は唇を舐め、続けた。「覚えてないといってたな」

「ふうん、そうか」神楽は何でもないことのようにいった。

どういうことだ、と浅間は訝《いぶか》しんだ。神楽がふざけているようには思えない。彼は本気で、二人で列車に乗ったといっている。そんなことで嘘をつく理由は何もない。

「どうかしたのか、浅間刑事」神楽が尋ねてきた。

「いや、何でもない。で、この女の子は何者なんだ。あんたとはどういう関係だ」

「それがわからない。正体不明だった。最後の最後までね」

「ということは、今はいないわけか」

「いない。いろいろとあって、はぐれたんだ。今は、生きているかどうかもわからない」神楽の声が極端に沈んだ。

「正体不明の人間と、ずっと一緒にいたというのか」

「そこのところは説明するのが難しいな。ある日突然現れて、つきまとってくるようになった。なぜか僕のことをよく知っていた。いや、正確にいうと、僕自身のことではないんだけど、それまた説明が面倒だ」

「あんた自身のことではないっていうと、もう一つの人格のことか」

浅間がいうと、沈黙が流れた。しばらくして息づかいが聞こえてきた。

「そうだよな。僕の症状について、警察が水上教授から話を聞いていないわけがない。その通りだ。僕にはもう一つ別の人格がある。リュウと名乗っている人格だ。スズランはリュウの知り合いなんだ。恋人だといったほうがいいかな」

「この絵はリュウが描いたものなんだな」

「そういうこと。蓼科兄妹が殺された時、僕の身体はリュウが使っていた。その絵は、その時に彼が描いたものだ。その絵を見て、僕も初めてスズランのことを知った」

「リュウはどこでスズランと出会ったんだ」

「その部屋らしい」

「ここ？」浅間は室内を見回した。ドアと窓と何枚かの絵、そして画材らしきものが少々あるだけの殺風景な部屋だ。

「リュウは、目覚めた後も、その部屋で絵を描くだけだ。ほかのどこにも行かない。スズランも、彼とはそこで会ったといっていた。それ以外、詳しいことは教えてくれなかった」

神楽と話していて、浅間は頭が少し混乱しそうになっていた。神楽は、スズランという少女が実在しているように話す。だが現実には、そんな人物はどこにもいないはずなのだ。つまり列車の中で彼が話しかけていた相手というのは、彼の頭の中だけに存在する幻覚だと思われる。

もしかすると先にリュウのほうが幻覚を見ていたのかもしれない、と浅間は考えた。それが神楽の頭脳にも影響を及ぼした可能性はある。この絵は、単にリュウが幻覚を具現化しただけのものということになる。だとすれば、こんなところで神楽に付き合っていたところで、何の解決にもならない。

彼にスズランは幻覚だったとわからせることが先決だと浅間は思った。しかしそれは極めて困難だ。精神科医でもない自分が、勝手にやっていいことなのかどうかもわからない。

「事件が起きた日も、スズランはそこにいたんだ」神楽がいった。「いつもはリュウが絵を描くのを横で眺めているだけなんだそうだ。でもあの日にかぎって、リュウは彼女の姿を描いたんだ」

「ちょっと待ってくれ。この病院のセキュリティについては、あんたも知っているだろう？部外者が、そう簡単に入ってこれるだろうか」

「それについては僕も不思議だった。でも何らかの方法で彼等は防犯カメラの目をくぐり抜けていたんだ。実際、スズランはその部屋にいたわけだから、認めざるをえない」

「ここに来ていたという証拠があるかな。この絵はリュウの想像図かもしれない」

「そんなはずはない」神楽は言下に却下した。

「なぜ断言できる」

「そのことを説明したくて、今まで長々とスズランのことを話したんだ。その絵をよく見てほしい。白いワンピースのポケットに何か入っているだろう？」

浅間はキャンバスに目を向けた。神楽のいう通りだった。

「青と白の縞模様の箱のことか」

「箱じゃない。袋だ。平たい袋だ」

「ああ、そういわれれば袋だな。で、これが何だというんだ」

「それは事件が起きる直前まで、蓼科兄妹の部屋にあったものだ。間違いない」

「これが？」浅間は腰を浮かし、絵に顔を近づけていた。

「その絵に描かれているということは、誰かが兄妹の部屋から持ち込んだということになる。リュウ自身のはずはないから、あとはスズランしか考えられない」

「待てよ。あんたは蓼科兄妹の部屋で、この袋を見ていたわけだろう？　だったら、その記憶を受け継いで、リュウが描き足しただけかもしれない」

ふっと息を吐く音が聞こえた。「それはないね」

「どうして？」

「リュウは、僕の見たものなんかは描かないからだ。自分の見たものしか描かない。自分の目で見て、自分の心で捉えたものだけを絵にする。そのことは僕が一番よく知っている。その絵に袋が描かれているということは、そういう袋がその部屋にあったってことなんだ」

やや苛立ったような口調で神楽が話すのを聞き、浅間は立ち上がった。今度は少し離れた位置から絵を眺めた。

そういえば――。

警備員の富山が話していた。知り合いから貰ったチョコレートを蓼科兄妹にあげたところ、後日兄のほうから、妹がとても喜んでいたと聞いた、と。しかしチョコレートが好きなのではなく、包装してあった袋が気に入ったのだということだった。

青色の縞模様で、小さなリボンが付いた袋――たしかに富山はそういっていた。

一体どういうことなのか。スズランという少女が神楽やリュウの作りだした幻覚なら、何かをこの部屋まで運んできたということはあり得ない。では、スズランはやはり実在するのか。


「浅間刑事、聞いてるかい？」神楽が呼びかけてきた。

「あ……聞いてるよ。で、この袋が何だっていうんだ」

「なぜスズランがそれを持っていたのかはわからない。だけど元々は蓼科兄妹の部屋にあったものだから、袋の中に何か重要なものが入っていた可能性がある。もしかしたらスズランは、兄妹に頼まれて持ち出したのかもしれない。そこで、その袋を探してもらいたい」

「探すって、どこを？　兄妹の部屋は科警研の奴らに徹底的に調べられてる。そんなに重要なものなら、連中が見逃すわけがない」

「何度も同じことをいわせるなよ、浅間刑事。袋は兄妹の部屋にはない。その部屋にあるんだ。今、おたくのいる部屋だ」

「この部屋に？」浅間は電話を耳に当てたまま、改めて室内を見回した。

壁際に、絵の具や筆、パレット、未使用のキャンバス、木枠の材料、工具箱といったものが置いてあるが、絵に描かれている袋は見当たらなかった。

「そんなもの、どこにもないぞ」

「そうかな。大事なところを見落としているんじゃないのか」

「そういわれても、こんなに何もない部屋じゃ、何かを隠すといったって――」浅間が言葉を切ったのは、不意に一つの考えが浮かんだからだ。彼の目は、スズランという少女を描いた絵に向けられていた。「この絵の下か……」

「ようやく気づいてくれたみたいだね」神楽がいった。「そこしかないと思うよ」

「ちょっと待ってろ」

浅間はイーゼルに近づき、キャンバスの表面を手で撫《な》でた。一箇所、わずかに膨らんでいるところがある。彼は後ろに回った。キャンバスは木枠に釘で留められている。

「二重になっている……」浅間は呟いた。

「えっ、何だって？」

「キャンバスが、木枠に二枚重ねて張ってあるんだ。しかもその二枚の間に、何かを挟んである。絵を描いた後で、中に仕込んだんだと思う」

神楽が口笛を吹いた。「当たりかな」

「どうやらそのようだ」

浅間は電話を床に置き、キャンバスをイーゼルから下ろした。工具箱にペンチが入っていたので、それを使ってキャンバスを木枠に留めている釘を抜いていった。何本かが簡単に抜けた。思った通りだ。絵を完成させた後、キャンバスの一部を木枠から外したのだ。

二枚のキャンバスの間から出てきたのは、まさしく青と白のストライプ柄の袋だった。絵に描かれている通りだ。

袋の中身を確認した後、浅間は電話を取った。

「見つけた。写真を送ろうか。それともテレビ電話に切り替えるか」

「その必要はない。中身については見当がついている」神楽はいった。「カードだろ」

「知ってたのか」浅間は手元を見ながら訊いた。最新型の記憶媒体だ。カードは金色に光っていた。「何だ、これ」

「中に入っているのは、おそらく蓼科早樹が最後に作ったプログラムだ。どういうものかは知らない。名称は『モーグル』。白鳥さんは、それを探していた。僕に探しだしてほしいといった」

「そういうことか。それで彼女はあんたを逃がしたわけだな。だけど、何だって暮礼路なんてところへ行ったんだ」

「あの町は、蓼科兄妹の故郷なんだよ。密かに別荘も持っていた。だからそこに『モーグル』があるかもしれないと思ったんだ」

その別荘が神楽の潜伏先だったらしい。

「たぶん彼女を殺した犯人も、そのプログラムを探しているはずだ。もう少し早く見つけていれば、彼女は殺されずに済んだかもしれない……」神楽が重たい口調でいった。

「よしなよ。そんなことをいったって仕方がない。彼女が殺されたから、俺たちが今ここでこうして見つけられたっていう言い方だってできるぜ。で、次はどうする？　このカードをどうしたらいい。いっておくけど、俺に無理なことを頼むなよ。コンピュータなんて扱えないからな」

「おたくがコンピュータ技師だったとしても、そう簡単には手に負えないよ。そいつの中身を知るには特別なシステムが必要だ。一番いいのは、特解研に忍び込むことだな」

「それは無理だ。白鳥里沙が殺された一件で、今夜はずっと志賀たちがいるだろう」

「となれば、そこにあるコンピュータを使うしかないな」

「ここ？」浅間は周囲を見回す。「何度もいうが、ここには何もないぞ」

「その建物という意味だ。蓼科兄妹が使っていたコンピュータがあるだろ」

ああ、と頷いた後、浅間は眉を寄せた。

「おい、たった今いっただろ。俺には無理だぜ」

「心配ない。僕がやり方を指示する。テレビ電話モードにして、映像を見せてくれればいいんだ」

浅間はため息をついた。「簡単にいってくれるね」

「蓼科兄妹の部屋、入れないかな」

「まあ、やってみるよ。一旦電話を切るぞ。侵入に成功したら、連絡する」

浅間は電話を切り、自分の電話を取り出した。それを使い、警備員の富山にかけた。先程ここに入る際、番号を聞いておいたのだ。

「はい、富山です」やや緊張気味の声が聞こえた。

「浅間です。さっきはどうも」

「いえ。御用はお済みですか」

「五階での用件は済みました。ただ、少し確認したいことがあって、七階に行きたいんです。申し訳ないんですが、鍵を何とかしていただけないですかね」

「ははあ、ＶＩＰルームの。わかりました。では、私がこれから行きます」

「すみません」

電話を切ると浅間はカードを入れた袋を内ポケットにしまい、部屋を出た。

エレベータで七階に上がった。正面にある扉は固く閉ざされ、「関係者以外立入禁止」と書いた紙が貼られている。

間もなくエレベータのドアが開き、警備員の制服を着た富山が現れた。浅間はまず、五階の部屋に入る時に使用した鍵を返した。

「あの部屋に何かめぼしいものがありましたか。何度か入ったことがありますが、絵の道具か何かが置いてあっただけだと思うんですが」

「そうですね。特に大したものはありませんでした。まあ、単なる確認です」

「この七階の部屋にも、もう何も残ってないと思いますよ。科警研の連中が、一切合財持っていっちまったんで」そういいながら富山が扉の手前にある静脈認証パネルに手をかざすと、扉は静かに開いた。薄暗い中、廊下が奥に向かって延びている。

富山は先程とは別の鍵を出してきた。

「これがこの部屋の鍵です。お帰りになる時、警備員室まで持ってきていただければ結構です」

「了解です。ありがとうございます」

ではごゆっくり、といって立ち去ろうとする富山を、浅間は呼び止めた。

「しつこいようですが、このことは警察庁や科警研の連中には内緒ってことで」

富山はにやりと笑った。「わかってますよ」

彼がエレベータに消えるのを待ち、浅間は手袋を嵌めながら奥に進んだ。鍵を外し、ドアを開ける。室内は真っ暗だった。手探りで明かりをつけた。

やれやれ、と思わず漏れた。富山のいう通りだった。最初にここへ駆けつけた時に見た、膨大な数の資料や事務機器が、奇麗さっぱりとなくなっていた。志賀たちが持ち去ったのだろう。彼等は暮礼路でも、神楽の潜伏場所を徹底的に調べようとしていた。彼の話によれば、そこは蓼科兄妹の別荘だったらしい。

殺人事件の捜査のためだけではない。彼等は何かを探しているのだ。

これか――浅間は服の上から内ポケットを押さえた。

43

神楽は指先で小刻みに机を叩いていた。浅間からの連絡はまだない。彼は蓼科兄妹殺害事件の捜査を任されていた捜査員だ。あのＶＩＰルームに入ること自体は難しくないはずだった。

ついに『モーグル』は見つかった。それは果たしてどういうものなのか。

蓼科兄妹がキール・ノイマンという数学者に出したメールが蘇る。文中では、「間違い」「懺悔の賜」という言葉が使われていた。これらから窺い知れるのは、蓼科兄妹は何らかの過ちを犯していて、それを修正するために『モーグル』を作ったということだ。そしてその修正とは、『プラチナデータ』を取り出すことらしい。

どんな天才プログラマーであろうともミスはする。そのミスによって人に迷惑をかけることもあり得るだろう。だがその場合であっても、ふつう「懺悔」などという言葉は使わない。それを使うということは、その過ちは単なるミスではなく、意図的なものだった可能性が高い。

蓼科兄妹は、意図的にDNA捜査システムに何らかの欠陥を潜ませていたのだろうか。

まさか、と思った。だがそれ以外には考えられない。

神楽は蓼科耕作との最後のやりとりを思い出した。あの日は珍しく彼のほうから用があるといってきたのだ。会うなり彼は、システムのほうはどうだ、と尋ねてきた。順調ではあるが検索システムに引っかからないケースがある、と神楽は答えた。NF13のことをいったのだ。すると蓼科耕作はすべて承知している様子で、そのことで話があるのだ、といった。

兄妹が殺されたのは、まさしくその直後だ。

彼等はNF13の正体が摑めない原因を知っていた。なぜならそれは、彼等自身がDNA捜査システムに意図的に仕込んだ「欠陥」によるものだったから――そう考えれば、すべての辻褄が合う。その欠陥を修正するものが『モーグル』で、それによって『プラチナデータ』

なるものを取り出したなら、おそらくＮＦ13の正体も判明するのだ。

神楽は自分の体温が上昇するのを覚えた。

蓼科兄妹が殺された理由も、これで説明がつく。ＮＦ13による犯行が続いたことで、彼等は『モーグル』を使ってシステムの欠陥を正そうとしたのだ。あの日、蓼科耕作は、そのことをいいたくて神楽を呼んだに違いない。だがそのことを知ったＮＦ13は、それを阻止するために兄妹を殺害した——。

神楽は額に手を当て、首を傾げた。

ここまでの推理に大きな破綻はない。しかし依然として大きな疑問が残っている。なぜＮＦ13に、兄妹のやろうとしていることがわかったのか。そもそも、なぜ兄妹は、システムにそんな欠陥を仕込んでおいたのか。蓼科早樹の洋服に、神楽の毛髪が付着していた理由も不明だ。それとも、あのサンプルを神楽のものと判定したのも、システムの欠陥のせいなのか。

サンプル？——神楽は顔を上げた。最近、誰かがサンプルという言葉を使った。誰だったか。

白鳥里沙だ。蓼科兄妹の別荘から電話をかけた時、彼女のほうから尋ねてきたのだ。ＮＦ13で採取されたサンプルはどこに保管してあるのか、と。ＤＮＡ情報を電子化させたＤプレートではなく、サンプルそのものが必要なのだといった。彼女は一体何をする気だったのか。サンプルは、志賀所長たちには内緒で持ち出したいといっていた。

もしかすると、と考えを巡らせかけた時、コンピュータがメールの取得を知らせてきた。確認すると浅間からだ。無事、VIPルームに入ったらしい。神楽は電話をかけた。

「志賀たちも、必死で探し回ったんじゃないか」繋がるなり、浅間はいった。「このカードをさ」

「そういう形跡があるのか」

「まあ、見てみなよ」

間もなくパソコンの画面に映像が映し出された。テレビ電話に切り替えたらしい。やや白っぽいが、画質は悪くない。蓼科兄妹が使っていたデスクが映っている。

「見えるかい?」浅間が訊いてきた。

「よく見えるよ。なるほど、資料類は片っ端から持っていかれたらしいね」

「メモリに電子書籍リーダー、ノートパソコンの類《たぐい》もだ。何ひとつ残ってない。こいつが残っているのが不思議なぐらいだ」浅間はカメラをゆっくりと動かした。コンピュータの端末が現れた。

「それはパソコンじゃない。スーパーコンピュータの端末だ。本体は一つ下のフロアだ」

「そういうことか。志賀たちも、スパコンまでは運び出せなかったわけだ」浅間が楽しそうにいった。

志賀もカードを探していたのではないか、という浅間の推理には神楽も同感だった。だが彼等にしても、蓼科早樹が殺された時点では、彼女が最後に開発していた『モーグル』というプログラムについては何も知らなかったはずだ。神楽は志賀から、何か心当たりはないかと訊かれた覚えがある。あれが芝居だとは思えない。

どこかのタイミングで、志賀は『モーグル』の正体を知ったのだ。どのタイミングか。

白鳥里沙だ、と神楽は思った。彼女が来た時期とタイミングが一致する。志賀は彼女から『モーグル』のことを聞いたのか。いや、それはない。彼女は明らかに志賀たちを出し抜こうとしていた。

あるいは逆なのかもしれない。志賀は、DNA捜査システムについて学ぶためにアメリカからやってきた、という女に疑念を抱き、彼女について調査したのではないか。その結果、『モーグル』と、その正体について知ることになった、と考えれば筋が通る。

「おい、何を黙り込んでるんだ。さっさと指示してくれよ」浅間が催促してきた。

「いや、ちょっと推理を働かせてみたんだ」

「推理？　どんなふうに？」

「これといって証拠はないんだけどね」そう前置きしてから、神楽はたった今思いついたことを話してみた。

聞き終えた浅間は、なるほどな、と呟いた。

「その推理、当たってるかもな。それを聞いて、俺も納得できたことがある」

「そうなのか」

「たとえば、俺たちの捜査に突然横槍《よこやり》が入ったことだ。蓼科兄妹殺害事件の捜査を、警察庁が極秘で進めるのは結構だ。ところが連中は、これまで俺たちが必死で行ってきたNF13の捜査まで、自分たちで指揮を執るといってきた。NF13の正体が判明しないのは単にデータ不足のせいじゃなくて、システムの欠陥のせいだと気づいたからだろう。あんたの身柄を確保させるために俺たちを暮礼路まで行かせておきながら、蓼科兄妹の別荘が見つかったと聞くや、大あわてで駆けつけたのも、こいつが欲しかったからだと考えれば合点がいく」


モニターに青と白のストライプ柄の袋が映った。浅間がカメラの前に置いたらしい。

「間違いない。あの日、その部屋で見たものだ。蓼科兄妹が殺される何時間か前に……」

「二人は危険を察知していたのかもしれないな。それで、カードをあんたに……いや、リュウに預けたってことなんだろう」

「誰かに見つかってはいけないってことで、あの絵の下に隠したわけだ。その袋の絵を描いておいたのは、リュウなりのメッセージなんだろうな」

「だけどさ」浅間が声のトーンを落とした。「わからないのは、そのスズランという少女だ。蓼科兄妹とは、どういう関係だったんだろう」

「たしかにそれは謎だ。はっきりしているのは、兄妹は彼女と密かに会っていたってことだ。彼等はめったなことでは外出しなかったから、秘密の連絡係として使っていたのかもしれない。そのうちにスズランは偶然リュウと出会い、親しくなったってわけだ」神楽は、これまでの出来事を振り返り、最も合理的と思える説明を述べた。

　だがこれまで間髪を容《い》れずに応答してきた浅間が、なぜか黙っている。浅間刑事、と神楽は呼びかけた。「どうかしたのかい」

「あ、いや、それはどうかなと思ってさ」

「どうかなって？」

「もしそんなふうに出入りしていたなら、いつか誰かに目撃されるんじゃないか」

「そんなことといっても、実際に出入りしていたんだ。だから絵の下にカードが隠されていた。違うかい？　それともほかに説明がつけられるっていうのか」

「いや、そういうわけじゃない。……わかった。それについては、また改めて考えようや。とにかく今は、こいつの中身を知ることのほうが先決じゃないか」画面に浅間の指先が現れ、カードを入れた袋をつついた。

「賛成だね。細かい推理は後回しだ。早速、作業に入ろう。まずはコンピュータを起動させてくれ。コンピュータを眠りから覚ますんだ」

「おいおい、何度もいってるけど俺は——」

「コンピュータ音痴なんだろ。わかっている。カメラを端末に近づけてくれ。いや、それでは近づけすぎだ。端末とモニターの両方を見たい。オーケー、その位置でいい。あんたは椅子に座ってくれ」

「俺は立ったままでいい」

「よくない。いいからいった通りにやってくれ」

ため息をつくのと、椅子が軋む音が聞こえた。

「座ったぜ。次は何だ。足を組むのか」

「足は関係ない。肘置きに両肘を載せてくれ」

こうか、と浅間がいった。次の瞬間、ピアノ音が鳴り始め、シューベルトの『アヴェ・マリア』を演奏した。それと同時に、モニターに『HELLO』の文字が現れた。

「おっ、何だこれは」浅間が驚いている。

「それでコンピュータの起動は完了だ。蓼科兄妹は自分たちが使いやすいように、システムをあれこれと工夫していた」

「脅かすなよ。で、次は何をすればいいんだ？」

「いよいよプログラムの読み取りだ。その前に袋からカードを取り出さなきゃいけないな。取り出し方はわかるかい」

「袋を左手で持って、右手で口を開き、さらに指を突っ込んでカードを摘み出す——これで合ってるか」

「左手と右手の使い方が逆だけど、まあいいだろう」軽口を叩きながら、神楽は自分がすっかり浅間という刑事に心を許していることに気づいた。以前は最も嫌いなタイプの人間だったはずなのだが。

　モニターに金色のカードを持った手が映った。

「これをどうすりゃいい？　どこにセットするんだ」

「キーボードの一番右端、一番上のキーを押してみてくれ。そうすればトレイが開く。開いたらカードをセットし、もう一度同じキーを押す。あとは黙って成り行きを見つめる」

「オーケー、一番右の一番上……と」

浅間の手が神楽の指示通りに動く様子がモニターに映っている。カードが呑み込まれてから数秒後、向こうのモニターに複雑な幾何学模様がいくつか出現した。

「おいおい、わけのわかんないものが、画面にいっぱい出てきたぞ」

「わかっている。模様の一つ一つが、プログラムを構成するモジュールなんだ。さてと、では作業に取りかかってもらおうか。一応訊くけど、キーボードは使える？　それとも、全くだめ？」

浅間の唸り声が聞こえた。「まあ、何とかやってみるよ」

「がんばってくれ。相手は天才が作りだしたプログラムだ。たぶん長丁場になる」

実際、そこから先は容易ではなかった。浅間は自分でいっているほどのコンピュータ音痴ではなく、神楽の指示を比較的スムーズに実行してくれた。だがプログラムは無数の糸が絡み合ったように構築されており、全体像を把握すること自体が極めて困難だった。

試行錯誤が一時間以上も続いた頃、アクシデントが起きた。浅間が神楽の指示を聞き違えて、全く別のアクションを起こしてしまったのだ。

画面上の図形が激しく形を変え、飛び回り始めた。

「わっ、しまった。暴走だっ。どうすればいい」浅間の狼狽した声が聞こえた。

落ち着け、といいかけた時だった。コンピュータの画面に新たな変化が起きた。まるでもつれていた糸が解けるように、モジュールたちは整然とした形に姿を変え始めたのだ。やがてそれらが意味するものが、神楽にも見えてきた。
これは――彼は息を呑んだ。

44

鮮やかな色彩を放ちながら、立体図形が画面上を飛び回っている。さらにそこへ数字や文字が並んだり絡んだりしていた。浅間には何が何だかわからなかった。わかっているのは、どうやら何かが進展したということだけだ。その証拠に、神楽は黙り込んでいる。先程までは手に負えずに沈黙することが多かった。だが今の状況は違う。彼はこの画面から何かを読み取り始めたのだ。

沈黙は数分間続いた。やがて神楽の呟きが聞こえた。「驚いたな……」

「何なんだ、一体。こいつの正体がわかったのか」

「何となく、だけどね。どうやらそいつはとんでもない代物みたいだ。僕の読み方が間違ってなければ、の話だけど」神楽はすぐに続けた。「いや、間違ってるはずがない。それですべての謎が解ける」

「どういうことなんだ。説明してくれ」

　神楽のため息が聞こえた。

「口だけで説明するのは、かなり難しいな。それにやっぱり確証がほしい。そのためには、実際にテストしてみないと」

「テスト？」

「そのプログラムを使って、ＤＮＡ捜査システムを洗ってみるんだ。きっと、びっくりするような結果が出る」

「ちょっと待てよ。ＤＮＡ捜査システムをいじるには、特解研に侵入しなきゃいけない。そんなことできないぜ」

「わかっている。だから、正面突破だ。侵入できないなら、玄関から入っていくしかない。堂々とね」

「志賀たちとやり合おうってことかい。文字通り、このカードを切り札にして」

「そういうことだ。浅間刑事、協力してくれるよな」

「今さら、何をいってるんだ」浅間はコンピュータ画面に向いたままのテレビ電話を上から覗き込んだ。神楽のモニターには、彼の顔が逆さまに大写しされているはずだ。「ここまで来たからには、もう後戻りなんかできるわけないだろ」

「よし、じゃあ落ち合う場所を決めよう。特解研の——」

神楽がそこまでいった時、浅間の懐の中で電話が着信を告げた。彼自身の電話だ。テレビ電話として使っているのは、白鳥里沙のものなのだ。

電話をかけてきたのは、警備員の富山だった。

「まずいです。科警研の人間が来ました。そっちに行くかもしれません」

「科警研？　どうして？」

「わかりません。誰か来たかと訊かれて、来てませんとは答えたんですが」

「わかりました。ありがとう」

電話を切り、事情を手短に神楽に伝えた。

「それはまずいな。急いでカードを回収して、コンピュータのシステムを終了させてくれ」

神楽が指示を出してきた。浅間はいわれた通りに操作し、吐き出されたカードを内ポケットにしまった。

「特解研のそばに、『ハリマ運輸』という看板の出た倉庫がある。二時間後に、そこで会おう」神楽がいった。

「あんた、二時間で東京に来れるのかい」

「何とかする。それより、早くそこを離れてくれ。見つかって、『モーグル』を奪われたら、何もかもおしまいだ」

「いわれなくても、わかってるよ」そういいながら電話を切った。

駆け足で廊下を抜け、エレベータホールに出た。一台のエレベータが上がってくるところだ。踵を返し、反対側に向かった。突き当たりにドアがある。そこから非常階段に出られることは知っている。蓼科兄妹を殺害した犯人が使った逃走経路だ。

ドアを開け、外に出たところで、エレベータの止まる音が後ろから聞こえた。間一髪だ。

足音を殺し、ゆっくりと階段を下りながら、なぜ科警研の人間がやってきたのかを考えた。

富山によれば、誰か来たかと尋ねたらしい。どういうニュアンスだったかはわからないが、その台詞を聞いたかぎりでは、浅間がいることを知っているわけではなさそうだ。

五階から四階への階段を下りた時だった。不意に四階のドアが開いた。浅間は足を止め、身構えた。相手が科警研の人間なら、腕ずくででも逃げねばならない。

だが現れたのは白衣を着た人物だった。その鷲鼻には見覚えがあった。脳神経科教授の水上だ。

水上は、そこに浅間がいることを知っているように、ゆっくりと見上げてきた。狼狽の気配もない。薄く笑みさえ浮かべ、こっくりと頷いた。

「まだ、下には行かないほうがいい」

水上の言葉に浅間は訝しんだ。「というと？」

「科警研の人間が一人とはかぎりません。下で待ち伏せしているかもしれない。しばらく、私の部屋にいなさい」水上は促すようにドアの内側を手で示した。

それでも警戒を緩めない浅間を見て、水上は再び頷いた。

「たった今、神楽君から連絡があったんですよ。事情はわかっています」

そういうことか。浅間はようやく安心した。神楽は、この人物なら協力してもらえると踏んだらしい。

「さあ、早く」

すみません、といって浅間は中に入った。

薄暗い廊下を進み、精神分析研究室という表示のある入り口をくぐった。ここへ来たのは三度目だ。最初に来たのは蓼科兄妹が殺された直後、次に来たのは神楽が逃走した後だ。

診察室というより品の良い小会議室といった趣の部屋で、浅間は水上と向かい合った。壁にはキャビネットや棚が並んでいる。棚には黒革の鞄が載っていた。いかにも長年の愛用品という感じだ。

「事情はわかっているとはいったが、じつのところ、神楽君とゆっくり話したわけではないんです。彼は非常にあわてている様子でね。とにかくあなたを匿ってほしいとだけいって、電話を切ってしまった」水上はポットの湯を急須《きゅうす》に注ぎながらいった。その手つきは、のんびりしたものだ。科警研の人間はここには来ないと確信しているらしい。それならしばらくここにいたほうがいいかもしれない、と浅間は思った。

水上は、浅間の前に湯飲み茶碗を置いた。

「彼はともかく、あなたも逃亡の身なのですか」

「そういうわけではないんですが、科警研や警察庁とは別に動いています。神楽と連絡を取っていることも、その連中には秘密にしています。だから、こんなところで見つかるわけにはいかないんです」

ははあ、と水上は今ひとつ腑に落ちないといった顔つきで茶を啜った。

「あなたと神楽君は手を組んだ、と解釈すべきのようですね。どういう経緯があったのかはわかりませんが」

「御説明するのは、大変難しいです。敢《あ》えていうならば、事件の裏に私と彼だけが気づいた、ということです」

「裏、といいますと」

「事件には、警察庁や科警研の連中らが隠したい何らかの秘密が関係しているのです。それが何なのか、ついさっきまで彼と二人で調べていました」

水上はまだ合点がいかないといった顔つきで、湯飲み茶碗をテーブルに置いた。

「それで、わかったのですか」

「彼は気づいたようです。残念ながら、それについて詳しく聞く前に、邪魔が入ってしまいましたけどね。だけど間もなくわかります。彼と会う約束をしていますから」浅間は腕時計を見た。二時間後に、と神楽はいった。あれからすでに十分以上が経っている。

「そうですか。彼は元気そうでしたか。逃亡を続けるには、肉体的にも精神的にも、かなりの負担を強いられると思うのですが」

「声を聞いたかぎりでは元気そうでした。ただ……」

浅間がいい淀むのを見て、水上は瞬きした。「どうかしましたか」

あのことを尋ねてみよう、と浅間は思った。神楽がスズランと呼んでいる少女のことだ。

「どうやら彼は幻覚を見ているようなんです」

「幻覚？」水上は不快そうに眉をひそめた。脳神経科医の顔つきになっていた。

浅間は、リュウが描いた少女を神楽は見ているらしいこと、その少女が実在し、一緒に旅を続けたと思い込んでいることなどを話した。水上の表情は、みるみるうちに険しいものへと変わっていった。

「それは……いけないいな」呻くような声だった。

「病状が、ですか」

水上は大きく顎を引いた。

「多重人格とは、自分が何者かという自意識が揺らぐ病気です。原因は様々ですが、少なからず、現実からの逃避、虚構の世界への憧れといった心理が影響しています」

「幻覚を見るのは、そのせいだと？」

「現実と虚構の区別がつかなくなってきている徴候といえるでしょう。極めて危険な状態です。放置しておけば、虚構の部分がどんどん広がっていきます。そのスズランという少女だけでなく、もっと多くの幻覚が現れるおそれがある。逆に、現実に対しては否定し、直視しなくなるでしょう。そうなってしまえば――」水上は浅間の顔を見つめた。「よく知っている人間のことさえも認識しなくなるかもしれません」

「……アルツハイマーのようですね」

「アルツハイマーは物理的に脳が萎縮《いしゅく》していきます。神楽君の場合は、精神的に同様の状態になると考えてください。とにかく、一刻も早く何らかの治療を施す必要がある。浅間さん、彼と会うとおっしゃいましたね。その時、私が一緒に行っても構いませんか」

「先生も？」浅間は思わず背筋を伸ばした。

「一分一秒でも早いほうがいいんです。今こうしている間にも病状は悪化していく」

「しかしこれから我々は、非常に危険なことをやろうとしているんです。そんなところに先生を連れていくわけにはいきません」

だが水上は首を大きく横に振った。

「危険なことをするのなら、尚更《なおさら》急がねばなりません。現実と虚構が混じった状態では、的確な判断ができなくなります。あなた方の邪魔はしません。五分です。五分間だけ、私に彼を診させてください。必要な処置をしたら、すぐにその場から立ち去ります。それはお約束します」

学者が熱い口調で語るのを聞いていると、浅間としてはどうしてもだめだとはいいにくくなった。彼は患者を助けようとしているのだ。それに神楽がそういう状態では、浅間としても困る。彼の頭脳だけが、現時点での武器なのだ。

「わかりました。そこまでおっしゃるのなら、お連れします。ただし、何が起きるか予想できませんので、必ず治療できるとは思わないでください」

水上は安堵の息を漏らした。

「よかった。あなた方の足手まといにはならないようにします。では、準備をしないと」そういって立ち上がると、白衣を脱ぎながら部屋を出ていった。

浅間は再び時計に目を落とした。約束の時刻まで、あと一時間あまりだ。

45

薄手のコートを羽織った男が電車に乗ってきた。神楽は顔を伏せた後、おそるおそる様子を窺った。コートの男は車両内をさっと見回した後、空席がないことに失望したのか、隣の車両へと移動していった。神楽には全く反応しなかった。つまり彼を捕まえるために乗ってきたわけではない、おそらく捜査員でもない、ということだ。

神楽は身体の力を抜き、つり革を握り直した。車両内の席はすべて埋まっており、数人が立っているという状況だ。

彼は在来線を乗り継いで、東京を目指していた。防犯カメラには気をつけているが、どんなことで見つかるか、予想はつかない。すでに発見されているおそれもある。電車が止まって新たな乗客が乗ってくるたびに身を硬くしてしまうのは、その可能性を考えているからだ。

警察に見つかるのは構わない。だが何としてでも、その前に浅間から『モーグル』の入ったカードを受け取っておきたかった。それを手に入れないことには、DNA捜査システムの秘密を暴けないし、『プラチナデータ』の存在も証明できないからだ。口でいくら主張したところで、「そんなものはない」といわれてしまえばそれまでで、神楽自身の容疑を晴らすこともできない。

それにしても、自分の知らないところであんなことが行われていたとは——。

自らが『モーグル』を解読し、そこに秘められた意味を見抜いたというのに、まだ神楽は信じられないでいた。DNA捜査システムの構築を進めてきたのは自分だという自負があったし、蓼科兄妹を除いては、誰よりも熟知していると信じてきた。ところが現実は、全く違っていたのだ。自分は何も知らなかった。知らされていなかった。ただ志賀たちのいいように使われていただけだ。自分もまた彼等にとっては、システムの一部に過ぎなかった。彼等にとって都合のいいシステムの——。

もはやすべての謎が解かれつつあった。不明なのはNF13の正体だけだが、それなどは全体から見れば小さな謎だ。乱暴な言い方をすれば、誰でもいいのだ。『プラチナデータ』の罪深さは、その比ではない。

何としてでも、この事実を白日の下にさらさなければ、と心の底から思った。

窓の外を流れる夜景が華やかさを帯び始めた。都心が近づいてきたようだ。大都会に紛れれば、仮にどこかで見つかったとしても、再び地下に潜入することは難しくない。とはいえ油断は禁物。電車が止まるたび、神楽はすべての乗客をチェックした。

何事もなく東京駅の出口を通過した時には、思わず太いため息が出た。もちろん油断はできない。防犯カメラがいたるところに仕掛けられていることは知っている。顔認証システムに引っかかったりすれば、数分後には警官が駆けつけることだろう。神楽は俯いたままで足早に駅を出た。

タクシー乗り場にも防犯カメラが設置されている。道路脇に出てから流しのタクシーをつかまえた。有明へ、と運転手に告げた。運転手に神楽のことを怪しんでいる気配はない。

それほど長く離れていたわけではないのに、東京の街並みがずいぶんと懐かしく感じられた。自分の部屋はどうなっているだろうか。早く戻って、とりあえずはゆっくりと休みたいと思った。もちろんそのためには、すべてを片づける必要がある。

タクシーは林立するオフィスビルの間を抜け、複雑に絡み合う高速道路の下をくぐり、さらには運河にかかる橋を通り過ぎた。途中から神楽は、運転手に細かく道順を指示し始めた。タクシーは人の住んでいる気配のない倉庫街へと入っていく。目的地が近づいたところで停車を命じた。時計を見たところ、間もなく浅間と約束した時刻になろうとしている。時間の読み方は正しかったようだ。

車から降り、警戒しながら歩き始めた。街灯が少ないので、建物のそばから離れなければ、闇に紛れたままで移動できる。

くすんだ緑色の建物があった。周囲には黒い塀が巡らされている。建物の屋根に、『ハリマ運輸』という古い看板が出ていた。すでに倒産した会社で、この倉庫は別の会社が所有している。そばに特解研の建物が造られる時には、警察庁が一年あまりも借りていた。研究所に搬入する資材や機器を一時的に保管しておくためだ。

通用口から中の様子を窺い、塀の内側に身を滑り込ませた。現在、この倉庫は殆ど使われていない。所有する会社が手放したがっているが買い手が見つからないらしい、という噂を神楽は耳にしていた。

建物の扉は閉ざされたままだ。見渡したところ、浅間はまだ来ていないようだった。駐車場に、動くかどうかもわからないような古いトラックが一台止められている。神楽はその陰に身を潜ませた。

それから間もなく、車の近づく音が聞こえてきた。ヘッドライトの明かりが駐車場に入ってくる。タイヤがアスファルトをゆっくりと踏みつけていき、やがて止まった。ヘッドライトが消え、エンジン音もやんだ。

神楽はトラックの陰から顔を出した。車の運転席から体格のいい男が降りてくる。体型から浅間だと確信した。

ほっとして立ち上がった。浅間に駆け寄りかけた時、助手席のドアが開いた。思わず足を止める。浅間には連れがいる。誰なのか。

「神楽か」浅間が気づいたようだ。

神楽は答えず、車を見つめた。だが助手席から降り立った人物を見て、ふっと息を吐いた。

彼が最も信用できる人物だったからだ。

「先生だったんですか」

水上はゆっくりと近づいてきた。手に鞄を提げている。

「元気そうだな、神楽君」

「ここで会うことを話したら、どうしても一緒に行くとおっしゃってね」浅間がいった。

神楽は浅間に視線を移した。眉をひそめていた。

「なぜ先生と話を？　あの後、すぐに病院から逃げたんじゃないのか」

「いや、だから、あんたが教授に連絡を――」そこまでいったところで、浅間は何かに気づいたように後ろを振り返ろうとした。だがその動きが、不自然にぴたりと止まった。

いつの間にか水上が浅間の真後ろに立っていた。影になっていて、その表情はよくわからない。だが浅間の顔ならよく見えた。彼の頬は強張り、目には険しさが宿っている。

「何の真似ですか」浅間が訊いた。声がかすれている。

「そのままじっとしているんだ。命が惜しければね」水上がいった。古い井戸の底から聞こえてくるような不気味な声だった。

「どうしたんだ？」神楽は訊いた。

浅間は瞬きし、斜め上に目を向けた。

「拳銃だ。この先生、拳銃を俺に突きつけている」

神楽は目を見張った。「どうして……」

「そうだよ。どうしてなんだ。なんでこんなことをする？　俺たちがあんたに何かしたか」

浅間は怒鳴った。

水上の含み笑いが聞こえた。

「余計なことをしようとしている。『モーグル』だの、『プラチナデータ』だの、少々うるさくしすぎだ。世の中には謎のままで終わらせるべきこともたくさんある」

神楽は浅間と顔を見合わせた。

「どうしてそのことをあなたが……」神楽は訊いた。

「知っているんだよ、私は。何もかもね。二時間ほど前までの、君たちのやりとりもすべて聞いていた。五階の絵画室にも、七階の兄妹の部屋にも盗聴器を仕掛けてあるからね。七階に不審者がいるようだと科警研に密告電話をかけたのは私だ。浅間刑事は期待通りに非常階段を使って下りてきた。あの日の私のようにね」

あの日——神楽は愕然《がくぜん》とした。蓼科兄妹が殺された日のことをいっているのに違いない。

やがて浅間が力なく首を振った。

「参ったな。灯台もと暗し。俺たちの目は節穴だったらしいぜ」

「まあ、そういうことだ。大いに反省することだな」水上の右手が動き、何かを浅間の首筋に突き刺した。途端に浅間の顔が歪む。水上が持っているものは注射器だった。「心配いらんよ。これでは死なない。少しの間、おとなしくしてもらいたいだけだ」

水上が注射器を引き抜くと、すぐに浅間は膝からくずおれた。やがて苦悶の表情を浮かべ、そのまま横に倒れた。

神楽は目の前で起きていることが信じられなかった。最も信頼してきた水上が一連の事件の首謀者だというのか。驚きのあまり、声を出せなかった。

水上は地面に置いてあった鞄を持ち上げた。もう一方の手には拳銃が握られている。銃口は神楽のほうを向いたままだ。

「あなたが蓼科兄妹を殺したんですか」震える声で訊いた。

「そうだよ」対照的に水上は、冷酷なほどに落ち着いた声で答えた。「ついでにいうならば、NF13は私だ」

衝撃のあまり、神楽は耳鳴りを覚えた。心臓の鼓動は限界近くまで速まっている。

「……なぜですか」

「なぜ？　それを説明する必要があるのかな。さっきのやりとりを聞いていて、君は謎を解いたと思ったのだがね」

「たしかに『プラチナデータ』が何なのかはわかったつもりです」

「うん。では答え合わせといこうか。君の説明を聞こうじゃないか」水上は拳銃をゆらゆらと上下に動かした。

　神楽は唾を呑み込もうとした。だが口の中はからからだ。仕方なく唇を舐めた。

「DNA捜査システムに登録されているデータは、国民から提出されたサンプルから作られている。サンプルからDNAを解析し、電子情報に書き換え、暗号化して登録してあるわけだ。だから犯行現場に犯人のDNAが残されていて、その犯人がシステムにデータを登録していた場合、それがどこの誰なのかをたちどころに検索することができる。犯人本人が登録していなくても、家族や親戚が登録していた場合、容疑者を極めて狭い範囲まで絞ることが可能になる」

「素晴らしい発明だ」水上は揶揄を込めた口調でいった。「続けて」

　神楽は深呼吸をひとつした。

「ここからは仮説だけど、それら膨大なデータの中に、一部特殊なデータが混じっている可能性がある。それらのデータには、本来のDNA情報以外に、ある特別な識別記号が書き加えられている。検索をかけようとしたＤＮＡが、そうしたデータと一致した場合、ＤＮＡ捜査システムは、通常とは全く違う回答を示す。解析結果として出される身体的特徴は本人とはまるで違うものだし、検索結果はＮＯＴ　ＦＯＵＮＤ、つまり当該人物は登録されていないと回答する。一体どこの誰が何を目的に、こんなオプションをシステムに付けたのかは不明だけど、そういう特殊なデータが紛れ込んでいる。それが『プラチナデータ』だ。そしてそれを見つけだすためのプログラムが『モーグル』だ」

水上は身体を細かく揺らし、低く笑った。

「見事だよ、神楽君。だけど満点にはほど遠いね。どこの誰がだって？　おいおい、大事なことを忘れたのかね。あのシステムは誰にでも構築できる代物ではないだろう。たとえ君であってもね」

神楽は目の前にいる男の鷲鼻を睨みつけた。「蓼科早樹が……」

水上は頷いた。

「そういうオプションを付け加えるよう、私が蓼科兄妹に命じたのだよ。彼等は私のいうことなら何でも聞くからね。もちろん君には内緒にしておくよう、いっておいた」

「なぜそんなことを……」

「理由はほかでもない。頼まれたからだ」

「誰に？」

するとと水上は片方の眉だけをぴくりと動かした。

「私に直接頼みに来たのは志賀所長だ。君の上司だよ。しかし彼の後ろに誰がいるのかは私も知らない。彼も単なる駒の一つというわけだ」

「科警研、いや警察庁の……」

「もっともっと上の人間たちだろう。こんなことを考えだしたのはね。君は完璧な捜査システムを作ろうとしたわけだが、完璧すぎると困る人間というのもいるんだよ」

政治家や官僚たち、という意味だろう。彼等は自分や身内のＤＮＡ情報を、すべて『プラチナデータ』化させているに違いない。

「そういうことか。なんて卑劣な……」

水上はせせら笑った。

「今さら何をいっている。世の中とはそういうものだろう。総理大臣の息子が、ある日突然レイプ犯として逮捕されたりしたら、国が混乱するじゃないか」

「すると、あなたも『プラチナデータ』に？」

「当然だよ。彼等だけにおいしい思いをさせるわけにはいかないからね」

「『プラチナデータ』はシステムの網には引っかからない。いくら犯罪を重ねても、そこに自分の痕跡を残したとしても、決して捕まらない。それを利用して、次々に人を殺したってことか」

「いっておくが私は殺人鬼ではない。殺すのが目的ではなかった。あれはすべて実験だったのだよ」

「実験？　何の？」

水上は鞄を置くと、銃を構えたまま、もう一方の手で中をまさぐった。鞄の中から出てきたのは、金属製の箱のようなものだった。コードが付いている。

「これを知っているかね」

「電トリ……電気トリッパーとかいうものだろ。電気パルスで脳を刺激して、トリップ状態を生み出す」

なぜここで水上がそんなものを出してくるのか、神楽には見当がつかなかった。

「これは単なる電トリではない。私なりのアレンジを加えた品物だ。一言でいうとパワーアップしてあるわけだが、単にトリップ状態が激しくなるだけではない。これを使うと、強力な催眠状態に陥ってしまう。どんな人間も従順になり、自殺さえも恐れない。しかも通常の電トリと違い、中毒症状を引き起こす」

「なぜそんなものを？」

「なぜ？　愚問だな。なぜドラッグを扱う人間がいるのか、なんてことは考えないだろ。人間の精神を操るノウハウは権力を得ることに繋がる。だから実験が必要だった」

神楽はかぶりを振った。「何も殺すことはないのに」

「殺したのではない。死んでしまったのだよ。実験中にモルモットやマウスが死んでしまうというのは、よくあることだ。あの女たちに同情する必要はない。いずれも電トリに溺《おぼ》れている愚かな女だった。だから私の甘言にすぐに引っかかった。しかし死体をそのままにしておくと脳科学者の犯行だとばれるおそれがあったのでね、少々演出を加えることにした」

「ピストルで頭を撃ち、暴行した、というわけか」神楽はいった。「死体を犯したわけだ」

「殺人鬼には動機が必要だと思ったからね。それに精液を残しておくことは、私にとって保険になる」

「『プラチナデータ』だから、システムが犯人の名前を挙げることはない。警察は、データに登録してある人間については嫌疑をかけない、というわけか」

「そういうことだ。ただ一つだけ気がかりなことがあってね、この装置を使用した場合、耳に火傷の痕が残る。その共通点から警察に何かを嗅ぎつけられるおそれもあると思い、電トリの改良方法を一部の業者に公開することにした。すでにマニアたちの間では、ハイデンの名称で出回っているよ。犯人がハイデンの使用者であることを警察が見抜いたとしても、時すでに遅し、というわけだ」

神楽は奥歯を嚙みしめてから口を開いた。

「そこまですることに、どんな意味があるんだ。あなたは脳科学者として、それなりの地位を得たじゃないか。今さら電気ドラッグを使って、どういう権力を得たいっていうんだ」

水上は小さく首を傾げた。

「さっきの説明では言葉足らずだったようだな。私は別に自分が権力を得たいわけではない。権力に繫がるもの、世界を変えられるものを生み出したかったのだよ。人の心を操れる方法が存在するなら、試してみたいと考えるのは科学者として当然だろう。本能といってもいい。現に神楽君、君だって心の謎を解こうとしていたじゃないか。心は遺伝子によって決まるという仮説を立証しようとしていた」

「あれとこれとは――」

「同じだよ。何も違わない。君は自分の肉体を使って心の仕組みを突き止めようとした。私は他人の身体を使って実験を行った。君の研究では誰も死ななかったが、私の実験では何人かが死んだ。ただそれだけの違いだ。いや、もう一つ違うことがあるな。君はまだ何も答えを見つけていないが、私は見つけている」水上は神楽のほうに顔を近づけ、人差し指を立てた。「いいことを教えてやろう。人の心を探るのに、遺伝子なんかはお呼びじゃない。人の心は、単なる化学反応と電気信号に過ぎない」

淡々と語る水上の顔を見つめ、神楽はゆっくりと首を横に振った。「あなたは異常者だ」

「その異常者に救いを求めたのは、どこの誰だったかな」

「蓼科兄妹は、あなたが犯人だと気づいてたのか。だから殺したのか」

水上は肩をすくめた。

「気づくわけがない。しかしNF13の事件を知り、『プラチナデータ』に入っている人間の仕業ではないかと疑ったようだ」

「だから『モーグル』を作ったということか。彼等は『プラチナデータ』を作ったことを悔い、贖罪《しょくざい》しようとしたんだ」

水上は残念そうに眉根を寄せた。

「蓼科早樹ほどの天才が愚かなことを考えたものだよ。死んだって誰も困らない人間が、この世から消えているだけなのにねえ。おかげで自分自身が消えることになってしまった」

「あの日、僕が反転剤を使ってリュウに変わっている間に、二人を殺したんだな。わざわざ防犯カメラにトリックまで仕掛けて……」

するとと水上は心外そうに首を振った。

「カメラにトリックを仕掛けたのは私ではないよ。あれは元々あったものを利用させてもらったけだ」

「元々あった？　どういうことだ」

「私以外の人間が取り付けた、という意味だよ。それが誰なのか、君は聞かないほうがいいと思うね。おっと、動かないでくれ」水上は銃を構えたまま、ゆっくりと神楽の後ろに回った。「地面に膝をつくんだ」

「何をする気だ」

「いわれた通りにするんだ。君だって、同じ死ぬにしても、苦しまないほうがいいだろ」

背中に銃口が押し当てられるのを感じ、神楽は腰を落としていった。両膝を地面につけて座る。すると耳が冷たいもので挟まれた。まずは左耳。そして右耳。ハイデンという装置の電極だろう。

「怖がることはない。これまでに死んでいった女たちは、みんなその直前まで恍惚《こうこつ》とした表情を浮かべていた。幸福な死、というやつだよ、ただ君の場合は、快楽を味わう余裕はないかもしれないな。最初からかなり大きなパルスを加えるからね。申し訳ないが、あまり時間がないんだ」

「白鳥里沙も、こうやって殺したのか」

「ああ、あの女ね」今初めて思い出した、というように水上は軽い口調でいった。「彼女を殺すには少し時間をかけた。ハイデンを使って意識をコントロールし、自宅まで車を運転させた後、射殺したんだ。私の技術は完成の域に近づきつつある」

「彼女はあなたが犯人だと気づいたんだな」

「いや、気づいてはいなかった。しかし、やがて気づくおそれがあった。小癪《こしゃく》なことをやろうとしていたからね」

「ＤＮＡ鑑定だな」

「ほう、わかっているようだね」

「彼女はＮＦ13の生サンプルを手に入れようとしていた。犯人が『プラチナデータ』の中にいると見抜いたからだ。蓼科兄妹との接触が可能な関係者となれば、人数はかぎられてくる。それら全員のＤＮＡとＮＦ13のＤＮＡとを昔ながらの方法で鑑定すれば、犯人を突き止められると考えた。――そういうことだな」

「危ないところだったよ。ただあの女が間抜けだったのは、私の毛髪を採取するのを私に目撃されたことだ。大した用もないのに訪ねてきた人間のことを、私が怪しまないとでも思ったのかね」

かちゃかちゃと金属の当たるような音が聞こえた。「さあて」と水上はいった。

「ずいぶんと無駄話をしてしまった。楽しかったがね。君と語り合うことがもうないと思うと少し寂しいが、まあ仕方がない。何事にも終わりがある」

「僕を殺したって無駄だ。志賀たちはNF13を追い続ける」

「そんなことはない。事件は解決だ。NF13はハイデンを使って自殺。ただしその前に浅間刑事を射殺していた——どうだ、素晴らしいシナリオだろ」

神楽を犯人に仕立て上げるつもりらしい。彼を殺した後、浅間を撃つ気なのだろう。

全身が粟立《あわだ》った。頭が混乱する中、この局面を乗り切る策を懸命に考えた。

「スズランという女性がいる。彼女は何か知っている」

水上が、ふっと息を吐くのが聞こえた。

「まだ彼女に会えるとでも思っているのか」

「なんだと」

「すまないが、説明している時間はない。あの世で会いたまえ」

かちり、とスイッチの入る音がした。その瞬間、神楽の視界が金色の光に包まれた。聴覚、味覚、嗅覚《きゅうかく》、触覚、それらのすべてが麻痺《まひ》した。重力の感覚さえ消え、自分が座っているのか、立っているのか、全くわからなくなった。だが苦痛ではない。空間に浮かび、漂っているようだった。爽快感《そうかい》に包まれ、精神が何かから解放されるのを感じる。

そして次の瞬間——。

46

金色の視界が突然闇に変わった。それと同時に意識も消えた。

濃い靄《もや》が晴れるように、意識が徐々にはっきりとしてきた。ひどく頭が痛く、耳鳴りがする。だがその耳鳴りの隙間から、人の話し声が漏れ聞こえる。あれは誰の声だ？　聞き覚えがある。

自分が目を閉じていることに浅間は気づいた。何があったのかを思い出すのに、少々の時間を要した。ああ、そうだ。水上に注射を打たれたのだ。ここは有明だ。廃倉庫の駐車場にいる。頬にコンクリートの感触があった。薬のせいで意識を失い、今まで横たわっていたのだ。

指先を動かそうとしたが、うまく動かせなかった。いや、動いているのかもしれないが、それを感じられない。五感が著しく低下している。嗅覚も麻痺しているようだ。最初に戻ったのが聴覚ということか。だが声は聞こえても、その内容まではわからなかった。

瞼をゆっくりと開いてみた。分厚い磨《す》りガラスに阻まれているように視界は濁っていた。だが目を凝らすうちに、そのガラスが少しずつ透明度を取り戻していった。同時に、耳鳴りが治まってきた。

神楽が地面に膝をついて座っている。その後ろに立っているのは水上だ。

「僕を殺したって無駄だ。志賀たちはＮＦ13を追い続ける」

「そんなことはない。事件は解決だ。ＮＦ13はハイデンを使って自殺。ただしその前に浅間刑事を射殺していた――どうだ、素晴らしいシナリオだろ」

何がどうなっているのか、浅間にはさっぱりわからなかった。だがどうやら水上が神楽と浅間を殺そうとしているのはたしかなようだ。しかも浅間のことは銃で殺す気らしい。

冗談じゃない――もがこうとしたが、手足が思うように動いてくれない。

さらにいくつかの会話を交わした後、水上が何かをした。そうわかったのは、神楽が異様な動きを見せたからだ。地面に膝をついたままで、リンボーダンスをするように大きく身体を後ろに反らせたのだ。さらには細かく震え始めた。その震えが次第に大きくなっていく。耳にハイデンの電極が付けられているのが浅間にもわかった。

突然、神楽の震えが止まった。彼の身体は、糸を切られた操り人形のように背中から地面に落ちた。そのままぴくりとも動かなくなった。

倒れた神楽をじっと見下ろしていた水上の目が、不意に浅間のほうに向けられた。二人の視線が空中で交錯した。

「さすがに警察官は身体が強いね。もうお目覚めか」水上が近づいてきた。「しかしそろそろ目覚めてもらわないと困るところではあった。薬が十分に分解されていないと、解剖の際に見つかるおそれがあるからね。まあ、その可能性は非常に低いだろうが。君に打った薬は、体内で分解されると、人間の身体に元々存在する物質に変わる。どんな名医だって、不審には思わないだろう。しかもこれから君の身体には銃創という立派な傷ができるわけだから、死因をほかに求める理由はない」

水上の講釈を聞きながら、浅間は懸命に指先の感覚を確かめていた。まだ麻痺は残っている。力を振り絞ったところで、身体が満足に動くかどうかはわからない。だがそれを確認している余裕はなかった。

水上が浅間のすぐそばに立った。見下ろす顔に冷笑が浮かんでいる。左手を伸ばし、浅間の上着の内側から『モーグル』のカードを抜き取った。

「君がいてくれて助かったよ。正直にいうと、NF13にどう決着をつけるべきか、決めかねていたんだ。警察庁も警視庁も、そう簡単には迷宮入りにさせたくないだろうからね。しかしこれですべて解決。一件落着というわけだ。君は名誉の殉職で、おそらく二階級ぐらいは特進させてもらえるんじゃないか。それで納得してくれ」ゆっくりと銃を構えた。引き金に指がかかる。

このタイミングしかなかった。浅間は全身の力を込め、右足を振り上げた。奇跡的に、その動きは完璧な蹴りとなって、銃を持つ水上の手にヒットした。銃は手から離れ、二メートルほど飛んだ。

水上が目に憎悪の光を浮かべ、睨んできた。すぐに拳銃を拾い上げようとする。だが浅間も必死だった。トカゲのように素早く地面を移動し、水上に拾われるより一瞬早く、銃を手にしていた。

しかし銃口を敵に向けるほどの時間はなかった。銃を持った腕を水上に摑まれ、今にも奪い返されそうになった。意外なほどに力が強い。さらに浅間のほうには、まだ身体を自由に動かせないというハンディがある。

奪われたら万事休すだ。浅間は腕を引きつけられる力を利用し、拳銃を放り投げた。どこへ落ちたのかは彼にもわからない。

水上は浅間の腕を離し、周囲を見回した。拳銃を探しているのだろう。すぐに見つけたらしく、腰を上げた。

拳銃を拾わせるわけにはいかない。浅間は咆哮《ほうこう》を上げ、水上の足にしがみついた。

「今さら無駄なことを……」水上が顔を醜く歪め、浅間の手を引きはがそうとする。

「あんたこそ、もう諦めろ。俺は絶対に離さないぜ」

「そうか。そういうことなら、方針変更だ」

水上は浅間にのしかかってきた。さらに両手を首にかけたかと思うと、強い力で絞めてきた。浅間は懸命にほどこうとするが、殆ど緩まない。

水上の顔に狂気の笑みが滲んだ。

「君も警察官だから、武道の心得はあるだろう。しかしこう見えて、私も柔道では黒帯なんだ。おまけに薬の影響で、君は十分な実力を発揮できないときている。勝負あったね。ああ、もう一つ付け加えておくと、この扼殺痕《やくさつこん》を神楽君の仕業に見せかけることなど、私にとっては朝飯前なんだよ」

淡々とした口調とは裏腹に、首を絞めつける力は強くなっていった。浅間は全く息ができなくなった。無論、声も出せない。

意識が遠のく気配があった。脳の中心部が痺れていく。抵抗せねばと思いつつ、ああもうだめだな、という諦念《ていねん》が心を占めていく。目の前が暗くなっていった。

だがその時、ぱん、と破裂音が聞こえた。その瞬間、浅間の首を絞めていた力が不意に緩んだ。頸《けい》動脈に血が流れるのがわかる。気道も開放された。

視界が蘇ってきた。浅間の目の前には水上の顔があった。白髪で鷲鼻が特徴の男は、驚いたように大きく目を見開いていた。その表情には先程までの狂気の気配はなく、むしろ無垢《むく》な色があった。

浅間は水上の胸元に目をやった。スーツの下に着ているシャツが、赤黒く濡れていた。

水上の手が浅間の首から離れた。彼は血まみれになった自分の胸を見つめた後、ゆっくりと首を後方に回した。浅間も同じ方向に視線を投げた。

水上の数メートル後方に神楽が立っていた。その手には拳銃が握られている。

「馬鹿な……」水上が呻いた。「あのパルスを脳に受けて、生きていられるわけがない」

「教えてくれ」神楽が口を開いた。「なぜ殺した。なぜ俺のスズランを殺した」

水上の瞼がぴくぴくと動いた。「リュウか……」

「答えろ。なぜ殺した？　殺さなくてもよかっただろう」神楽は苦悶の表情を浮かべている。だがどうやらその人格は神楽のものではないらしい。

水上が、にやりと笑った。それが最後の反応だった。がっくりと首を折り、浅間の上にかぶさってきた。どこにも力が入っておらず、もはや単なる物体に過ぎなかった。

浅間は水上の身体を押しのけ、上半身を起こした。自分の首を擦った後、改めて神楽を、いやリュウを見つめた。

「あんた、神楽のもう一つの人格だな」浅間は確かめた。

リュウは拳銃を落とした。その場に座り込んだかと思うと、顔をしかめ、頭を抱えた。

「どうした？」浅間は訊いた。

リュウが虚《うつ》ろな目を向けてきた。

「彼に……神楽に伝えてくれ。あと一枚だけ絵を描きたい。キャンバスを用意して、反転剤を吸うように、と。それが最後だ」

「最後？」

「そう、最後だ。それを描いたら、俺はもう消える……」そういい残し、リュウはばったりと倒れた。

それから間もなくのことだった。遠くからパトカーのサイレンが聞こえてきた。しかも一台ではない。ここに近づいてくるのがわかる。

「馬鹿野郎。遅すぎるんだよ……」浅間は舌打ちし、地面で大の字になった。

47

警察病院の一室で神楽は意識を取り戻した。自分の身に何が起きたのか、すぐには思い出せなかった。やがて記憶が蘇ってきたが、ハイデンによって殺されたはずなのに、なぜ助かったのかということについてはまるでわからなかった。

何の説明もないままに、彼は脳の検査を受け、注射を打たれ、再びベッドに寝かされることになった。打たれたのがどうやら鎮静剤だったということは、猛烈な睡魔が襲ってきた時に気づいた。

次に目が覚めた時、室内に人の気配を感じた。彼は頭を起こした。志賀が椅子に座り、腕組みをしていた。足も組んでいる。

「気がついたようだね。脳に異状はないそうだ。よかったな」

神楽は上体を起こした。まだ少し頭がふらふらする。瞬きし、顔を手で擦った。

「どうして僕はここに？」

ふっと志賀は笑った。

「東京駅から有明までタクシーに乗っただろ？　あのタクシーには車内を写すカメラが搭載されていて、警察庁の顔認証システムと繋がっている。まだテスト段階で、都内で走っているのはほんの二十台ほどだ。プライバシーの問題があるので、公にはされてないけどね。で、通報を受けてあの場所に駆けつけたところ、君たちがいたというわけだ」

「君たち……ということは、ほかにも誰かいたんですね」

志賀は真顔に戻り、頷いた。

「浅間警部補と水上教授がね。教授は射殺されていた」

「射殺……浅間刑事に？」

いや、と志賀は首を振った。「撃ったのは君だよ」

「まさか」神楽は目を見開いた。「そんなのは嘘です」

「事実だ。浅間警部補が証言している。ただし、人格は君ではなかったらしい」

「……リュウが？」

志賀は組んでいた腕を肘掛けに置き、背もたれに身体を預けた。

「ＮＦ13の正体が水上教授だったということは浅間警部補から聞いたよ。ただ彼は、詳しいことを殆ど知らないようだ。どうやら、君と教授がやり合っている間、彼は薬で眠らされていたらしいね」

神楽は志賀の酷薄そうな顔を見返した。「僕と教授のやりとりを聞きたいと？」

「是非」志賀は答えた。「もちろん、聞くだけではない。君からの質問にも答えるつもりだ。いろいろと納得できないことがあるんじゃないのか」

「それはもう、たっぷりとね」神楽はいった。

悪夢のような出来事を、彼は細かく語った。水上が発した冷酷な台詞なども、可能なかぎり正確に再現した。だが志賀は殆ど無表情だった。事件の真相と、神楽が『プラチナデータ』についてどれだけ知っているのかということだけを確認したいのだろう。

なるほどね、というのが、話を聞き終えた志賀の最初の言葉だった。

「電気ドラッグの研究のため人を殺していたというわけか。とんだマッドサイエンティストだな」

「そんな男に、『プラチナデータ』の仕組みを蓼科早樹に作らせるよう頼んだのは、一体どこの誰ですか」

志賀は両肘を肘掛けに置いたまま、指を組んだ。

「DNA捜査システムが認可された背景に、『プラチナデータ』の構築がある。政治家や高級官僚を守るシステムでないと法案が通過しないだろうということは、構想段階から明らかだった」

「どのレベルの人間なら、『プラチナデータ』に入れるんですか」

「それはまあ、ケースバイケースだ」志賀は、さらりという。「政治家なら閣僚経験者か、それに準ずるクラス。役人の場合は、最低でも幹部候補生というところかな。もちろん、コネクションの有無によっても変わってくる」

「警察だと……」

「キャリアであることが絶対条件。本部長、部長クラスかな」

神楽は頷いた。これで解せた。

「警視庁にＮＦ13の捜査から手を引かせたのは、『プラチナデータ』が関わっていると気づいたからですね」

「早い段階から、もしかしたらＮＦ13は『プラチナデータ』の中にいるのかもしれないとは思っていたんだ。しかし仮にそうだとしても、あわてる必要はないと考えていた。単に犯人がいつまで経っても捕まらないというだけのことだ。そのための『プラチナデータ』だからね。あまり世間が騒ぐようなら、頃合いを見て、適当な変死体をＮＦ13に仕立て上げればいいと考えていた。ところが誤算が生じた」

「蓼科早樹が『モーグル』を完成させていた」

「そういうこと」志賀は顎を引いた。「白鳥里沙がアメリカに送ったメールに、こう記されていた。蓼科早樹は殺されたが、『プラチナデータ』抽出プログラム、通称『モーグル』を奪われた可能性は低い、と。それを見て、愕然とした。お恥ずかしい話だが、そんなプログラムが作られていたことなど、全く知らなかった」

「ちょっと待ってください。白鳥さんのメールを見たって……彼女が殺された後ですか」

「そんなわけはないだろう。もっと前だよ」志賀は口元を歪めて笑った。「白鳥里沙がアメリカから派遣されてきた目的が、『プラチナデータ』の存在を確認することにあるのは明らかだった。彼等としてもＤＮＡ捜査システムの確立には『プラチナデータ』の構築が不可欠だと考えたんだろうね。もちろん我々としてはその存在を認めるわけにはいかない。そこで彼女の行動を細かくチェックしていた。おかげで『モーグル』に関する情報も得られたというわけだ」

「それでNF13の捜査は一旦凍結し、『モーグル』を探すことを最優先したんですね。暮礼路に蓼科兄妹の隠れ家があったと知るや、警官まで立入禁止にしたのは、『モーグル』を見つけられるかもしれないと思ったからなんだ」

「残念ながら空振りだったがね」志賀は肩をすくめた。

「じゃあ僕が警察に追われていたのは……」

「表向きは重要参考人だったからだが、本当の理由は、白鳥里沙に頼まれて君も『モーグル』を探しているとわかっていたからだ。君に先に見つけられると、いろいろと厄介だった」

「結果的には先に見つけましたけどね」

「そのようだね。浅間警部補から聞いたよ。あの絵の下に隠してあったんだって？　灯台もと暗しだな。申し訳ないが、『モーグル』は没収させてもらった。君がＤＮＡ捜査システムにインストールする前でよかった」

神楽は大きくため息をついた。

「知らぬは哀れな国民ばかりなり、か。こんなことが許されると思ってるんですか。一般人にはＤＮＡの登録を義務づけようとしているくせに、自分たちは捜査の網にはかからない。マスコミが嗅ぎつけたら、どんなことになるでしょうね」

「どうにもならない。我々が『プラチナデータ』の存在を認めなければいいだけのことだ。いわゆる都市伝説というやつになるだろう」

「関係者が証言したら？」

神楽の言葉に、志賀の片方の眉がぴくりと動いた。

「君が証言するというんだね。ようやく話が核心に入ってきたようだ。私がここへ来たのは、そのことを相談するためなんだ。単刀直入にいおう。君にはすべてのことを忘れてもらいたい。『プラチナデータ』のことも『モーグル』のことも。さらにはＮＦ13のことも」

神楽はせせら笑った。「勝手なことを」

「もちろん、無条件で、とはいわない」志賀は見据える目つきをしてきた。「ＤＮＡ捜査システムの仕事を続けてもらうわけにはいかないから、君には何か適当なポストを与えよう。形だけのポストだから、仕事なんかはしなくていい。それでも今までの三倍の給料が君には支払われる。どうだ、悪くない話だろ」

「買収ですか。金で良心を売るように見えますか」

「提案を呑んだほうが君のためだと思うよ。どうしても拒否するというのなら、こちらとしては別の手を使わねばならない」

「どうする気ですか」

志賀は組んでいた指をほどき、右手で神楽を指した。

「君を逮捕し、拘束する。最初にいっただろ。君は水上教授を殺害している。立派に殺人罪が成立する。正当防衛を主張しようにも、それを証明する手だてを君は持っていない。何しろ、君には犯行時の記憶がないのだからね」

神楽は奥歯を嚙みしめ、志賀を睨んだ。

「裁判になったら、すべてを話しますよ。いいんですか」

「君は何もわかってない。『プラチナデータ』を守るためには、国家権力のすべてが動く。一人の殺人犯の裁判を秘密裏に行うことなど何でもない。今、君は志賀という卑小な人間と対峙《たいじ》しているつもりかもしれないが、私の後ろには、もっと強大な存在がある。私は単なるメッセンジャーだ。悪いことはいわない。いう通りにしたほうがいい。私は君のことが好きだ。一生監獄の中で過ごさせたくはない」

志賀の台詞の後半は御為《おため》ごかしにしか聞こえなかったが、前半部には真実味があった。おそらくそうなのだろう、と神楽は思った。今ここで志賀を責めたところで意味はない。自分もまた卑小な存在なのだと痛感した。薄く目を閉じ、頭を振った。

「わかってくれたようだね」志賀がいった。

「一つ、質問させてください。今後、同じようなことが起きたらどうする気ですか。水上教授のような人間が出てくるおそれは十分にありますよ」

「その心配はもはや無用だ。我々には『モーグル』がある。どうしても犯人が見つからない場合には、最後の手段として、『プラチナデータ』の中を検索する。ただし、その検索結果については、ごくかぎられた人間にしか知らされない仕組みだがね」そういった後、志賀は憐れむような目をした。「いつの世にも身分というものは存在する。人間が平等だなんてことはあり得ないんだ」

神楽は項垂《うなだ》れた。全身から精気が抜けていくようだった。すべてを注ぎ込んで作り上げたDNA捜査システムは、階級制度を強固なものにするだけだったとは——。

「そうだ、君に教えておきたいことがある」その声に神楽は顔を上げた。志賀は気まずそうな顔をして続けた。「スズランという女性のことだ」

神楽は息を呑んだ。「スズランを知ってるんですか」

「その名前は浅間警部補から聞いたよ」志賀は唇を舐めた。「君の幻覚だということも」

「幻覚？」神楽は眉をひそめた。

「そう、幻覚だ。スズランという女性は存在しない。すべて、君が作りだした幻だった」

神楽は笑顔を作りながらも拳を固めた。「馬鹿なっ。そんなこと、あるわけない」

「信じられないだろうが、事実だ。君は東京駅から列車に乗ったが、ずっと一人だった。暮礼路にいる間も、一人きりだった」

神楽は首を振った。

「あり得ない。彼女とは言葉を交わしたし、一緒に食事をしたことだってある」

「では君以外に、彼女のことを見た人間はいるだろうか。彼女と言葉を交わした者はいるだろうか」

「それは……彼女はいつも人目を忍んで会いに来たから……」

「どうやってだ？　彼女はどうやって君の居場所を突き止め、どうやって厳しいセキュリティシステムをかいくぐって君に会いに来れたのだろう？」

神楽は言葉に詰まった。それは彼自身がずっと不思議に思っていたことだ。

「さらに尋ねるが、彼女との会話によって、君は何か新しい情報を得ただろうか。君が彼女から聞いた話は、すべて元々君が知っていたこと、あるいはリュウの記憶にあったものではなかったかな」

「そんなことは――」

ない、と断言しようとした。だがすでに気持ちが大きく揺らいでいるのが自分でもわかった。たしかにそうだ。スズランに関する情報にしても、すべてリュウの記憶を通じて知ったものだと考えれば、神楽自身は何ひとつ新たなことを聞き出していないことになる。

「じゃあ、教会は……」

「教会？」

「蓼科兄妹の別荘の近くに、古い教会があります。あの場所を教えてくれたのは彼女でした。それまで僕は、そんなところに教会があるなんて知らなかった」

　だが志賀は怪訝そうに首を振った。

「あんなところに教会はない」

「いえ、あるんです。林道を少し上がっていったところに」

「残念ながら、あれは教会じゃない。そういえば現地の警察官から聞いたよ。手配中の人物は、潰れたペンションで一夜を明かしたようだ、と」

「ペンション？　いや、違います。あれはたしかに教会だった。内装だって、しっかりと覚えています」

「それはおそらく、かつて君が入ったことのある教会を思い描いたんだろう」

「馬鹿な。教会に入ったのなんて小学生以来で……」そういいながら神楽は衝撃を受けていた。小学生の時、社会見学で近所の教会に入った。その時の光景が鮮やかに蘇ってきたからだ。その内装は、まさにあの夜スズランと過ごした教会のものだった。

志賀が傍らに置いてあった鞄を持ち上げ、中からノートパソコンを出した。膝の上で素早くキー操作をした後、液晶画面を神楽のほうに向けた。

「暮礼路でパトカーに追いかけられたことがあっただろう？　君はバイクで見事に逃走したようだがね。あの時、スズランという女性はどこにいた？」

「僕の後ろに乗っていたはずですけど」

志賀は頷いた。「わかった。では自分の目で確かめるといい」そういってキーを押した。

画面に映像が現れた。畦道《あぜみち》を一台のバイクが疾走している。それを背後から撮影しているようだ。

「パトカーの追跡カメラが捉えた映像だ。さあ、よく見るんだ」

バイクの姿が徐々に大きくなっていく。神楽は目を疑った。運転しているのは、まさしく彼自身だった。そして後ろには誰も乗っていない。

「嘘だ。そんなわけない……」力なく呟きを漏らした。

志賀は映像を止めた。

「私が嘘をつく必要があるかい？　スズランという女性が存在しないことにして、どういうメリットがある。私は君を目覚めさせたいだけだ」

神楽は自分の額に手を当てた。頭痛がし始めていた。

「じゃあ、あの絵はどうなるんですか？　リュウは幻覚の絵を描いたってことですか。でも、あの絵に描かれたスズランは、『モーグル』の入った袋を持っていました。だからこそキャンバスの裏に隠されているとわかったんです。スズランが幻覚なら、誰があの袋を持ってきたんですか」

すると志賀は目を伏せ、再びパソコンのキーボードを操作した。

「さっき私はスズランという女性は存在しないといったが、それはあくまでも私や君にとっては、という意味だ。リュウにとっては、スズランは存在した。たしかにね。彼女は幻覚などではなく、人間だった」

「どういう意味ですか」

「そのままの意味だよ。スズランの絵が置かれていた部屋を我々は徹底的に調べてみた。毛髪、皮膚片、体毛——DNAを分析できそうなものはすべて回収した。特に参考になったのは、二つの空き缶だ。ジュースの缶で、一方は君、いやリュウが飲んだものだと思われる。もう一方の空き缶からは、別人の唾液が見つかった。それは女性のものだった。そのDNAをプロファイリングし、外観をモンタージュしてみた。その画像がこれだ」志賀は再び液晶画面を向けてきた。

神楽は声をあげそうになった。そこに映し出されたのは、蓼科早樹の顔にほかならなかった。実物と違う点は、右半分を覆っていた痣がないことぐらいだ。

「これでわかっただろう。スズランの正体は蓼科早樹だった。君が反転剤を使った後、リュウは五階の部屋へ行って絵を描くわけだが、同時に蓼科早樹もあの部屋へ行っていたんだ。その際、自分の行動が見つからないよう、防犯カメラの映像を細工していた」

「彼女がカメラを？」

「そうだ。あの防犯カメラの偽装工作は蓼科早樹によるものだった」

神楽は、はっとした。そういえば水上がいっていた。カメラにトリックを仕掛けたのは自分ではない。元々あったものを利用させてもらっただけだ、と。

「リュウと蓼科早樹がどのように知り合い、親しくなっていったのかはわからない。しかし、リュウの目には彼女があの絵の少女のように見えていた、ということはたしかだ。だって彼は自分の目で見たものしか描かなかったんだろう？」

「……その通りです」

「どうだい、これですべての謎が解けただろ」

神楽は指先で目頭を押さえた。頭の中が混乱したままで、うまく思考できない。だがその一方で、現実を冷静に見つめようとする自分がいた。志賀の話は筋が通っている。合理的で隙がない。

スズランが幻覚だと悟り、失望している部分と、安堵している部分があった。もう彼女には永遠に会えないと思うとやはり悲しくなる。しかし彼女はあの時に死んだわけではないのだと思うと、救われた気にもなる。

「何か質問は？」志賀が尋ねてきた。

少し考えてから、ゆっくりと首を横に振った。

「ありません。思いつかないだけかもしれないけど」

「疑問に思うことがあれば、いつでもいってくれたらいい。納得できるまで説明しよう。君が我々との約束を守ってくれるならね」志賀はパソコンを鞄にしまい、椅子から立ち上がった。「そうだ、大事なことを忘れていた。浅間警部補から言伝《ことづ》てを頼まれていた。正確にいえば、リュウの言葉らしいが」

「リュウの？」神楽は首を傾げ、志賀を見上げた。

48

遠くで車のクラクションらしきものが鳴った。それ以外に物音は殆ど聞こえない。リュウはゆっくりと瞼を開いた。白い壁が目に入った。

彼は肘掛け付きの椅子に座っていた。右手の指に煙草を模した反転剤を挟んでいる。フィルター近くまで、ほぼ完全に燃えていた。床に目をやると、水を入れたバケツが置いてあった。燃え落ちた灰が床を焦がさないよう、という神楽の配慮だろう。

フィルターをバケツに捨て、周囲を見回した。ここは病室のようだ。ベッドが一つ。そしてその横にキャンバスをセットしたイーゼルが置いてあった。ベッドの上にはパレットと筆、そして絵の具が用意してある。

リュウはキャンバスに近づいた。メモが一枚載っている。そこには、『サイズの指定がなかったので、スズランの絵と同じ大きさのキャンバスを用意した。君のもう一つの人格より』と書いてあった。

小さく息を吐き、筆を手に取った。新しい筆だ。毛先が柔らかい。

ふと横を見た。白いワンピースを着たスズランが、悲しげな表情を浮かべて立っていた。

「最後に会いに来てくれたんだね」リュウはいった。

「だって、絵を描くんでしょう?」スズランが訊く。

「うん、君の絵を描く。そのために戻ってきたんだ」

今目の前にいるスズランが幻覚だということは、リュウ自身にもわかっていた。それでも彼には彼女が見える。元々彼女の姿はリュウが頭の中で作りだしたものだからだ。しかし神楽の場合、こうはいかないだろう。彼はスズランの正体も、彼女が死んでしまっていることも知っている。もう、彼の前にスズランが現れることはない。

スズランが涙を流した。リュウは手を伸ばして彼女の頬に触れ、指先で涙をぬぐった。

「この絵を描けば、リュウという人間もこの世界から消える。永遠に」

「そうしたら、あの世でまた会えるかな」

「会えるさ、もちろん」

二人は寄り添い、抱き合った。

49

時計の針が午後七時を少し過ぎた頃、容疑者がマンションに帰ってきた。ニット帽にサングラス、黒いコートという出で立ちだ。襟を立てているのは、少しでも顔を隠したいという思いがあるからか。

運転席の戸倉が振り返った。「係長、どうしますか」

浅間は無精髭だらけの顎を擦った。「全員のポジションを確認しろ」

はい、と返事をして、戸倉が無線機を使う。部下たちのやりとりを聞いたところ、すべての捜査員が所定の場所にいるようだ。

「よし、行くか」浅間はシートから腰を上げた。

マンションの管理人にバッジを示し、オートロックを解除させた。エレベータに乗り、階数ボタンを押す。容疑者の部屋はわかっている。

エレベータを降りると、三名の捜査員を引き連れて浅間は部屋に向かった。部屋はすぐに見つかったが、全員でドアの前に立つようなことはしない。トレーナー姿の戸倉を残し、ほかの者は離れたところで息を潜めた。

戸倉がインターホンのチャイムを鳴らす。しばらくして、はい、という太い声。

「すみません。今度隣に越してきた者なんですが、御挨拶させていただけますか」芝居のうまい戸倉が明るくいった。

やがて鍵が解錠される音が響いた。浅間たちは身構えた。

ドアが少し開いた瞬間、戸倉がドアノブを思いきり引っ張った。わっと声を出し、つんのめるように男が現れた。同時に浅間たちが襲いかかる。

男は気づき、ドアを閉めようとした。だがそれを戸倉の足が阻んだ。彼は工事現場用の安全靴を履いていた。

部屋の奥に逃げる男を部下たちが追った。間もなくリビングの中央で男は取り押さえられた。浅間はゆっくりと近づいていく。懐から逮捕状を取り出した。

「観念するんだな。強盗殺人の容疑で逮捕する」

「俺は何もやってない」男が喚いた。

「だったら、警察でゆっくりと釈明すればいい。だけどなかなか難しいと思うぜ。被害者の爪からあんたのＤＮＡが見つかっちゃってるからね。おまけにほら」浅間は男の手を摑んだ。「あんたの手にはひっかき傷だ」

諦めたのか男は抵抗をやめた。連れていけ、と浅間は部下に命じた。

「係長になって、最初の手柄ですね。やったじゃないですか」戸倉が冷やかしてくる。

「一件落着。楽な仕事だ」そういった時、電話がメールの受信を告げた。差出人を見て、思わず頰を緩めた。

「誰からですか。まさか、女とか」

「そんなわけねえだろ」浅間は文面を確認した。

『元気ですか。こちらはのんびりやっています。ぐい飲みの新作ができ上がったので、送ります。仕事、がんばってください。神楽』

相変わらず、あっさりとした文面だ。浅間は、ふっと息を吐いてから電話をしまった。

『プラチナデータ』事件終了から約二か月が経つ。いや、表向き、そういう名称の事件は存在しない。強いていえばＮＦ13事件ということになるか。

　神楽と接触しながら無断で単独行動をしたことについて、浅間は警視庁の上司からも、警察庁の人間からも糾弾されることはなかった。その代わりに彼は、二つの条件を呑むよう要求された。一つは『モーグル』を特解研に提供することであり、もう一つは一切の出来事を忘れることだった。

　浅間は同意するにあたり、自分からも要求を出した。それは、神楽を処分しないこと、というものだった。何度も会ったわけではなかったが、巨大な謎に二人だけで立ち向かったことで、彼には肉親のような親しみを感じるようになっていた。

　浅間の要求は受け入れられた。ただし、神楽本人が事件の全容を口外しないという条件付きだったが。

「浅間さん、またこんなものが」容疑者のコートを調べていた戸倉が、ポケットから四角い箱を取り出した。「ハイデンですよ、これ」

　浅間は顔をしかめた。最近になってハイデンは急速に広まっている。補導されるティーンエイジャーの五人に一人は持ち歩いている。水上が死んでも、一度蒔《ま》かれた悪の種は滅びない。

もしあの時、あれに気づいていなかったら、俺たちは今頃どうなっていただろう——浅間の記憶が二か月前に飛んだ。神楽と落ち合う前、水上の研究室に行った時のことだ。水上が部屋を出た後、浅間は棚に置いてあった黒革の鞄を何気なく眺めていて、電気のコードらしきものがはみ出ていることに気づいた。鞄を開けてみたところ、中に入っていたのはハイデンだった。

なぜ水上がそんなものを所持しているのか、浅間にはまるでわからなかった。治療に使うこともあるのかな、などと考えた。

ハイデンの構造については詳しいことを知らなかったが、どの部品をいじれば強弱を調節できるかということは『タイガー電気』の店主から聞いてわかっていた。見たところ、そのハイデンの状態は、極めて危険なモードに設定されていた。そのことに水上が気づいていないとまずいと思い、浅間は一つの部品を取り外しておいた。ただし水上に話すのは、なぜハイデンを所持しているのかが明らかになってからにしようと思った。

特に深い考えがあってやったわけではなかったが、結果的にその行為が神楽だけでなく浅間自身の命を守ることになったのだった。

「係長、容疑者を車に乗せました」

部下に声をかけられ、我に返った。

「よし、引き上げよう」浅間は戸倉に声をかけた。

50

土の一部が顔に飛んだ。思わず目を閉じてしまったが、手と指のポジションは維持した。気持ちも途切れていない。すぐに目を開け、作業を続ける。

手動ろくろの扱いにはかなり慣れた。無意識でも安定して回転させられるようになったので、土の成形に集中しやすい。

神楽の両手の中では、大皿が形を整えつつあった。直径が三十センチを超えている。これまでで最大の作品だ。

息を止めて最後の仕上げを終え、ろくろを止めた。眺め回した後、そばにいるサソリに声をかけた。「どうでしょうか」

作業台に向かっていた作務衣《さむえ》姿のサソリが顔を上げた。大皿を見て、「いいんじゃないか」と無愛想な口調でいった。お世辞をいう男ではない。神楽は満足した。

入り口から一人の男が駆け込んできた。「雨が降ってきた。洗濯物、取り込んどいたぜ」チクシだった。彼はろくろの上を見て、おっと口を開いた。

「いい出来じゃねえか。たった二か月なのに、ずいぶん慣れたなあ」

「おかげさまで」

神楽は立ち上がり、部屋の隅にある洗面台で手を洗った。正面に取り付けられた鏡に、泥を落とした彼の手が映っている。それを見て、リュウの絵を思い出した。

彼はすぐ横の壁を見た。そこには一枚の絵が飾られている。リュウが最後に描いたものだ。絵の中のスズランは、ウェディングドレス姿で微笑んでいた。

この作品は二〇一〇年六月小社より刊行されたものです。

プラチナデータ

東野《ひがしの》圭吾《けいご》

平成24年7月5日　初版発行

発行人――石原正康
編集人――永島賞二
発行所――株式会社幻冬舎
〒151-0051東京都渋谷区千駄ヶ谷4-9-7
電話　03(5411)6222(営業)
03(5411)6211(編集)
振替00120-8-767643
印刷・製本―中央精版印刷株式会社
装丁者――高橋雅之

幻冬舎文庫

ISBN978-4-344-41884-4　C0193　ひ-17-1